W9-CPC-958

Tapas

Con Affetto
Attilio

thank you for the moments that we shared, and thank you for your english lessons.

We'll miss you so much...
Thank your for all your smiles...
See you soon
Sara

Tapas

Carlos Herrera

Fotografías de Becky Lawton

Primera edición: junio de 2009

Diseño de la cubierta: Santiago Rodés
ISBN: 978-84-92520-21-3
Depósito Legal: B-18.196-09

Impreso y encuadernado por Jam S. L.

Impreso en España – *Printed in Spain*

Índice

Pinchos

Montaditos

Fritos

Tortillas

Sopas y gazpachos

Traducciones

Nota del editor: Bajo el enunciado en castellano, todas las recetas tienen un número de página [ejemplo: (> 250)] donde se localiza la traducción junto a su correspondiente fotografía, y por este orden: inglés, francés, alemán, ruso, japonés y chino.

Editor's note: Under the statement in Spanish, all of the recipes have a page number [example: (> 250)] indicating where the translation is located together with its corresponding photograph, in this order: English, French, German, Russian, Japanese and Chinese.

Note de l'éditeur : Sous l'énoncé en espagnol, toutes les recettes sont associées à un numéro de page [exemple : (> 250)] où l'on peut trouver la traduction et la photographie correspondante, dans l'ordre suivant : anglais, français, allemand, russe, japonais et chinois.

Anmerkung des Herausgebers: Unter den spanischen Rezeptnamen steht jeweils die Seitenzahl [z. B.: (>250)] der Übersetzungen und der dazugehörigen Fotos, und zwar in der Reihenfolge Englisch, Französisch, Deutsch, Russisch, Japanisch und Chinesisch.

Примечание издателя: Все рецепты в содержании на испанском языке снабжены определенным номером страницы [например (> 250)], где находится перевод данного рецепта вместе с фотографией. Переводы приведены в следующей последовательности: английский, французский, немецкий, русский, японский и китайский языки.

編集者注：各レシピのスペイン語の下にはページ番号がついており[例：(> 250)]、そのページには、それぞれのレシピの写真と翻訳（英、仏、独、露、日、中の順）が載っています。

编者的话：在西语陈述的下方，每个菜谱都有对应的页码[如：(> 250)]，标明菜谱对应的图片位置，按照英语、法语、德语、俄语、日语和中文的顺序。

Introducción

Vivo en uno de los rincones de España donde el tapeo es un arte. Un arte con mayúsculas. Pero si nos sentamos en cualquier mesa de la geografía española disfrutaremos de esa liturgia de los sabores que son las tapas, los pinchos, los fritos, los platillos y las cazuelitas regados siempre con un buen vino, una cerveza fresca de trago largo o trago corto o un fino de Jerez.

A mediodía muchas barras de España presentan un apetecible aspecto multicolor donde todo es tentación y alegría.

Hoy en día el entretenimiento no está sólo en los cines y teatros, está mayormente en los restaurantes. Vas a distraerte, a divertirte, a entretenerte y, además, vas a comer. Entre copas, música, entretenimiento y tertulia se va haciendo la vida. Cuando disfrutamos de las tapas renovamos la fe en lo cotidiano y en lo sencillo, cuando cerramos momentáneamente los ojos, como si eso sirviera para saborear el más delicioso bocado que nos hemos brindado soberanamente.

No pocos lectores y oyentes me preguntan acerca de determinados lugares de calidad donde tapear que, según mi criterio, he ido encontrando en mis peregrinajes continuos por media España. Podría hacer una guía exhaustiva pero el mejor homenaje es dejar constancia de los platos que en ellos se pueden degustar. El gusto y el refinamiento por la buena mesa sigue formando parte de todos estos templos donde todavía es posible que los gourmets encuentren refugio y puedan paladear sin prisas las delicias que allí se ofrecen.

Tapas es un pequeño homenaje a todos ellos porque muchas de las recetas de este libro son herencia de sus creadores. He querido que el libro esté traducido a varios idiomas para llevar más allá de nuestras fronteras esa cultura de lo español que es la buena gastronomía.

Pero este libro es, además, una reivindicación de lo auténtico, de lo nuestro: los productos de calidad españoles como el aceite de oliva —revelar la verdad del aceite es evangelizar sobre lo mejor que puede brindarnos el paisaje plural de las Españas—, el jamón de Jabugo, los langostinos de Sanlúcar, las anchoas del Cantábrico, el rabo de toro, el queso manchego, los espárragos de Navarra, el bacalao, la morcilla de Burgos, las aceitunas de Jaén o el bonito del norte…

Todo aderezado con buenos avíos, gracia inmensa, mucho meneo de cazuelas y, sobre todo, arte. ¡Que lo disfruten!

Carlos Herrera

PINCHOS

Brochettes

Brochettes

Spiesschen

Шашлычки

ピンチョ（串刺し）

串烧

Gilda

(> 232)

8 guindillas de Ybarra
4 cebollitas de cocktail
4 filetes de anchoa en aceite
4 aceitunas deshuesadas

En un palillo pinchar una cebollita, dos guindillas con un filete de anchoa y, encima, la aceituna verde.

Pincho de aceituna, pepinillo, anchoa y bonito (> 232)

4 pepinillos
4 anchoas frescas en aceite
4 tacos de bonito en aceite
4 aceitunas verdes deshuesadas
2 cucharadas soperas de vinagreta

En un palillo pinchar una aceituna, un pepinillo, una anchoa enrollada y un taco de bonito. Colocar los pinchos en un plato, poner un poco de vinagreta por encima y servir.

Pincho de atún, gamba, cebolla, aceituna y vinagreta

(> 233)

4 tacos de atún • 4 gambas cocidas • 4 aceitunas verdes sin hueso •
2 cucharadas soperas de cebolla picada • Vinagreta

Pinchar en un palillo un taco de atún, una gamba y una aceituna. Repartir un poco de cebolla por encima y rociar con la vinagreta.

Pincho de queso manchego con membrillo

(> 233)

4 rebanadas de pan • 4 rodajas de queso manchego • 4 lonchas de membrillo

Pinchar en un palillo una rodaja de queso y una loncha de membrillo y ponerlo sobre un trozo de pan.

Pincho de bacón con gambas

(> 234)

4 tostadas de pan • 4 lonchas de bacón • 4 gambas • Aceite de oliva

Pelar las gambas y enrollarlas con el bacón sujetándolo con un palillo. En una sartén con un poco de aceite hacerlas a la plancha.
Tostar el pan y pinchar el palillo. Servir caliente.

Pincho de salmón con huevas de arenque

(> 234)

4 lonchas de salmón ahumado • 150 gr. de chatka • 1 cucharada sopera de cebolleta • 2 cucharadas soperas de mayonesa • 2 cucharadas soperas de huevas de arenque • Salsa Perrins • Tabasco • Aceite de oliva extra virgen

Picar la cebolleta finamente y el chatka y mezclar los ingredientes con la mayonesa.
Sazonar y aliñar con un poco de salsa Perrins y unas gotas de tabasco.
Rellenar las lonchas de salmón ahumado con el preparado.
Pinchar en un palillo el salmón, colocar en un plato y repartir un poco de huevas de arenque por encima de cada loncha. Regar con unas gotas de aceite de oliva.

Pincho de champiñón, morcilla y aros de cebolla (> 235)

4 trozos de pan
4 champiñones grandes
2 morcillas de arroz
1 cebolla
4 huevos
2 cucharadas soperas de harina
1 cucharada sopera de pan rallado
Aceite de oliva
Sal
Pimienta

Limpiar los champiñones quitándoles el tallo.
Batir los huevos y pasar los champiñones por la harina, los huevos batidos y el pan rallado.
En una sartén con abundante aceite caliente, freír los champiñones. Cuando estén dorados, retirar del fuego y escurrirlos sobre papel absorbente. Reservar.
Cortar la cebolla en aros finos y pasarla por la harina y los huevos batidos. En una sartén con aceite caliente freírla hasta que dore. Reservar.
En otra sartén, freír con aceite muy caliente a fuego moderado las morcillas de arroz cortadas por la mitad.
Pinchar en un palillo una morcilla, un champiñón y unos aros de cebolla y colocarlo sobre un trozo de pan tostado.

Pincho de espárragos asados con jamón serrano (> 236)

12 espárragos verdes
12 lonchas de jamón serrano
5 cucharadas soperas de aceite de oliva
1 cucharada sopera de zumo de limón
1 cucharada sopera de agua templada
3 dientes de ajo
2 yemas de huevo
Sal gorda
Pimienta
Aceite de oliva

En un mortero machacar los dientes de ajo con una pizca de sal y pimienta. Cuando se obtenga una pasta, incorporar las yemas de huevo y verter gota a gota sin dejar de moverlo para que coja consistencia las cinco cucharadas de aceite de oliva. Remover y cuando esté bien mezclado, agregar el zumo de limón hasta formar una salsa espesa.
Lavar los espárragos y cortar la base. Enrollar una loncha de jamón serrano alrededor de un espárrago. Poner los rollitos en una bandeja de horno. Sazonarlos con sal gorda y un poco de pimienta y rociar con un chorrito de aceite.
Meter la bandeja en el horno precalentado a 220° C y hornear durante 10 minutos.
Servir calientes acompañados de la salsa.

Pincho de espárragos con salmón (> 237)

12 espárragos blancos
12 lonchas de salmón ahumado
3 yemas de huevo
1 ½ dl. de nata líquida
3 cucharadas soperas de mayonesa
Sal
Pimienta

Limpiar, pelar y cocer los espárragos. Reservar.
En un cazo al baño María, montar las yemas con la nata hasta conseguir una crema fina.
Cuando enfríe, mezclar la crema con la mayonesa. Salpimentar. Reservar.
Enrollar los espárragos en una loncha de salmón dejando que sobresalga la cabeza.
Colocar los espárragos en una fuente de horno, bañar con salsa Sabañón y gratinar.
Sacar del horno, en un palillo pinchar un espárrago y colocar los pinchos en un plato y servir.

Pincho de gamba, espárrago, huevo cocido y aceituna

(> 237)

4 gambas cocidas
4 espárragos
4 aceitunas verdes sin hueso
2 huevos cocidos
1 cucharada sopera de mayonesa

Pelar los huevos y cortarlos por la mitad.
Pinchar en un palillo la mitad de un huevo cocido, un espárrago, una gamba cocida y una aceituna.
Poner un poco de mayonesa por encima de la gamba y el huevo. Servir en un plato.

Pincho de langostinos con calabacín al brandy (> 238)

4 langostinos
¼ de calabacín
Sal gorda
Aceite de oliva

Para la salsa
100 gr. de nata líquida
1 cucharada de café de cebollino fresco picado
1 cucharada sopera de zumo de limón
1 cucharada de café de brandy

Lavar los calabacines y cortarlos con su piel a rodajas muy finas.
Pinchar en un palillo un langostino cocido y pelado a excepción de la cola, enrollarlo con una rodaja de calabacín y dorarlo por ambos lados en una sartén con un chorrito de aceite. Sazonar con sal gorda.
En un cazo a fuego suave cocer durante 5 minutos la nata, el limón, el brandy y el cebollino sin dejar de remover.
Servir los pinchos con un poco de salsa por encima de cada uno.

Pincho de morcilla y queso de cabra con vinagreta (> 239)

4 rodajas de morcilla
4 cortadas gruesas de queso de cabra
1 tomate maduro
Aceite de oliva

Para la vinagreta
3 cucharadas soperas de aceite de oliva
1 cucharada sopera de vinagre
1 cucharada sopera de miel
Sal gorda

Preparar la vinagreta mezclando todos los ingredientes. Reservar.
Lavar el tomate y cortarlo a rodajas gruesas. En una sartén a fuego suave con un poco de aceite freírlo hasta que dore. Reservar.
En una sartén aparte, freír las morcillas. Cuando estén crujientes retirarlas del fuego.
Tostar el pan, poner encima una rodaja de tomate, una morcilla y el queso de cabra. Pincharlo con un palillo. Meter en el horno y gratinar.
Servir caliente aliñado con un poco de vinagreta por encima.

Pincho de pulpo a feira

(> 240)

4 trozos de pulpo cocido
1 patata
1 cucharada de café de pimentón dulce
1 cucharada de café de pimentón picante
Aceite de oliva
Sal gorda

Cocer el pulpo en agua con sal. Cortar en rodajas y reservar el agua.
Cocer la patata entera y con piel en el agua que ha sobrado de cocer el pulpo. Cuando estén cocidas, escurrirlas y pelarlas. Cortarlas al mismo tamaño que las rodajas del pulpo.
Pinchar en un palillo un trozo de pulpo y otro de patata, sazonar con sal gorda, un poco de pimentón dulce y picante y unas gotas de aceite de oliva.
Servir caliente.

Pincho de rape, tomate, langostino y pimiento verde con salsa tártara

(> 240)

4 dados de rape
4 langostinos pelados
4 tomates cherry
½ pimiento verde
1 cucharada sopera de salsa tártara
Sal gorda
Aceite de oliva virgen

Pinchar en un palillo un dado de rape, un tomate cherry entero, un langostino y un dado de pimiento verde. Sazonar. En una sartén a fuego fuerte con un poco de aceite hacer vuelta y vuelta durante un par de minutos.
Servir caliente con un poco de salsa tártara por encima.

Pincho de tomate y rape

(> 241)

½ kg. de rape
2 tomates maduros
2 huevos
1 diente de ajo
½ cucharada de café de perejil
2 cucharadas soperas de harina
Sal
Aceite de oliva

Lavar el tomate y cortar en rodajas gruesas. Sazonar y rebozar con la harina y un huevo batido. En una sartén con aceite a fuego moderado freír el tomate rebozado. Retirar y escurrir en papel absorbente. Reservar.
Cortar el rape a rodajas, sazonar y mezclar en un bol con un huevo batido, el perejil y el ajo picado fino durante media hora. Transcurrido este tiempo, en una sartén con aceite a fuego moderado freír el pescado por ambos lados.
Pinchar con un palillo una rodaja de tomate y otra de rape.

MONTADITOS

Canapés

Canapés

Kanapees

Канапе

カナッペ

小吐司

Huevos mollet sobre tostadas con espinacas y jamón

(> 242)

4 rebanadas de pan de molde
4 huevos
250 gr. de espinacas
100 gr. de jamón ibérico
100 gr. de crema líquida
50 gr. de mantequilla
2 cucharadas de queso Gruyère rallado
Pimienta
Sal

Limpiar las espinacas y cocerlas en abundante agua salada. Escurrir y rehogar en una sartén con la mantequilla. Cuando estén casi hechas, añadir la crema.
Freír las rebanadas de pan. Cuando estén doradas, retirar y colocar por encima una base de espinacas y el jamón ibérico picado fino. Reservar al calor.
Hacer los huevos mollet sumergiéndolos en agua hirviendo a fuego lento durante cinco minutos a partir del hervor. Sacarlos y ponerlos bajo un chorro de agua fría. Retirarles la cáscara y colocar un huevo sobre cada tostada cubriéndolos con otra capa de espinacas. Espolvorear por encima el queso rallado y gratinar a fuego fuerte hasta que se haya derretido el queso.
Servir caliente.

Montadito de boquerón y salmón ahumado (> 243)

4 tostadas de pan francés
4 boquerones
4 lonchas finas de salmón ahumado
4 alcaparras
1 cucharada sopera de perejil picado
1 diente de ajo
1 dl. de vinagre
1 dl. de aceite de oliva virgen
1 cucharada sopera de perejil picado
Sal

Limpiar los boquerones en agua muy fría. Dejarlos en filetes quitándoles las espinas. Secarlos, sazonarlos y colocarlos en una fuente. Cubrirlos con el vinagre y dejarlos en un lugar frío durante 3 horas.
Transcurrido este tiempo, escurrirlos bien y ponerlos en otra fuente con el aceite de oliva virgen y el ajo laminado.
Tostar el pan y colocar por encima un filete de boquerón y una loncha de salmón ahumado. Decorar con una alcaparra.

Montadito de bonito con huevo cocido y anchoa (> 244)

4 rebanadas de pan francés • ½ cebolla picada • 75 gr. de bonito en aceite • 4 filetes de anchoa en aceite • 12 alcaparras • 1 huevo cocido • 2 cucharadas soperas de mayonesa

Desmenuzar el bonito y mezclarlo con la cebolla, las alcaparras y la salsa mayonesa.
Tostar el pan, untar cada rebanada con el bonito, espolvorear con un poco de huevo cocido picado por encima y colocar, finalmente, un filete de anchoa.

Montadito de pollo a la campesina (> 244)

4 rebanadas de pan • 3 pechugas de pollo • 1 lechuga • 1 cebolla • 5 cucharadas de salsa mayonesa • Aceite de oliva • Sal • Pimienta

En una sartén a fuego moderado freír las pechugas de pollo troceadas y salpimentadas al gusto.
Cuando estén hechas, desmenuzarlas y reservarlas.
Lavar bien la lechuga y cortarla muy picadita.
En un bol mezclar la salsa mayonesa, la cebolla picada muy fina, la lechuga y el pollo.
Tostar el pan y repartir la mezcla preparada en cada rebanada.

Montadito de boquerones en vinagre con jamón ibérico

(> 245)

4 tostadas de pan artesano • 8 boquerones en vinagre • 4 lonchas de jamón ibérico • 2 tomates maduros • Aceite de oliva virgen • Sal gruesa

Tostar el pan. Untar una rebanada con la mitad de un tomate dejando la pulpa y las pepitas. Sazonar ligeramente y rociar con un chorro de aceite de oliva.
Colocar un boquerón sobre cada rebana de pan y poner encima una loncha de jamón.

Montadito de morcilla con pimientos del piquillo

(> 245)

4 rebanadas de pan francés • 4 rodajas finas de morcilla • 2 pimientos del piquillo • Aceite de oliva

En una sartén, freír las morcillas. Cuando estén bien crujientes retirarlas del fuego y escurrir. Reservar.
Pinchar en un palillo una rebanada de pan, una rodaja de morcilla y medio pimiento del piquillo. Servir caliente.

Montadito de calabacín con gamba y bacón

(> 246)

4 tostadas de sésamo
4 gambas cocidas
4 lonchas de bacón magro
1 calabacín
1 huevo
2 cucharadas soperas de harina
Aceite de oliva
Sal
Pimienta

Batir bien el huevo. Reservar. Limpiar y cortar el calabacín por la mitad a lo largo. A continuación, cortar de nuevo en trozos longitudinales no muy gruesos.
Sobre cada loncha de calabacín poner una loncha de bacón. Salpimentar al gusto. Colocar en un extremo una gamba cocida y pelada.
Enrollar la loncha y pinchar con un palillo por el centro. Pasar el rollito por el huevo batido y enharinar. Freír los rollitos en una sartén con un poco de aceite muy caliente. Cuando estén dorados, retirarlos y escurrirlos sobre papel absorbente.
Servir calientes sobre las tostadas de sésamo.

Montadito de chatka, langostinos y pimientos del piquillo

(> 247)

4 rebanadas de pan francés • 4 langostinos cocidos • 2 pimientos del piquillo • 125 gr. de chatka • 1 cucharada sopera de mayonesa • Sal

Desmenuzar el chatka, sazonarlo y mezclarlo con la mayonesa.
Repartir la mezcla en las rebanadas de pan, colocar por encima el piquillo a tiras y un langostino pelado y pinchado con un palillo.

Montadito de chatka y espárragos

(> 247)

4 rebanadas de pan • 150 gr. de chatka • 4 puntas de espárrago • 1 cucharada sopera de mayonesa

Desmenuzar el chatka y mezclarlo con la mayonesa.
Poner el chatka sobre la rebanada de pan y decorar con una punta de espárrago.

Montadito de chistorra, bacón, jamón y pimientos del piquillo

(> 248)

4 rebanadas de pan
4 lonchas de bacón
4 lonchas de jamón ibérico
4 chistorras pequeñas
4 pimientos del piquillo
½ diente de ajo
Aceite de oliva

En una sartén con aceite caliente freír el bacón, el jamón, las chistorras y los pimientos del piquillo. Cuando tomen color, retirar y reservar.
Tostar el pan, untar con medio diente de ajo, echar un chorro de aceite de oliva y poner encima un pimiento del piquillo, una loncha de jamón, una loncha de bacón y una chistorra. Pinchar con un palillo y servir inmediatamente.

Montadito de foie con langostinos y pasas

(> 248)

4 rebanadas de pan • 200 gr. de foie micuit • 4 colas de langostinos • 12 uvas pasas • 4 cucharadas soperas de vino dulce • Sal gruesa • Aceite de oliva

Pelar y sazonar los langostinos.
En una cazuela con un poco de aceite saltear las colas. Cuando doren, agregar las pasas y verter el vino. Dejar que se hagan y retirar cuando el vino caramelice.
Tostar las rebanadas, poner una rodaja de foie, encima un langostino y tres pasas. Servir caliente rociado con la salsa y una pizca de sal gruesa.

Montadito de foie con compota de manzana

(> 249)

4 rebanadas de pan • 200 gr. de micuit de pato • 100 gr. de manzana • 1 cucharada sopera de azúcar • 4 hojas de tomillo • Una pizca de vainilla

Lavar y cortar las manzanas a dados sin quitarles la piel.
En un cazo a fuego suave con un poco de agua cocer las manzanas hasta que ablanden. Triturar y devolver al cazo. Agregar el azúcar y cocer a fuego suave sin dejar de remover hasta que se funda el azúcar. Incorporar la vainilla. Retirar cuando tenga una consistencia cremosa.
Tostar el pan, poner un trozo de foie y repartir un poco de compota por encima. Decorar con el tomillo.

Montadito de huevos de codorniz, chorizo y pimiento del piquillo

(> 250)

4 rebanadas de pan francés • 4 huevos de codorniz • 1 chorizo de Burgos • 2 pimientos del piquillo • Aceite de oliva extra • Sal

Freír los huevos de codorniz dejando la clara dorada. En el mismo aceite, freír el chorizo a rodajas finas.
Cortar los pimientos del piquillo a rodajas.
Tostar las rebanadas de pan. Sobre cada una poner una rodaja de pimiento, un huevo frito y unas rodajas de chorizo.
Servir caliente.

Montadito de jamón ibérico con pimiento

(> 250)

4 rebanadas de pan • 4 lonchas de jamón serrano • 1 pimiento verde • Aceite de oliva • Sal

Lavar y cortar el pimiento en cuatro trozos. Freírlo en aceite de oliva, escurrirlo sobre papel absorbente y sazonar.
Tostar el pan. Colocar una loncha de jamón sobre cada rebanada. Poner encima el pimiento y servirlo caliente.

Montadito de jamón ibérico con huevo frito de codorniz

(> 251)

4 rebanadas de pan francés • 4 lonchas de jamón ibérico • 4 huevos de codorniz • 1 diente de ajo • 2 tomates maduros • Aceite de oliva extra • Sal gruesa

Limpiar el tomate, cortarlo por la mitad y rallarlo. Sazonar y regar con un chorro de aceite de oliva. Reservar.
Freír los huevos de codorniz dejando la clara dorada.
Tostar las rebanadas de pan y untarlas con el tomate rallado. Poner por encima una loncha de jamón y el huevo de codorniz.

Montadito de boquerones con huevos de trucha

(> 252)

4 rebanadas de pan francés en diagonal • 8 boquerones marinados en vinagre • 4 cucharadas de café de huevos de trucha

Tostar el pan y colocar por encima de cada rebanada dos filetes de boquerón y una cucharada de huevos de trucha a lo largo.

Montadito de jamón ibérico, salmón, gamba y huevo (> 252)

4 rebanadas de pan francés
3 huevos cocidos
4 gambas peladas y cocidas
4 lonchas de jamón ibérico
4 lonchas de salmón ahumado
2 cucharadas soperas de mayonesa

Cortar los huevos cocidos por la mitad. Rallar uno de los huevos y reservar.
Tostar la rebanada de pan y colocar por encima una loncha de jamón serrano. Sobre ella una loncha de salmón ahumado, medio huevo, un poco de mayonesa y una gamba. Pinchar con un palillo. Espolvorear por encima el huevo rallado.

Montadito de jamón, alcachofa y habitas con crema de queso

(> 253)

4 rebanadas de pan francés
4 lonchas de jamón ibérico
16/20 habitas
2 corazones de alcachofa
125 gr. de alioli
½ cucharada de café de pimentón
75 gr. de queso cremoso
2 dientes de ajo
20 ml. de leche
Aceite de oliva
Sal

Limpiar las habitas, cocer en agua con sal, escurrir y reservar.
Poner en una batidora los dientes de ajo, la leche, dos cucharadas soperas de aceite y el queso cremoso. Batir hasta formar una crema espesa.
Pelar las alcachofas hasta que quede el corazón y cortar las puntas, cocer, escurrir y cortar a trozos pequeños. Reservar.
Tostar las rebanadas de pan, colocar las lonchas de jamón serrano, cuatro o cinco habas y unos trocitos de corazón de alcachofa. Cubrir cada rebanada con una capa de crema de queso. Espolvorear con un poco de pimentón.
Meter en el horno a fuego fuerte durante 30 segundos. Servir inmediatamente.

Montadito de merluza con cebolla (> 254)

4 rebanadas de pan • 4 lomos de merluza • 1 cebolla • 1 cucharada sopera de harina • 1 huevo • Aceite de oliva • Sal

En una sartén con un poco de aceite de oliva sofreír la cebolla cortada en juliana. Sazonar y reservar.
Rebozar los lomos de merluza con harina y huevo batido, sazonarlos y freírlos en una sartén con abundante aceite caliente y retirarlos del fuego. Escurrirlos en papel de cocina absorbente.
Tostar el pan, poner el sofrito de cebolla y encima el lomo de merluza.
Servir caliente.

Montadito de bacalao en lecho de aceite y tomate de Bodeguita Romero (> 254)

4 rebanadas de pan • 4 lonchas de bacalao marinado • 3 tomates • 1 diente de ajo • Sal • Aceite de oliva

Triturar el tomate pelado y el ajo, sazonar, echar un chorro de aceite y mezclar.
Tostar las rebanadas de pan, untar con el tomate y colocar por encima una loncha de bacalao marinado.

Montadito de morcilla con espinacas, pasas y piñones

(> 255)

4 rebanadas de pan
4 rodajas de morcilla
300 gr. de espinacas cocidas
50 gr. de pasas
30 gr. de piñones
Aceite de oliva
Sal

En una sartén con un poco de aceite freír las morcillas y cuando estén crujientes retirarlas del fuego.
En otra sartén a fuego suave con un poco de aceite dorar las pasas y los piñones, echar las espinacas, sazonar y sofreír.
Sobre el pan poner una base de espinacas, pasas y piñones y la morcilla por encima. Pinchar con un palillo y tomar caliente.

Montadito de setas de cardo con jamón serrano

(> 255)

4 rebanadas de pan francés • 175 gr. de setas de cardo • 4 lonchas de jamón serrano • 1 diente de ajo picado • Aceite de oliva extra • Sal

Limpiar las setas, sazonarlas, trocearlas y freírlas con el ajo con un poco de aceite de oliva. Tostar el pan y colocar unas cuantas setas en la rebanada y la loncha de jamón por encima.

Pan de pita con tomate, higo y jamón ibérico

(> 256)

4 panes de pita pequeños • 1 tomate rojo grande • 2 higos • 4 lonchas de jamón ibérico

Humedecer ligeramente el pan de pita y hornear unos minutos para que quede crujiente. Poner por encima del pan de pita una cortada de tomate, medio higo pelado y una loncha de jamón ibérico fino.

Montadito de solomillo de cerdo con queso Brie

(> 256)

4 rebanadas de pan francés
4 filetes de solomillo de cerdo de 50 gr. cada uno
120 gr. de queso Brie
1 pimiento verde
Aceite de oliva
Sal gorda
Pimienta

Cortar el queso en lonchas de 30 gr. cada una. Reservar.
Limpiar el pimiento verde, quitarle las pepitas y cortarlo en cuatro trozos del tamaño de los filetes.
En una sartén con un poco de aceite freír el pimiento verde ligeramente sazonado con sal gorda.
En una plancha muy caliente con un poco de aceite de oliva hacer el solomillo salpimentado al gusto.
Poner encima del pan un trozo de solomillo, un trozo de pimiento verde y una loncha de queso.
Meterlos en el horno hasta que se funda el queso. Servir caliente.

Montadito de cazón en adobo «Bienmesabe» gaditano

(> 257)

4 tostadas de pan francés
1 kg. de cazón
8 dientes de ajo
1 cucharada de café de orégano
1 cucharada de café de comino
1 cucharada de café de pimentón rojo molido
½ limón
½ l. de vinagre de vino de Jerez
Vino fino de Jerez
Harina de pescado
Sal
Aceite de oliva

Limpiar bien el cazón, cortarlo a dados grandes y ponerlo en un recipiente hondo.
Cubrir el pescado con los dientes de ajo pelados y picados finos, el pimentón, el orégano, el comino y el vinagre, un chorro de vino fino y sazonar. Tapar y dejar reposar un mínimo de 4 horas a temperatura ambiente, removiendo un par de veces para que el cazón absorba el sabor.
Escurrir el pescado y rebozarlo con la harina. En una sartén con abundante aceite caliente freír el cazón poco a poco para evitar que el aceite pierda temperatura. Retirar y escurrir en papel absorbente.
Tostar el pan y colocar por encima un par de dados de cazón y exprimir por encima unas gotas de limón.

MINIS

Rolls

Minis

Bötchen

МИНИ

ミニサンド

小面包夹

Mini de anchoas con huevo y salsa mayonesa (> 259)

4 panecillos
8 anchoas en aceite
4 lonchas de jamón ibérico
4 hojas de lechuga
2 huevos cocidos
2 cucharadas soperas de mayonesa

Cortar el pan por la mitad, untar una rebanada con la mayonesa y colocar por encima una hoja de lechuga lavada previamente, medio huevo cortado a láminas, una loncha de jamón cortado a tiras y dos filetes de anchoa. Taparlo con la otra mitad del pan.

Mini de atún, huevo, espárragos y mayonesa (> 259)

8 rebanadas de pan de molde sin corteza
8 espárragos blancos
250 gr. de atún en aceite
2 huevos cocidos
4 hojas de lechuga
2 tomates maduros
4 cucharadas soperas de mayonesa
Sal

Pelar los huevos y rallarlos.
Lavar los tomates y cortarlos a trozos pequeños sin las pepitas. Lavar la lechuga y cortarla en juliana.
En un bol mezclar los huevos, los tomates, la lechuga, el atún desmenuzado y los espárragos cortados a trozos pequeños y mezclar con la mayonesa. Sazonar.
Cortar la rebanada de pan de molde por la mitad en forma de triángulo. Untar la superficie con la mezcla y cubrir con la otra parte.

Mini de blanco y negro con alioli

(> 260)

4 panecillos
8 salchichas pequeñas
4 morcillas de cebolla
1 cucharada sopera de zumo de limón
1 cucharada sopera de agua templada
3 dientes de ajo
2 yemas de huevo
Aceite de oliva
Sal
Pimienta

En un mortero machacar los dientes de ajo con una pizca de sal y pimienta. Cuando se obtenga una pasta, incorporar las yemas de huevo y, sin dejar de moverlo, verter gota a gota cinco cucharadas de aceite de oliva para que coja consistencia. Remover y cuando esté bien mezclado, agregar el zumo de limón hasta formar la salsa alioli.
En una sartén a fuego moderado con un poco de aceite de oliva, hacer las salchichas. Retirarlas y en el mismo aceite hacer las morcillas.
Abrir los panecillos, untar con la salsa alioli y poner dos salchichas y una morcilla. Servir caliente.

Mini de brandada de bacalao con pimiento verde (> 261)

4 panecillos
250 gr. de bacalao
3 pimientos verdes
150 ml. de nata líquida
Aceite de oliva virgen
Sal

Poner el bacalao en agua fría durante 12 horas, cambiando de agua cada 4 horas, secando cada vez los trozos de bacalao y poniendo de nuevo agua fresca. Finalizada esta operación, cortar las pieles con tijeras en tiritas finas, limpiar bien de espinas y desmigar.
Limpiar los pimientos, cortar en juliana, sazonar y saltear a fuego vivo con un poco de aceite hasta que doren.
En un cazo, hervir la nata a fuego lento y añadir el bacalao. Una vez cocido, triturar el pescado y añadir una cucharada sopera de aceite de oliva para emulsionar.
Cortar los panecillos por la mitad y rellenarlos con una base de brandada y un trozo de pimiento verde por encima.
Servir templado o caliente.

Mini de calamares

(> 262)

4 panecillos
200 gr. de calamares
Harina de pescado
Sal
Aceite de oliva

Limpiar los calamares y cortarlos en rodajas de ½ cm. cada uno. Sazonar.
Pasarlos por harina de pescado y freírlos en abundante aceite de oliva muy caliente. Escurrirlos sobre papel absorbente.
Cortar el panecillo por la mitad y rellenar con los calamares. Servir caliente.

Mini de Camembert gratinado

(> 262)

4 panecillos
4 trozos grandes de Camembert
8 rodajas de tomate cortado fino
Sal

Cortar el panecillo por la mitad y poner dos rodajas finas de tomate. Sazonar. Poner los trozos de queso Camembert encima.
Cubrir con la otra mitad del pan y meter en el horno durante dos minutos. Servir caliente.

Mini de chapata con tortilla de jamón y queso (> 263)

4 panecillos de chapata
4 huevos
4 lonchas de jamón cocido
4 lonchas de queso de fundir
2 tomates maduros
Sal

Batir un huevo, sazonarlo y echarlo en una sartén a fuego moderado con un chorro de aceite. Colocar encima una loncha de jamón y otra de queso. Cerrar la tortilla y darle forma.
Cortar el panecillo por la mitad y untar una rebanada con la mitad de un tomate dejando la pulpa y las pepitas. Sazonar ligeramente y rociar con un chorro de aceite de oliva. Poner por encima la tortilla caliente y cubrir.

Mini de chatka, jamón y lechuga

(> 264)

4 unidades de pan de molde sin corteza
75 gr. de chatka
40 gr. de jamón cocido
2 hojas de lechuga
1 cucharada sopera de mayonesa

Desmenuzar el chatka, las hojas de lechuga lavadas previamente y el jamón cocido. Mezclar con la mayonesa.
Tostar ligeramente el pan de molde y cortar por la mitad en forma de triángulo. Untar la superficie de una rebanada y cubrir con la otra parte.

Mini de lomo, bacón y pimiento verde

(> 264)

4 panecillos
4 filetes de lomo de cerdo
4 lonchas finas de bacón
1 pimiento verde
Aceite de oliva
Sal

Freír el bacón en una sartén con un poco de aceite.
Sazonar el lomo y freírlo en una sartén con un poco de aceite.
Freír el pimiento verde, sazonarlo y cortarlo en cuatro trozos pequeños.
Cortar el pan por la mitad y colocar dentro un trozo de bacón, un filete de lomo y un trozo de pimiento verde.
Servir bien calientes.

Mini de pepito de ternera con gírgola a la plancha (> 265)

4 panecillos
4 filetes de ternera de 50 gr.
4 gírgolas grandes
Aceite de oliva
Sal
Pimienta

Salpimentar los filetes y saltearlos a la plancha con un poco de aceite muy caliente.
Lavar primero las gírgolas y hacerlas a la plancha con aceite. Salpimentar.
Abrir los panecillos y rellenar cada uno con una gírgola y un filete de ternera. Cerrar y servir calientes.

Mini de ternera con setas al gratén

(> 265)

4 panecillos
4 filetes de ternera finos
200 gr. de setas
50 gr. de queso rallado
2 cebollas
1 diente de ajo
Sal
Aceite de oliva

Lavar las setas y cortarlas en juliana.
En una sartén a fuego suave con un poco de aceite saltear la cebolla cortada en juliana y cuando dore retirar.
En una sartén a fuego vivo dorar el ajo, agregar las setas, sazonar y cuando estén hechas retirar.
Cortar el pan por la mitad, poner una base de cebolla, un filete de ternera, unas cuantas setas, espolvorear con el queso rallado y gratinar. Taparlo con la otra mitad del pan y servir.

Mini de vegetal frío

(> 266)

4 panecillos
½ lechuga
4 rodajas de tomate
12 puntas de espárragos
2 huevos cocidos
50 gr. de mayonesa

Cortar los panecillos y untarlos con la mayonesa.
Pelar los huevos y cortarlos por la mitad.
Rellenar los panecillos con el tomate, la lechuga y el huevo cortado a rodajas y las puntas de espárragos cortadas en dos a lo largo. Cerrar los panecillos. Servir.

Mini vegetal con jamón y queso

(> 267)

4 panecillos de chapata
4 lonchas de jamón cocido
4 lonchas de queso
2 tomates maduros
4 hojas de lechuga
1 cucharada sopera de salsa rosa
Sal

Lavar y cortar los tomates a rodajas.
Cortar el pan por la mitad, colocar dos rodajas de tomate, una hoja de lechuga, un poco de salsa rosa, una loncha de jamón y otra de queso. Taparlo con la otra mitad del pan.

TARTALETAS

Tartlets

Tartalettes

Törtchen

Волована

タルト

烙饼

Tartaleta de anchoas, huevo cocido y aceitunas negras

(> 268)

12 tartaletas saladas
8 anchoas en aceite de oliva
16 aceitunas negras
2 huevos cocidos
2 pepinillos en vinagre
Aceite de oliva

Picar las anchoas muy finas quitándoles las espinas y escurriéndoles el aceite. Reservar.
Picar muy finos los huevos duros y los pepinillos en vinagre. Deshuesar las aceitunas y cortarlas en láminas muy finas.
En un bol verter las anchoas, los pepinillos, las aceitunas y los huevos cocidos. Mezclar bien y ligar con un poco de aceite de oliva.
Rellenar las tartaletas con la mezcla y decorar con una lámina de aceituna negra por encima.

Tartaleta de bacalao, pimiento verde y alioli

(> 268)

4 tartaletas • 100 gr. de bacalao • 1 pimiento verde • ½ cebolla • 2 cucharadas soperas de alioli • Aceite de oliva

Cortar la cebolla y el pimiento verde en juliana. Freír en una sartén a fuego moderado con un poco de aceite. Cuando tome color incorporar el bacalao desalado y desmenuzado previamente y dejar cocer.
Rellenar las tartaletas con el bacalao, cubrir por encima con un poco de alioli y gratinarlo en el horno a 180° C.
Servir caliente.

Tartaleta de txangurro

(> 269)

4 tartaletas • 150 gr. de carne de txangurro cocida • 1 puerro • 1 zanahoria • ½ cebolla • 1 cucharada sopera de salsa de tomate • ½ cucharada de café de brandy • Aceite de oliva • Sal • Pimienta

Laminar las verduras. En una sartén con un poco de aceite saltear la cebolla, el puerro, y la zanahoria. Cuando tomen color, añadir el txangurro dándole unas vueltas; salpimentar, flambear con el brandy y agregar la salsa de tomate. Llevarlo a ebullición, dejar que termine de hacerse y retirarlo del fuego.
Rellenar las tartaletas con el txangurro y servir caliente.

Tartaleta de bonito, mejillones y espárrago verde (> 270)

12 tartaletas saladas finas
12 puntas de espárragos verdes
1 loncha de salmón ahumado
1/2 kg. de mejillones
250 gr. de ventresca de bonito
1 huevo duro cocido
Aceite de oliva
Sal

En un cazo poner abundante agua con sal y una pizca de bicarbonato. Cuando rompa el agua a hervir echar los espárragos. Cocer a fuego moderado durante 2 minutos. Retirar y reservar.
Limpiar los mejillones y abrirlos al vapor durante 2 minutos. Retirarlos, quitarles la cáscara y picarlos finos. Reservar.
Desmenuzar la ventresca de bonito y mezclar con los mejillones y el salmón cortado a dados muy pequeños. Agregarle el huevo cocido picado muy fino. Mezclar bien, sazonar y añadir un chorrito de aceite de oliva.
Rellenar las tartaletas con la masa y colocar por encima una punta de espárrago.

Tartaleta de champiñones, ajetes y jamón serrano

(> 271)

4 tartaletas saladas
4 ajetes
1 cebolla
250 gr. de champiñones
150 gr. de jamón serrano
1 cucharada de café de perejil picado
Aceite de oliva
Sal

Limpiar los champiñones quitándoles el tallo. Trocear a dados muy pequeños. Reservar.
Cortar el jamón serrano a cuadraditos. Reservar.
En una sartén con un poco de aceite saltear los ajetes y la cebolla cortados finos. Dejar que cueza durante 2 minutos. Agregar los champiñones. Rehogarlos y cuando tomen color, añadir el jamón, remover bien y dejar cocer durante 2 minutos.
Rellenar las tartaletas con la mezcla. Servir caliente.

Tartaleta de champiñones, langostinos y queso manchego

(> 271)

4 tartaletas
4 langostinos
50 gr. de champiñones
75 gr. de queso manchego
75 ml. de chacolí
75 ml. de crema de leche
15 gr. de mantequilla
1 diente de ajo
Aceite de oliva virgen
Sal

Limpiar los champiñones quitándoles el tallo. Picar finos y reservar.
Pelar los langostinos y cortar a trozos muy pequeños. Reservar.
En una sartén a fuego moderado saltear los champiñones sazonados al gusto y el ajo con mantequilla. Cuando doren, agregar el chacolí y llevar a ebullición. Cuando el líquido se haya casi evaporado, verter la crema de leche y, sin dejar de remover, los langostinos. Dejar cocer durante un par de minutos.
Rellenar la tartaleta con el relleno, rallar por encima el queso manchego y gratinarlas en el horno hasta que el queso esté bien dorado y crujiente.
Servir caliente.

Tartaleta de ensaladilla rusa (> 272)

4 tartaletas • Ensaladilla rusa • 2 tomates cherry • ½ zanahoria

Preparar la ensaladilla según la receta «Platillo de ensaladilla rusa» (> 162).
Rellenar las tartaletas con la ensaladilla, cubrirlas con medio tomate cherry y un poco de zanahoria rallada.

Galleta crujiente de verduras con foie caramelizado (> 273)

4 hojaldres cocidos y prensados • 400 gr. de foie • 1 berenjena • 1 pimiento verde • 1 cardo • 4 puntas de espárrago blanco • 1 cebolla • 300 gr. de azúcar moreno • Aceite de oliva • Sal • Sal gruesa

Pelar el cardo, la cebolla y la berenjena y limpiar el pimiento verde quitándole las pepitas.
En una sartén con aceite caliente pochar las verduras picadas finas y sazonadas ligeramente. Reservar.
Caramelizar el foie con ayuda del azúcar moreno. Derretir con un soplete.
Disponer las verduras sobre cada unidad de hojaldre, colocando encima una punta de espárrago y el foie caramelizado. Hornear los hojaldres durante 5 minutos a 180°C. Antes de servir sazonar el foie con una pizca de sal gruesa.
Servir caliente.

Tartaleta de setas con jamón ibérico

(> 274)

4 tartaletas
100 gr. de setas de temporada
50 gr. de jamón ibérico a dados pequeños
½ diente de ajo picado
1 cucharada de café de perejil picado
Aceite de oliva virgen
Sal

Limpiar las setas, laminar y sazonar.
En una sartén a fuego vivo con abundante aceite de oliva, saltear las setas unos minutos hasta que tomen color. Reservar.
Rehogar el ajo y el jamón en una sartén a fuego medio y cuando adquieran color incorporar las setas, mezclar bien y corregir de sal.
Rellenar las tartaletas con las setas de temporada y el jamón. Servir inmediatamente espolvoreando por encima el perejil picado.

Tartaleta de roquefort y champiñones al horno (> 274)

4 tartaletas
150 gr. de queso Roquefort
250 gr. de champiñones
50 gr. de mantequilla
1 cucharada sopera de nata líquida
½ limón
Sal
Pimienta

Lavar los champiñones, quitarles el rabo, laminarlos, salpimentarlos y rociarlos con el limón.
Saltearlos a fuego suave con la mantequilla.
Rellenar las tartaletas con un poco de queso mezclado con la nata, cubrirlas con los champiñones y gratinarlas al horno.
Servir caliente.

Tartaleta de gambas

(> 275)

4 tartaletas • 50 gr. de gambas arroceras • 5 cucharadas soperas de mayonesa • 3 cucharadas soperas de ketchup • Salsa Perrins

Pelar las gambas crudas y mezclarlas en un bol con la mayonesa, el ketchup y un chorrito de salsa Perrins.
Rellenar las tartaletas con la mezcla y hornear a fuego fuerte durante 10 minutos o hasta que se doren.
Servir caliente.

Tartaleta de salmón con aguacate al eneldo

(> 275)

4 tartaletas • 350 gr. de salmón fresco • 2 aguacates • 2 pepinillos pequeños • 1 tomate maduro • 1 cebolla • 1 cucharada sopera de alcaparras • 1 huevo cocido • 2 cucharadas soperas de zumo de limón • 1 cucharada sopera de salsa de soja • 1 cucharada de café de eneldo • Sal • Aceite de oliva virgen

En un bol mezclar el salmón cortado a trozos pequeños, ½ cebolla picada, las alcaparras, el huevo rallado, los pepinillos cortados a láminas, una cucharada de limón y la salsa de soja. Sazonar y regar con un poco de aceite. Macerar en el frigorífico durante 3 horas.
Pelar los aguacates, retirar el hueso, chafarlos y mezclarlos con el tomate picado fino y sin pepitas, ½ cebolla picada muy fina y una cucharada de limón.
Rellenar la base de la tartaleta con la crema de aguacate y poner encima el salmón que hemos macerado. Espolvorear un poco de eneldo por encima.

CAZUELITAS

Stews

Ramequins

Schmortöpfchen

Кастрюльки

カスエリータ（小鍋）

砂锅

Cazuelita de albóndigas de carne

(> 277)

250 gr. de carne picada de cerdo • 250 gr. de carne picada de ternera • 2 dientes de ajo • 2 cucharadas soperas de pan rallado • 1 cucharada sopera de perejil picado • 2 huevos • ½ vaso de leche • 2 cucharadas soperas de harina • Sal • Pimienta • Aceite de oliva

Para la salsa
2 zanahorias • 2 cebollas • 2 patatas • 125 gr. de guisantes • 2 dientes de ajo • 6 dl. de caldo de carne • 1 dl. de vino blanco

En un bol mezclar la carne, el pan, los huevos batidos, el ajo picado muy fino, el perejil y la leche. Sazonar. Macerar durante 30 minutos. Dar forma a las albóndigas, rebozar con la harina y freír ligeramente en una sartén con un poco de aceite. Reservar.
En una sartén rehogar las cebollas picadas finas, las zanahorias cortadas a láminas. Cuando doren, agregar dos dientes de ajo picados finos y el vino. Cuando reduzca, añadir el caldo y cocer durante 15 minutos. Retirar y pasar por el chino.
Freír las patatas a dados pequeños.
En una cazuela de barro poner la salsa, las albóndigas y las patatas y calentar a fuego suave durante un par de minutos.
Servir en cazuelitas individuales.

Cazuelita de almejas a la marinera

(> 278)

1 ½ kg. de almejas
1 cebolla
2 dientes de ajo picados
1 dl. de salsa de tomate
1 dl. de brandy
1 dl. de Jerez
1 hoja de laurel
1 cucharada sopera de pimentón dulce
1 cucharada sopera de perejil picado
Aceite de oliva
Sal

Picar finamente la cebolla, el ajo y el laurel. Rehogar todo en una sartén con un poco de aceite de oliva. Cuando tome color, incorporar las almejas, espolvorear con el pimentón y flambear con el brandy. Dejar unos segundos y agregar la salsa de tomate y el Jerez. Dejar a fuego medio hasta que la salsa reduzca y se abran las almejas.
Poner las almejas en cazuelitas individuales y servirlas bien calientes espolvoreando por encima el perejil picado.

Cazuelita de angulas al ajillo al estilo El Litri (> 279)

400 gr. de angulas frescas
1 guindilla
1 diente de ajo
Aceite de oliva

En una cazuela de barro con un poco de aceite sofreír la guindilla y el ajo. Antes de que doren, echar las angulas y dar vuelta y vuelta. Servir caliente.

Cazuelita de bacalao al ajo arriero

(> 279)

½ kg. de bacalao desmigado con su piel
200 gr. de cebolla
100 gr. de pimiento verde
1 pimiento choricero
1 pimiento del piquillo
½ guindilla
3 dientes de ajo
Aceite de oliva

En una cazuela de barro calentar un poco de aceite. Rehogar a fuego lento la cebolla, los dientes de ajo picados muy finos y la guindilla. Antes de que doren, agregar el pimiento verde y choricero cortados a tiras finas. Dejar unos minutos y echar el bacalao con su piel, mover la cazuela para que se suelte la gelatina, agregar un poco de aceite, dejar a fuego lento y agregar el pimiento del piquillo picado. Dejar cocer durante una hora.
Servir caliente.

Cazuelita de bacalao con cebolla y patatas

(> 280)

4 lomos de bacalao desalado

2 patatas
2 cebollas
2 dientes de ajo
100 gr. de queso rallado
6 cucharadas soperas de harina
200 gr. de tomate frito
50 gr. de mantequilla
Aceite de oliva
Sal
Pimienta

Pelar las patatas y cortarlas a láminas finas. Distribuir las patatas en una fuente de horno junto a la cebolla y el ajo picados muy finos por encima. Salpimentar y rociar por encima con un poco de aceite. Hornear a 180° C hasta que las patatas estén blandas. Reservar.
En un cazo preparar una bechamel con la harina, la mantequilla y la leche.
En una sartén con un poco de aceite de oliva dorar el bacalao a fuego suave.
En cuatro cazuelitas individuales poner una base de salsa de tomate, unas patatas por encima y el bacalao. Cubrir con la bechamel y espolvorear por encima el queso. Gratinar y servir caliente.

Cazuelita de cardos con almejas y gambas (> 281)

1 kg. de cardos
150 gr. de gambas
150 gr. de almejas
2 dl. de caldo de pescado
½ l. de leche fresca
½ l. de agua
2 dientes de ajo
½ cebolla cortada en juliana
1 cucharada de café de pimentón
1 cucharada de café de vinagre amontillado
½ copa de vino de Moriles
Aceite de oliva
Sal

Limpiar los cardos y cortarlos en trozos de diez centímetros cada uno. En un cazo, hervir la leche y el agua, agregar los cardos y dejar que cuezan a fuego lento durante una hora aproximadamente. Cuando estén tiernos, escurrir y reservar.
En una sartén, freír el ajo cortado muy fino. Cuando esté frito, agregar la cebolla, rehogarla bien y agregar las almejas y las gambas. Echar el vinagre y el pimentón, rehogar de nuevo e incorporar los cardos. Cubrir con caldo de pescado, sazonar al gusto y dejar cocer durante diez minutos.
Servir caliente en cazuelitas individuales.

Cazuelita de chorizo al vino

(> 282)

Pan
400 gr. de chorizo semicurado
½ l. de vino tinto seco
1 hoja de laurel
½ diente de ajo
Aceite de oliva

Cortar el ajo muy fino y pochar con un poco de aceite de oliva.
Poner los chorizos en una cazuela con el ajo, el vino y la hoja de laurel. Tapar la cazuela y dejar cocer a fuego medio de 15 a 20 minutos. Guardar la mitad del vino en otro recipiente.
Cortar el chorizo a trozos pequeños, mezclar con el vino sobrante y dejar que cueza unos segundos hasta que se evapore el alcohol.
Servirlo en cazuelas individuales con unas rebanadas de pan.

Cazuelita de fideuá de rape

(> 282)

250 gr. de fideos finos
500 gr. de huesos de rape
1 puerro
10 dientes de ajo
1 ramillete de perejil
1 l. de agua
2 cucharadas soperas de salsa alioli
Aceite de oliva
Sal

En una cazuela cubrir el rape, el puerro cortado a trozos pequeños y el perejil con el agua. Cocer durante 30 minutos, sazonar y colar. Reservar el caldo.
En una sartén a fuego moderado con un poco de aceite dorar los dientes de ajo enteros. Incorporar los fideos y tostarlos ligeramente. Sazonar. Rehogar con el caldo y dejar que cuezan durante 8 minutos a fuego moderado. Retirar y tostar en el horno durante un par de minutos para que se levanten las puntas.
Servir caliente en cazuelitas individuales acompañados con un poco de salsa alioli.

Cazuelita de gambas al ajillo

(> 283)

16 gambas grandes
2 dientes de ajo
½ guindilla
1 cucharada sopera de perejil picado
½ cucharada de café de zumo de limón
Aceite de oliva
Sal gruesa

Limpiar y pelar las gambas dejando la cabeza.
En una sartén con aceite de oliva saltear el ajo fileteado muy fino y la guindilla. Cuando tomen color, agregar las gambas, repartir por encima el zumo de limón, sazonar y dejar que termine de hacerse. A continuación, espolvorear por encima el perejil picado.
Servirlas calientes.

Cazuelita de garbanzos con butifarra negra

(> 284)

350 gr. de garbanzos cocidos
150 gr. de butifarra negra
15 gr. de piñones
½ cebolla
1 diente de ajo
2 cucharadas soperas de perejil fresco picado
Aceite de oliva virgen
Sal
Pimienta

En una sartén con un poco de aceite freír la butifarra hasta que esté bien hecha. Retirar la butifarra, picar muy fina y reservar.
En una cazuela de barro con un poco de aceite saltear a fuego lento la cebolla. Cuando ablande, añadir el diente de ajo picado muy fino, el perejil picado y los piñones. Remover.
Incorporar la butifarra negra y los garbanzos cocidos, salpimentar al gusto, dejar cocer un par de minutos a fuego medio sin dejar de remover y retirar.
Servir caliente en platillos individuales rociando los garbanzos con un chorrito de aceite de oliva virgen.

Cazuelita de huevos con setas

(> 285)

4 huevos
½ kg. de setas
½ cebolla
1 diente de ajo
½ dl. de caldo de carne
1 cucharada de café de perejil picado
Aceite de oliva
Sal
Pimienta

Limpiar y cortar las setas en láminas y reservarlas.
Picar el ajo y la cebolla finamente y rehogar ambos ingredientes en una sartén con un poco de aceite de oliva. Cuando tomen color, añadir las setas y rehogar un minuto. Echar el caldo de carne, dejar que las setas se hagan unos minutos, salpimentar y espolvorear con el perejil.
En unas cazuelitas individuales, repartir el salteado de setas, poner un huevo por encima, sazonarlo y meter en el horno hasta que cuajen las claras.
Servir inmediatamente.

Cazuelita de huevos marinera al estilo Casa Bigote (> 286)

8 huevos
16 langostinos pequeños pelados
350 gr. de rape troceado
200 gr. de almejas al natural
1 cebolla
1 patata
4 dientes de ajo
1 hoja de laurel
1 cucharada de café de perejil picado
1 pizca de nuez moscada
½ l. de caldo de pescado
1 ½ l. de aceite de oliva
Sal

Preparar un refrito con la cebolla picada finamente, los dientes de ajo cortados muy finos, el perejil y el laurel. Agregar los langostinos, el rape y las almejas. Dejar unos segundos e incorporar el caldo de pescado, la nuez moscada y la patata aplastada. Dejar que el caldo espese un poco. Dejar que cueza durante unos diez minutos. Reservar.
Colocar el preparado en cazuelitas individuales de barro, agregar dos huevos en cada una de ellas y cuatro langostinos a su alrededor.
Meter en el horno hasta que los huevos cuajen, aproximadamente unos cinco minutos.
Servir inmediatamente.

Cazuelita de mejillones en escabeche

(> 286)

1,5 kg. de mejillones
1 cebolla
1 cabeza de ajos
1 cucharada sopera de pimentón
1 cucharada de café de pimienta en grano
8 hojas de laurel
1 dl. de agua
2 dl. de vinagre
Aceite de oliva
Sal

Pelar y cortar la cebolla en juliana.
Limpiar los mejillones. Ponerlos en una cazuela grande con abundante agua hirviendo a fuego vivo. Cuando se abran, retirarlos del fuego. Reservar.
En una cazuela de barro con aceite, rehogar la cebolla, la pimienta en grano, el laurel y el ajo cortado a cuartos. Cuando la cebolla esté tierna, añadir el pimentón, el agua, el vinagre, sazonar al gusto y dejar durante cinco minutos a fuego medio. Agregar los mejillones y cuando hierva, retirarlo del fuego.
Cuando el escabeche se haya enfriado, meterlo en el frigorífico durante un día.
Servir en cazuelitas individuales a temperatura ambiente. En cada cazuelita debe colocarse en el centro un cuarto de cabeza de ajos y dos hojas de laurel.

Cazuelita de rabo de toro

(> 287)

2 kg. de rabo de toro
1 tomate
350 gr. de guisantes frescos
1 ½ kg. de cebollas añejas
¾ kg. de zanahorias
5 dientes de ajo
½ dl. de oloroso de Moriles
3 hebras de azafrán
Aceite de oliva
Sal
Pimienta molida

Pelar las cebollas y rehogarlas en una sartén con 1 ½ dl. de aceite de oliva. Cuando estén hechas, retirar y reservar.
Limpiar y pelar las zanahorias y cortarlas a rodajas finas.
Limpiar la grasa de los rabos de toro por las juntas y reservar.
En una olla grande a presión sin tapar poner los rabos, la cebolla frita, el tomate pelado cortado a cuartos, los ajos, el azafrán, la zanahoria, los guisantes y el aceite que hemos utilizado para freír las cebollas. Salpimentar al gusto.
Rehogar todo durante quince minutos. Agregar el oloroso, tapar la olla a presión y dejar cocer durante 15 minutos a fuego medio. Cuando esté hecho, retirar y dejar reposar al menos durante dos horas.
Servir en cazuelitas individuales calentado a fuego lento durante cinco minutos.

Cazuelita de tomates fritos con huevo

(> 288)

4 huevos
2 tomates rojos
3 dl. de yogur
2 cebolletas
1 cucharada sopera de pan rallado
1 cucharada sopera de harina
½ cucharada de café de pápikra
½ cucharada de café de albahaca
Sal
Aceite de oliva

Limpiar los tomates y cortarlos por la mitad.
En una sartén a fuego suave con un poco de aceite de oliva dorar los tomates por ambos lados. Retirarlos y reservar el aceite.
Poner los tomates en una fuente de horno. Sazonar y espolvorear con el pan rallado y la cebolleta picada muy fina.
En la sartén que hemos reservado dorar la harina, incorporar la páprika, la albahaca y el yogur. Remover hasta formar una salsa espesa. Reservar.
En una cazuelita individual poner media rodaja de tomate y cascar un huevo por encima. Hornear a 200º C hasta que las claras cuajen cubriendo la cazuelita con papel de aluminio. Servir caliente con un poco de salsa por encima del huevo.

PLATILLOS

Small Dishes

Petites Assiettes

Tellerchen

Тарелочка

小皿

小碟

Patatas rellenas de caviar

(> 290)

8 patatas redondas pequeñas
500 ml. de caldo de pescado
125 gr. de caviar
75 gr. de crema agria
25 gr. de mantequilla

Pelar las patatas y cortar ligeramente la base para que se sostengan de pie. Con un vaciador de manzanas, vaciar el centro sin alcanzar la base. Redondear los bordes con un cuchillo.
Untar la base de una cacerola con la mantequilla, poner las patatas y cubrirlas con el caldo de pescado. Llevar a ebullición y dejar hervir a fuego moderado durante 25 minutos o hasta que las patatas estén tiernas.
Escurrir las patatas y rellenarlas con el caviar. Cerrar las patatas con un poco de crema agria y unas huevas de caviar.

Platillo de anchoas al vino blanco

(> 290)

16 anchoas frescas
2 dientes de ajo
3 hojas de perejil
1 guindilla
1 copa de vino blanco
1 vaso de caldo de pescado
Aceite de oliva

En una cazuela de barro a fuego medio dorar los dientes de ajos laminados y la guindilla. Antes de que se doren, poner las anchoas. Freírlas a fuego medio hasta que estén hechas.
Agregar el vino blanco, mantener el fuego y dejar hasta que el vino reduzca. De vez en cuando mover la cazuela. Incorporar el caldo de pescado, darle un hervor y dejar cocer durante tres minutos. Poner las anchoas en una fuente.
En una sartén con abundante aceite caliente, freír las hojas de perejil evitando que se queme. Retirarlo del fuego y escurrirlo en papel absorbente.
Servir inmediatamente las anchoas con el perejil frito por encima.

Platillo de berenjenas rellenas (> 291)

2 berenjenas
½ calabacín
½ pimiento rojo
1 tomate
½ cebolla
1 diente de ajo
1 cucharada sopera de perejil
1 cucharada sopera de pan o queso rallado
Sal gorda
Aceite de oliva virgen

Lavar las berenjenas y cortarlas por la mitad a lo largo. Ponerlas en una fuente de horno y rociarlas con aceite. Sazonar con sal gorda. Hornear durante media hora a fuego fuerte. Vaciar la carne de las berenjenas y reservar.
Lavar y cortar las verduras a trozos pequeños. Sazonarlas y rehogarlas en una sartén a fuego suave con un chorro de aceite.
Mezclar las verduras con la carne de la berenjena y rellenar las berenjenas. Espolvorear por encima el pan o el queso rallado y el perejil. Gratinar en el horno durante un par de minutos. Servir caliente.

Platillo de boquerones al ajillo

(> 292)

8 boquerones
1 cucharada sopera de ajo picado
1 cucharada sopera de perejil picado
¼ de guindilla seca
Aceite de oliva
Sal gruesa

Limpiar bien los boquerones, retirándoles la espina central y la cabeza. Sazonarlos con sal gruesa y reservarlos.
En una sartén calentar el aceite, echar el ajo picado y la guindilla. Cuando tomen color incorporar los boquerones. Dejar que se hagan, espolvorear por encima el perejil y servirlos al momento.

Platillo de boquerones en vinagre

(> 293)

1 kg. de boquerones
2 dientes de ajo
1 dl. de vinagre
1 dl. de aceite de oliva virgen
1 cucharada sopera de perejil picado
Sal

Limpiar los boquerones en agua muy fría. Dejarlos en filetes quitándoles las espinas. Secarlos, sazonarlos y colocarlos en una fuente. Cubrirlos con el vinagre y dejarlos en un lugar frío durante 3 horas.
Transcurrido este tiempo, escurrirlos bien y ponerlos en otra fuente con el aceite de oliva virgen y el ajo laminado.
Servir fríos espolvoreados por encima con el perejil picado.

Platillo de calamares rellenos

(> 293)

8 calamares pequeños
350 gr. de mejillones
2 huevos cocidos
2 cebollas
1 pimiento verde
1 diente de ajo
3 cucharadas soperas de tomate frito
1 cucharada de café de perejil picado
200 ml. de vino blanco
Aceite de oliva virgen
Sal
Pimienta

Pelar los huevos y cortarlos muy finos. Reservar.
En una cazuela tapada, cocer los mejillones con la mitad del vino y agua cubriendo la mitad del volumen de los mejillones. Cuando los mejillones se abran, retirarlos del fuego conservando el caldo, separar las conchas y picar la carne en trozos pequeños. Reservar.
En una sartén con un poco de aceite rehogar una cebolla picada y el pimiento cortado muy fino. Cuando esté sofrita, agregar los mejillones y los huevos, corregir de sal y reservar.
Limpiar los calamares y rellenarlos con la mezcla. Pinchar la obertura con un palillo, salpimentarlos y saltearlos en una sartén a fuego fuerte con un poco de aceite. Cuando estén doraditos, retirar y reservar.
En una sartén a fuego suave sofreír una cebolla y el ajo muy picaditos, cuando estén hechos incorporar el tomate, el vino blanco, el caldo de los mejillones y los calamares. Remover y dejar que hierva a fuego suave durante unos minutos. Corregir de sal y retirar.
Servir en cazuelitas individuales vertiendo sobre los calamares un poco de salsa.

Platillo de cogollos a la mediterránea

(> 295)

1 cogollo de Tudela
4 filetes de anchoa
4 cucharadas soperas de vinagreta

Para la vinagreta
1 pimiento verde
½ pimiento rojo
1 cebolla
2 claras de huevos cocidos
½ cucharada de café de vinagre de sidra
Aceite de oliva
Sal

Para preparar la vinagreta:
Limpiar y cortar la cebolla en juliana.
Limpiar y cortar los pimientos y los huevos muy finos.
Cubrir todo con aceite, sazonarlo y añadir unas gotas de vinagre. En un recipiente mezclar todos los ingredientes.

Para preparar el platillo:
Limpiar el cogollo de Tudela y cortarlo a cuartos.
Poner los trozos en un plato, colocar por encima un filete de anchoa y repartir la vinagreta.
Servirlos fríos.

Platillo de ensaladilla rusa

(> 296)

125 gr. de atún en aceite
2 huevos cocidos
2 patatas
1 pimiento rojo
1 zanahoria
50 gr. de guisantes cocidos
4 cucharadas soperas de mayonesa
½ limón
Sal

Cocer las patatas con piel, pelarlas y cortarlas en dados pequeños.
Pelar la zanahoria y hervirla. Cortarla en dados pequeños.
Mezclar las patatas, los huevos cortados finos, la zanahoria, el pimiento rojo cortado a dados pequeños y los guisantes. Sazonar. Añadir el atún escurrido y desmenuzado, unas gotas de limón y la mayonesa. Mezclar bien y moldear.
Servir fría.

Platillo de foie al Pedro Ximénez (> 296)

300 gr. de hígado de pato fresco • 225 ml. de Jerez Pedro Ximénez • Sal gruesa

Cocer a fuego fuerte el Jerez dulce hasta que espume. Reducirlo hasta que adquiera una consistencia espesa. Reservar.
Cortar el hígado de pato en lonchas finas. En una sartén, freír las lonchas de foie a fuego moderado vuelta y vuelta. Cuando estén doradas, retirarlas y servirlas vertiendo por encima la salsa de Jerez y una pizca de sal gruesa.

Platillo de alcauciles (alcachofas) del Bar Juanito (> 297)

2 ½ kg. de alcachofas • 2 cebollas medianas • 4 dientes de ajo • 1 cucharada sopera de harina de trigo • 1 manojo de perejil • 2 cucharadas soperas de vino blanco • Zumo de 2 limones • Sal • Aceite de oliva

Cortar el tallo de las alcachofas y quitar las hojas externas hasta que queden las hojas blancas. Ponerlas en un cazo grande con agua y el zumo de limón para evitar que ennegrezcan.
En una cazuela a fuego moderado con un poco de aceite glasear la cebolla picada fina y echar los ajos y el perejil cortados muy menuditos. Dar unas vueltas con una cuchara de madera, agregar la harina y remover de nuevo evitando que se formen grumos. Cuando la harina esté tostada, agregar las alcachofas y rehogar. Cubrir con agua, agregar el vino y cuando rompa a hervir bajar el fuego. Dejar cocer a fuego suave durante 1 hora. Añadir agua en el caso de que la salsa reduzca. Sazonar a mitad de la cocción.
Servir inmediatamente cuando las alcachofas estén tiernas y la salsa haya espesado.

Platillo de langostinos, rape y alcaparras (> 298)

4 langostinos
16 alcaparras
250 gr. de rape
1 pimiento rojo
1 pimiento verde
1 huevo cocido
½ cebolla
½ cucharada de café de perejil picado
Aceite de oliva
Vinagre de Jerez
Sal

Pelar y cortar el huevo cocido.
Pelar y cortar la cebolla finamente y los pimientos en dados pequeños, mezclarlo todo con las alcaparras, el huevo cocido, el aceite, el vinagre, y una pizca de sal.
Cocer los langostinos enteros y el rape troceado en agua con sal. Pelar y sazonar los langostinos, dejando el final de la cola.
Mezclar todos los ingredientes, espolvorear por encima un poco perejil picado y servir al momento.

Platillo de mejillones a la vinagreta

(> 299)

1 kg. de mejillones
1 pimiento verde
1 pimiento rojo
1 cebolla
2 pepinillos en vinagre
1 calabacín
1 tomate maduro
1 diente de ajo
1 copa de vino blanco
1 cucharada de café de vinagre
½ limón
Aceite de oliva virgen

Limpiar los mejillones en agua muy fría quitándoles los pelos de la cáscara.
En una sartén con un poco de aceite rehogar los mejillones a fuego vivo e incorporar el vino blanco. Cuando reduzca, agregar un vaso pequeño de agua, corregir de sal y dejar que hierva durante 2 minutos, retirar del fuego y reservar los mejillones.
Picar la cebolla muy fina y cortar los pepinillos, los pimientos y el tomate a trozos pequeños. Mezclar con la piel de un limón cortada en juliana que habremos hervido previamente durante un minuto. Regar con un poco de aceite de oliva y el vinagre, sazonar y meter en el frigorífico para que enfríe.
Servir frío en platillos pequeños.

Platillo de mejillones encebollados (> 300)

1 kg. de mejillones
5 cebolletas
1 cucharada sopera de cebollino picado
1 copa de vino blanco
Agua
Sal
Pimienta negra molida

Limpiar los mejillones en agua muy fría quitándoles los pelos de la cáscara.
En una sartén con un poco de aceite rehogarlos a fuego vivo e incorporar el vino blanco. Cuando reduzca, agregar un vaso pequeño de agua, corregir de sal y dejar que hierva durante 2 minutos, retirar del fuego y reservar los mejillones. Reservar también el líquido sobrante.
Limpiar las cebolletas, cortarlas en juliana, salpimentar al gusto y saltear a fuego medio en una sartén con muy poco aceite. Añadir el líquido de los mejillones. Retirar cuando las cebolletas estén blandas y el líquido se haya evaporado.
Servir a temperatura ambiente. En una cuchara de nácar poner una base de cebolleta, un mejillón por encima y espolvorear un poco de cebollino picado muy fino.

Platillo de patatas con alioli

(> 301)

4 patatas medianas
1 cucharada sopera de perejil picado
1 cucharada sopera de zumo de limón
1 cucharada sopera de agua templada
3 dientes de ajo
2 yemas de huevo
Aceite de oliva
Sal
Pimienta

En un mortero machacar los dientes de ajo con una pizca de sal y pimienta. Cuando se obtenga una pasta, incorporar las yemas de huevo y, sin dejar de moverlo, verter gota a gota cinco cucharadas de aceite de oliva para que coja consistencia. Removerlo y cuando esté bien mezclado, agregar el zumo de limón y el agua hasta formar la salsa alioli.
Limpiar las patatas. En una cazuela con abundante agua fría con sal cocer las patatas sin quitarles la piel. Cuando estén cocidas, dejarlas enfriar, quitar la piel y cortarlas a cuadraditos. Sazonarlas.
Poner las patatas en un plato, añadir por encima la salsa alioli y espolvorear por encima el perejil picado.

Platillo de patatas baby con salmón gratinadas

(> 301)

8 patatas baby
2 lonchas de salmón ahumado
200 gr. de bechamel
50 gr. de queso Gruyère
1 cucharada de café de perejil
1 yema de huevo

En un bol mezclar bien la bechamel, el queso, el perejil y la yema hasta formar una masa cremosa. Reservar.
Cortar el salmón a trozos pequeños.
Cocer las patatas enteras en agua con sal. Retirarlas y cuando estén frías vaciarlas un poco.
Rellenar las patatas con el salmón y cubrirlas con la salsa. Gratinar al horno un par de minutos.

Platillo de patatas baby rellenas de foie

(> 302)

8 patatas baby
300 gr. de hígado de pato
150 ml. de nata líquida
2 yemas de huevo
1 cucharada sopera de azúcar
1 cucharada sopera de brandy
1 cucharada sopera de Oporto
1 pizca de nuez moscada
Sal
Pimienta

Desvenar el hígado de pato, salpimentar al gusto y verter por encima el azúcar, los licores y la nuez moscada. Remover bien y envolver la masa con una primera capa de papel de cocina transparente y una segunda de papel de aluminio. Dejar macerar en el frigorífico durante 24 horas. Transcurrido este tiempo, meter en una cacerola con abundante agua hirviendo por espacio de 10 minutos. Quitarle el envoltorio y reservar.
En una cazuela con abundante agua con sal cocer las patatas. Retirarlas y, cuando enfríen, pelarlas y cortarlas por la mitad. Con una cuchara de café, vaciar las patatas.
En un cazo hervir la nata con la pulpa de la patata y el foie cortado a trozos pequeños, salpimentar y añadir las yemas de huevo. Con la mezcla, rellenar las patatas.
Gratinar en el horno durante 3 minutos a fuego fuerte.
Servir caliente.

Platillo de patatas rellenas de pisto, jamón serrano y huevos de codorniz

(> 303)

4 patatas
4 huevos de codorniz
1 loncha de jamón serrano
1 pimiento verde
1 tomate pelado
1 cebolla
½ calabacín
1 diente de ajo
Aceite de oliva virgen
Sal

En una sartén con un poco de aceite de oliva saltear la cebolla picada, el ajo laminado y el pimiento verde picado fino. Cuando tome color, agregar el tomate cortado a dados y el calabacín picado fino, sazonar y dejar que termine de hacerse.
Asar las patatas con piel en el horno hasta que estén blandas. Pelarlas y con una cuchara hacerles un agujero en el centro.
En una sartén con abundante aceite muy caliente freír los huevos de codorniz. Cuando la clara esté dorada, sacarlos con la ayuda de una espumadera.
Rellenar las patatas con las verduras, evitando verter el caldo del pisto, y colocar por encima una loncha de jamón y el huevo.

Platillo de pimientos del piquillo rellenos de gambas y huevo

(> 304)

12 pimientos del piquillo
12 gambas
6 espárragos verdes
6 hojas de lechuga
4 huevos cocidos
450 ml. de mayonesa
1 cucharada de café de cebollino picado
Aceite de oliva virgen
Sal

Limpiar y pelar las gambas. Cocer y reservar.
Limpiar los espárragos y cocer durante 15 minutos en una cacerola con abundante agua con sal dejando todas las yemas del mismo lado para que no se rompan al sacarlos.
Limpiar y trocear la lechuga muy fina.
Trocear las gambas, picar los huevos cocidos y los espárragos, sazonar y mezclar con la mayonesa, la lechuga y el cebollino.
Rellenar los pimientos, cerrarlos con un palillo y meterlos en la nevera para que tomen cuerpo.
Servir frío.

Platillo de puding de pescado

(> 305)

8 huevos
600 gr. de pescado
1 puerro
1 zanahoria
25 gr. de mantequilla
25 gr. de pan rallado
¼ l. de salsa de tomate
¼ l. de nata líquida
Sal
Pimienta

Cocer el pescado y las verduras peladas y troceadas en abundante agua con sal. Retirar del agua y dejar que se enfríe. Entonces, quitar las espinas y la piel. Desmenuzarlo.
En otro recipiente mezclar los huevos, la salsa de tomate y la nata. Salpimentar. Batirlo bien hasta obtener una mezcla homogénea y mezclar con el pescado desmenuzado.
Engrasar un molde de *puding* con la mantequilla y cubrirlo con pan rallado. Verter la mezcla en el molde, taparlo con papel de aluminio y hornearlo al baño María (a 175° C) durante 1,15 h. aproximadamente.
Dejar que se enfríe. Servir acompañado de salsa tártara.

Platillo de salpicón de atún

(> 306)

250 gr. de atún en aceite
50 gr. de nueces peladas
1 pimiento del piquillo
1 pimiento verde
1 pimiento rojo
1 cebolla
Aceite de oliva virgen
Sal gruesa

Escurrir y desmenuzar el atún. Reservar.
Limpiar el pimiento del piquillo y asar en una sartén a fuego medio con un poco de sal. Cortar en trozos finos. Reservar.
Limpiar el pimiento rojo y el pimiento verde, quitarles las pepitas y trocearlos muy finos.
En un bol, mezclar el atún, la cebolla picada muy fina y los tres tipos de pimientos. Sazonar, agregar las nueces partidas por la mitad y verter por encima un chorro de aceite de oliva. Meter en el frigorífico unas horas.
Servir frío.

Platillo de ventresca de atún con queso mozzarela y tomate raf

(> 307)

2 tomates raf pequeños
4 cortadas de ventresca de atún en su aceite
4 lonchas de mozzarela de búfala
4 hojas de orégano
¼ de pimiento rojo escalivado cortado a tiras
Sal gruesa

Lavar y cortar los tomates en rodajas gruesas. Sazonar.
Poner sobre el tomate una loncha de mozzarela, una hoja de orégano y una cortada de atún en su aceite. Decorar con un trozo de pimiento por encima.

Platillo de bacalao con verduras

(> 307)

4 rodajas finas de bacalao desalado
1 berenjena
1 calabacín
1 pimiento rojo
1 pimiento verde
1 cebolla
1 pimiento del piquillo
1 cucharada de café de vinagre
Aceite de oliva
Sal

Cortar las berenjenas y el calabacín en rodajas finas y sazonarlas. En una sartén con un poco de aceite, rehogar la mitad de las verduras y reservarlas.
En un mortero triturar el pimiento del piquillo con el vinagre y dos cucharadas de aceite de oliva.
En otra sartén con un poco de aceite a fuego moderado, freír el bacalao. Cuando esté templado, retirar del fuego y reservar.
En una sartén con un poco de aceite de oliva sofreír la cebolla cortada en juliana y los pimientos rojo y verde cortados a trozos pequeños. Cuando tomen color, agregar el resto del calabacín y la berenjena. Cuando las verduras estén hechas, agregar el tomate pelado y sin pepitas cortado a dados pequeños. Sazonar y retirar del fuego cuando esté hecho.
Servir colocando en la base una loncha de calabacín y otra de berenjena, un poco de verdura por encima y una rodaja de bacalao, todo cerrado con una loncha de berenjena y otra de calabacín. Verter por encima la vinagreta de pimientos.

FRITOS

Fried Dishes

Fritures

Frittüren

Зажарки

揚げ物

炸菜

Buñuelos de bacalao

(> 309)

400 gr. de bacalao desalado
½ pimiento verde
½ cebolla
2 dientes de ajo
1 cucharada de café de perejil
Aceite de oliva

Para la pasta
125 gr. de harina
2 huevos
1 cucharada sopera de aceite de oliva
1 dl. de cerveza
Sal

Preparar la pasta mezclando los huevos, el aceite y una pizca de sal. Batir y echar la harina, remover y desleír con la cerveza y un chorrito de agua. Cuando se haya formado una masa fina dejar reposar un par de horas.
En una sartén con un poco de aceite rehogar la cebolla, el pimiento y el ajo picados finos y cuando tomen color añadir el bacalao desmigado y el perejil picado fino. Dejar que se cocine. Escurrir el aceite y mezclar el sofrito de bacalao con la masa que tenemos reservada.
Con dos cucharas moldear la masa y freír los buñuelos en una sartén con abundante aceite muy caliente. Escurrirlos sobre papel absorbente.
Servir caliente.

Croquetas de jamón

(> 310)

150 gr. de jamón • 1 cebolla picada fina • 1 l. de leche • 150 gr. de mantequilla • 150 gr. de harina • 2 yemas de huevo • 1 huevo batido • 2 cucharadas de harina • 2 cucharadas de pan rallado • Sal • Pimienta • Aceite de oliva

Cortar el jamón a dados pequeños. En una sartén a fuego moderado rehogar la cebolla con la mantequilla y cuando tome color añadir el jamón. Verter la harina y rehogarla hasta que se tueste ligeramente. Incorporar poco a poco la leche calentada previamente y remover hasta formar una masa fina. Salpimentar y dejar cocer a fuego moderado unos minutos.
Retirar del fuego, verter en un bol y mezclar con las yemas de huevo. Tapar la masa con papel de cocina transparente y dejar que se enfríe.
Moldear las croquetas y rebozar con la harina, el huevo y el pan rallado.
Freír en abundante aceite muy caliente. Servir inmediatamente.

Croquetas de pollo

(> 311)

1 pechuga de pollo rustido • 50 gr. de jamón del país a tacos • 1 cebolla • 500 cl. de leche • 2 cucharadas soperas de harina • 2 cucharadas soperas de pan rallado • 1 huevo • Sal • Pimienta • Aceite de oliva

Desmenuzar el pollo y triturarlo en la picadora eléctrica junto a los tacos de jamón.
En una sartén sofreír la cebolla cortada fina. Cuando dore, agregar una cucharada de harina, remover y cuando la harina esté tostada añadir el pollo y el jamón triturado. Remover y verter la leche por encima. Cocer la mezcla a fuego lento hasta que espese. Salpimentar y retirar del fuego. Poner la mezcla en una bandeja y cuando esté a temperatura ambiente formar las croquetas con dos cucharas.
Pasar por el huevo batido y luego por el pan rallado. Freírlas en abundante aceite hasta que doren.

Frito de berenjena con queso Chaumes

(> 311)

250 gr. de queso Chaumes
2 berenjenas
2 huevos
2 cucharadas soperas de harina
Aceite de oliva virgen
Sal gruesa

Batir los huevos. Reservar.
Limpiar las berenjenas y cortar a lonchas longitudinales muy finas.
Cortar el queso Chaumes en lonchas muy finas al mismo tamaño que las lonchas de berenjena.
Emparedar la berenjena entre dos lonchas de queso.
Pasar las berenjenas por el huevo y enharinar. Freírlas en una sartén grande con un poco de aceite de oliva a fuego medio. Retirar cuando ambos lados estén bien dorados. Servir inmediatamente.

Frito de Camembert con vinagreta de miel

(> 312)

1 queso Camembert entero
1 huevo
2 cucharadas soperas de harina
2 cucharadas soperas de pan rallado
3 cucharadas soperas de aceite de oliva
1 cucharada de café de vinagre
1 cucharada sopera de miel

Batir el huevo. Reservar.
Cortar el queso en ocho porciones. Reservar.
Preparar la vinagreta mezclando el aceite, el vinagre y la miel con una cucharada de madera. Reservar.
Pasar el queso por el huevo, la harina y el pan rallado.
En una sartén con un poco de aceite muy caliente freír las porciones de queso por ambos lados hasta que doren.
Servir caliente vertiendo por encima la vinagreta.

Frito de jamón york con queso Emmental (> 313)

4 lonchas de jamón york
4 lonchas de queso emmental
¼ l. de bechamel
1 huevo
1 cucharada sopera de harina
1 cucharada sopera de pan rallado
Aceite de oliva
Sal

Batir el huevo en un bol con una pizca de sal. Reservar.
Envolver un trozo de queso en una cortada de jamón york, dándole una forma cúbica.
En un bol, poner una capa fina de bechamel y encima los trozos de jamón y queso, dejando una separación entre ellos. Cubrir con la bechamel sobrante. Reservar.
Cortar la masa que separa cada trozo y pasarlos por harina, huevo batido y pan rallado. En una sartén con abundante aceite de oliva caliente, freír cada paquete y escurrirlo sobre papel absorbente.
Servir bien caliente.

Frito de langostinos con bacón y alioli

(> 314)

4 langostinos • 4 lonchas finas de bacón • 1 cucharada sopera de alioli • Sal • Aceite de oliva virgen

Pelar los langostinos y sazonarlos. Envolver los langostinos con una loncha de bacón sin huesos ni corteza y pincharlos con un palillo.
Dorar los langostinos en aceite muy caliente por ambos lados.
Servir calientes acompañados de salsa alioli.

Croquetas de marisco

(> 314)

1 l. de leche • 150 gr. de mantequilla • 150 gr. de harina • 1 cebolla • 200 gr. de gambas cocidas y peladas • 1 cucharada sopera de perejil picado • 2 cucharadas soperas de harina • 1 cucharada sopera de pan rallado • 1 huevo • Sal • Aceite de oliva

En una sartén grande, rehogar la cebolla cortada fina con la mantequilla. Cuando tome color incorporar una cucharada de harina. Cuando tueste la harina verter despacio la leche por encima. Remover con una cuchara de madera. Cuando la masa esté cocida, sazonarla, retirarla del fuego e incorporar las gambas peladas cortadas finas y el perejil.
Cuando la masa esté a temperatura ambiente moldear las croquetas y pasarlas con el resto de la harina, el huevo batido y el pan rallado.
En una sartén con abundante aceite muy caliente freír las croquetas, escurrirlas sobre papel absorbente y servirlas inmediatamente.

Fritura de pescado a la andaluza

(> 315)

200 gr. de calamares
200 gr. de boquerones
200 gr. de gambas
200 gr. de chopitos (calamarcitos)
200 gr. de chanquetes
200 gr. de chipirones
Harina de pescado
Aceite de oliva
Sal

Limpiar los calamares y cortarlos en rodajas de ½ cm. Sazonarlos.
Limpiar los chipirones conservando la piel. Sazonarlos.
Pelar y sazonar las gambas, dejando el final de la cola.
Limpiar los boquerones, quitándoles la cabeza. Abrirlos para desprenderles la espina central. Sazonarlos.
Limpiar los chopitos, los chanquetes y los chipirones. Sazonarlos.
A continuación pasarlos por harina y freírlos a 280º C en abundante aceite de oliva. Escurrirlos sobre papel absorbente.
Servirlos bien calientes acompañados de un trozo de limón.

Gambas con gabardina

(> 316)

8 gambas
Pasta orly
Aceite de oliva
Sal

Quitar en crudo las cabezas y patas de las gambas y dos tercios del caparazón dejando el final de la cola. Sazonar. Rebozarlas en pasta orly y freírlas en una sartén con abundante aceite caliente.
Sacar las gambas y dejarlas escurrir sobre un papel absorbente.
Servir calientes recién fritas.

Croquetas de txangurro

(> 316)

½ kg. de txangurro • 1 l. de leche • 1 cebolla • 50 gr. de mantequilla • 125 gr. de harina • 1 huevo batido • 2 cucharadas soperas de harina • 2 cucharadas soperas de pan rallado • Nuez moscada • Sal • Aceite de oliva

En un cazo grande a fuego suave calentar 50 ml. de aceite de oliva y la mantequilla y antes de que dore rehogar la cebolla picada muy fina. Cuando la cebolla esté doradita, verter 125 gr. de harina y mezclar lentamente hasta formar una masa compacta. Incorporar la leche caliente sin dejar de remover. Dejar que hierva a fuego suave durante ¾ de hora evitando que se coja en el fondo del cazo. Añadir el txangurro bien desmenuzado, sazonar ligeramente y poner una pizca de nuez moscada. Dejar que enfríe.
Moldear las croquetas y pasarlas por un poco de harina, huevo batido y pan rallado.
En una sartén grande con abundante aceite caliente freír las croquetas, escurrirlas en papel absorbente y servir calientes.

Queso manchego frito

(> 317)

200 gr. de queso manchego • 85 gr. de pan rallado • 1 huevo • 1 cucharada de café de agua • 3 cucharadas soperas de harina • Aceite de oliva • Sal • Pimienta

Batir el huevo junto con el agua hasta que esté bien mezclado. Reservar.
Cortar el queso en trozos gruesos triangulares. Reservar.
Poner la harina en un plato, salpimentar ligeramente, enharinar los triángulos de queso, sumergirlos en el huevo batido y rebozarlos con el pan rallado. Meter en el frigorífico durante un par de horas.
En una sartén grande con abundante aceite muy caliente, freír por ambas caras los trozos de queso hasta que empiece a fundirse y esté bien dorado. Para evitar que el aceite se enfríe, freír los trozos de queso por tandas de cuatro o cinco quesos. Escurrirlos sobre papel absorbente.
Pinchar en un palillo un triángulo de queso y servir caliente.

Buñuelos de alcachofa

(> 318)

12 alcachofas pequeñas • 1 cucharada de café de perejil picado • Zumo de 2 limones • Sal • Aceite de oliva
Para la pasta: 125 gr. de harina • 2 huevos • 1 cucharada sopera de aceite de oliva • 1 dl. de cerveza • Sal

Preparar la pasta mezclando los huevos, el aceite y una pizca de sal. Batir y echar la harina, remover y desleír con la cerveza y un chorrito de agua. Cuando se haya formado una masa fina dejar reposar un par de horas. Cortar las hojas exteriores de las alcachofas y dejar las centrales a unos 5 cm. de altura. Partir la alcachofa en dos por la parte larga y ponerlas en un cazo cubiertas con agua y el zumo de limón. Cocer a fuego moderado durante 20 minutos. Sazonar.
Rebozar las alcachofas con la pasta y freír los buñuelos en una sartén con abundante aceite muy caliente. Escurrirlas sobre papel absorbente.
Servir los buñuelos calientes espolvoreando por encima el perejil.

Croquetas de huevo

(> 319)

8 huevos cocidos • 2 yemas de huevo batidas • 1 huevo batido • 60 gr. de mantequilla • 120 gr. de harina • 2 cucharadas de harina • 300 cl. de leche • 60 gr. de pan rallado • Nuez moscada • Aceite de oliva • Sal

En un cazo derretir la mantequilla y añadir 120 gr. de harina sin dejar de remover. Incorporar la leche poco a poco y remover hasta que espese la salsa. Agregar los huevos picados muy finos, las yemas, sazonar ligeramente y poner una pizca de nuez moscada. Dejar que la mezcla se enfríe.
Con dos cucharas moldear las croquetas, rebozarlas con el resto de la harina, el huevo y el pan rallado. Freírlas en abundante aceite muy caliente.

Croquetas de queso

(> 320)

3 patatas • 1 terrina de queso cremoso • 2 huevos • 2 cucharadas soperas de pan rallado • Sal • Aceite de oliva

Cocer las patatas en abundante agua salada. Cuando estén tiernas, pelarlas y triturarlas pasándolas por el pasapurés.
En un cazo mezclar las masa con el queso cremoso, una yema de huevo y remover durante 2 minutos a fuego moderado. Retirar la mezcla del fuego y sazonar.
Poner la pasta sobre una bandeja y dejar reposar en el frigorífico durante 30 minutos. A continuación, moldear las croquetas y rebozarlas con el huevo batido y el pan rallado.
En una sartén grande con abundante aceite caliente freír las croquetas, escurrirlas en papel absorbente y servir calientes.

TORTILLAS

Omelettes

Omelettes

Omeletts

Тортилья

トルティージャ

煎蛋饼

Tortilla de boquerones

(> 321)

6 huevos
250 gr. de boquerones
1 diente de ajo
Aceite de oliva
Sal

Limpiar los boquerones, quitarles la espina y la cabeza. Sazonar.
En un bol, batir los huevos con una pizca de sal.
Poner una sartén al fuego con un poco de aceite de oliva, añadir el ajo picado fino y cuando dore verter los boquerones. Dejarlos 15 segundos y añadir los huevos batidos. Cocer a fuego lento, darle la vuelta y retirar la tortilla mientras esté jugosa.
Servir caliente o fría.

Tortilla de jamón, habitas y ajos tiernos

(> 322)

4 huevos • 50 gr. de ajos tiernos • 50 gr. de habitas • 50 gr. de jamón ibérico • Aceite de oliva virgen • Sal • Pimienta

Batir los huevos y reservar.
Cortar el jamón a trozos pequeños finos y reservar.
Pelar los ajos y picarlos muy finos. En una sartén con un poco de aceite de oliva a fuego medio sofreír los ajos. Cuando estén dorados, agregar las habitas cocidas previamente y el jamón ibérico. Mezclar el sofrito con los huevos, salpimentar, cocer a fuego lento, dar la vuelta y dejar que la tortilla termine de hacerse lentamente.
Servir caliente.

Tortilla de Sacromonte

(> 323)

2 sesos de cordero • 6 criadillas de cordero • 100 gr. de jamón ibérico • 2 patatas • 2 pimientos morrones • 50 gr. de guisantes • 50 gr. de chorizo • 8 huevos • Sal • Aceite de oliva

Limpiar bien en agua fría los sesos y las criadillas. Hervirlos en cazos separados durante 5 minutos en agua con sal. Escurrir y cortar en dados pequeños.
En una sartén a fuego moderado con abundante aceite de oliva freír las patatas cortadas a láminas finas. Cuando estén blandas, retirar y escurrir.
En un bol batir los huevos y mezclar con las patatas, los sesos, las criadillas, el jamón cortado fino y el chorizo a dados pequeños, el pimiento morrón cortado a trozos pequeños y los guisantes cocidos. Sazonar.
Verter la mezcla en una sartén grande con un poco de aceite de oliva y cocinarla a fuego lento durante tres minutos, dar la vuelta y dejar que se haga lentamente . Servir caliente

Tortilla de patatas con chorizo

(> 323)

6 huevos • ½ kg. de patatas • 100 gr. de chorizo riojano • 1 l. de aceite de oliva • Sal

Pelar y cortar las patatas. Freír en abundante aceite a fuego medio. Evitar que tomen color. Escurrir bien el aceite y sazonar.
En un bol, batir los huevos con una pizca de sal. Mezclar con las patatas.
En una sartén con un poco de aceite saltear el chorizo desmenuzado y antes de que esté demasiado hecho verter la mezcla de huevos y patatas. Cocer todo a fuego lento, darle la vuelta y dejar que termine de hacerse lentamente.
Servir caliente.

Tortilla de ajos tiernos

(> 324)

6 huevos • 250 gr. de ajos tiernos • Aceite de oliva • Sal

Limpiar y cortar los ajos tiernos. Saltearlos con un poco de aceite de oliva. Sazonar.
Batir los huevos con una pizca de sal.
Mezclar los ajos tiernos con los huevos batidos.
Verter los huevos en una sartén con un poco de aceite. Cocinarlos a fuego lento, dar la vuelta y dejar que se hagan lentamente.
Servir fría o caliente.

Tortillita de camarones

(> 325)

¼ kg. de camarones de las salinas* • ¼ kg. de cebolla • ½ kg. de harina para rebozar pescado • 1 cucharada sopera de perejil picado • 1 l. de agua • Aceite de oliva • Sal

Pelar y picar la cebolla muy fina.
En un cazo grande, diluir la harina con el agua, sazonar ligeramente y remover hasta formar una masa cremosa. Agregar la cebolla, el perejil picado y los camarones. Mezclar bien y dejar que la masa repose durante dos horas.
Transcurrido este tiempo, en una sartén grande calentar un poco de aceite de oliva. Con una cuchara tomar un poco de masa y freírla hasta formar unas tortitas planas y aplastadas de unos cinco centímetros. Darles la vuelta intentando que se mantengan finas. Cuando estén bien doradas y crujientes retirarlas y escurrirlas sobre papel absorbente. Servir bien calientes.

* Si no se encuentran camarones de las salinas se pueden sustituir por gambas pequeñas peladas.

SOPAS Y GAZPACHOS

Soups and Gazpachos

Soupes et Gazpachos

Suppen und Gazpachos

Супы И Гаспачо

スープとガスパッチョ

Ajoblanco

(> 326)

20 uvas peladas y sin pepitas
20 bolitas de melón
200 gr. de almendras
2 rebanadas de pan
3 dientes de ajo
½ dl. de aceite de oliva
½ kg. de hielo
Sal
Pimienta

En un cazo grande con abundante agua hirviendo escaldar las almendras para quitarles la piel.
En una cazuela de barro poner a macerar 24 horas las almendras peladas, el ajo, las rebanadas de pan desmigadas, el aceite de oliva y el hielo.
Al día siguiente triturar todo, pasar por un colador y salpimentar. Si queda muy espeso es conveniente añadirle un poco de agua.
Servir frío en una taza decorado con cinco uvas y cinco bolitas de melón.

Gazpacho de habas secas

(> 327)

¼ kg. de pan blanco
¼ kg. de habas secas
3 huevos
¼ l. de aceite de oliva
1 cucharada de vinagre de Montilla
1 cucharada sopera de pasas
Agua
Sal

Remojar las habas durante 24 horas. Transcurrido este tiempo, pelarlas y mezclarlas con la miga del pan y los huevos. Sazonar.
Poner la mezcla en una batidora y triturar vertiendo poco a poco el aceite hasta formar una masa suave. A continuación, añadir el agua hasta obtener la espesura deseada, echar una pizca de sal y un chorro de vinagre.
Servir frío en un tazón con unas cuantas pasas por encima.

Gazpacho de langostinos de Sanlúcar (> 327)

2 bollos de pan
½ kg. de langostinos
1 ½ kg. de tomates maduros
¼ kg. de pimientos verdes
¼ kg. de cebollas
¼ kg. de pepinos
Zumo de 2 limones
¼ l. de aceite de oliva
1/8 l. de vinagre de Jerez
Agua
Sal

En una olla con agua sin sal echar los langostinos. Retirarlos antes de que el agua rompa a hervir. Conservar el agua. Poner los langostinos en un cazo con agua salada con hielo durante 5 minutos. Reservar.
Lavar las hortalizas, quitarles las pepitas y trocearlas muy menuditas. Poner en un bol grande y mezclar con el zumo de limón, el aceite, el vinagre, el pan desmigado y una pizca de sal. Cubrir con el agua que hemos reservado.
Dejar que macere en el frigorífico durante 8 horas. Pasar por la batidora agregando el agua que se desee para alcanzar la espesura deseada.
Servir frío en tazones acompañado de los langostinos pelados y abiertos por la mitad.

Salmorejo

(> 328)

½ kg. de miga de pan de pueblo del día anterior
¾ kg. de tomates maduros
2 huevos cocidos
2 dientes de ajo
75 gr. de jamón serrano de Jabugo a tacos
½ dl. en vinagre de vino de Montilla
2 dl. de aceite de oliva virgen
Sal

En una cazuela de barro poner la miga de pan en remojo durante media hora. Escurrir el agua y reservar.
Pelar y despipar los tomates, pelar los ajos, sazonarlos y majarlos bien. Triturarlos junto al pan, el aceite de oliva y el vinagre hasta formar una pasta fina y homogénea. Añadir un poco de agua muy fría hasta conseguir la textura deseada y rectificar de vinagre y de sal. Meter en el frigorífico.
Pelar los huevos cocidos y picarlos muy finos.
Servir frío en cazuelita de barro. Antes de servir añadir por encima trozos de jamón y de huevo duro picado rematando con un chorrito de aceite de oliva virgen.

Sopa de galeras de Casa Bigote

(> 329)

1 kg. de galeras
1 cebolla
3 tomates maduros
3 pimientos verdes
1 barrita de pan
Unas ramitas de hierbabuena
½ vaso de aceite de oliva virgen
1 copa de manzanilla pasada
1 l. de agua
Sal

Poner una cacerola al fuego con el agua y cocer las galeras.
En una sartén con un poco de aceite dorar la cebolla picada fina y los pimientos verdes cortados menuditos. Echar los tomates cortados a trozos y sofreír. Retirar y triturar el sofrito con la batidora. Mezclar con el agua del cocido de las galeras. Sazonar y echar la hierbabuena, el pan desmenuzado y la manzanilla. Dejar hervir a fuego suave unos minutos. Añadir las galeras peladas y cortadas a trocitos.
Servir muy caliente en cazuelita de barro.

Consomé al oloroso

(> 330)

5 kg. de hueso de bola • ½ kg. de ternera picada • 125 gr. de tomates maduros • 125 gr. de zanahorias • 2 dientes de ajo • 2 puerros • ½ manojo de apio verde • 1 hoja de laurel • 4 claras de huevo • 2 l. de agua • Pimienta blanca • 1 cucharada sopera de oloroso de Jerez • Sal

Dorar al horno los huesos, retirarlos y ponerlos en una cazuela de barro cubiertos de agua. Dejar cocer a fuego suave durante 8 horas. Desengrasar de vez en cuando el caldo, añadiendo agua para que cubra los huesos. Transcurrido este tiempo, pasar el caldo por el chino y reservar.
Lavar y cortar muy menuditos los tomates sin pepitas, las zanahorias, los puerros y los ajos. Mezclar todos los ingredientes con el oloroso, salpimentar y ponerlos en una olla grande con el caldo reservado y cocer a fuego moderado durante una hora y media sin dejar de remover. Cuando comience a hervir, echar las claras. Desengrasar de vez en cuando. Servir caliente.

Gazpacho andaluz

(> 331)

1 kg. de tomates maduros • 1 pimiento verde • 1 pepino • 4 dientes de ajo • 1 rebanada de pan • 6 cucharadas soperas de aceite de oliva virgen • 2 cucharadas soperas de vinagre de Jerez • Agua fría • Sal gorda

En una cazuela de barro poner la miga de pan en remojo. Sacarla cuando esté tierna y escurrirla con las manos. Limpiar y pelar los tomates y cortarlos en trozos pequeños. Reservar.
Hacer un majado en el fondo con el ajo, una pizca de sal gorda, el pimiento y el pepino troceados y el tomate. Añadir el pan, seguir majando y verter un poco de agua fría. Agregar el aceite de oliva y el vinagre hasta alcanzar la textura deseada. Servir frío con guarnición de cebolla, tomate, pimiento, pepino troceado en dados pequeños y tacos de pan frito.
Servir frío con guarnición de cebolla, tomate, pimiento, pepino troceado en dados pequeños y tacos de pan frito.

Traducciones

Translations

Traductions

Übersetzungen

Переводы

翻訳

¨ 译文 ¨

PINCHOS
Brochettes
Brochettes
Spiesschen
Шашлычки
ピンチョ（串刺し）
串烧

Gilda

Gilda

8 green chilis • 4 cocktail onions • 4 tinned anchova fillets in oil • 4 stoned olives

• Pass a cocktail stick through one cocktail onion, two green chilis, one tinned anchovy fillet and the green olive.

Gilda

8 piments de Ibarra • 4 petits oignons au vinaigre • 4 filets d'anchois à l'huile • 4 olives sans noyau

• Sur un cure-dents, piquer un petit onion, deux piments, un filet d'anchois et l'olive verd.

Gilda

8 Pfefferschoten • 4 Eissigzwiebeln • 4 Anchovisfilets in Öl • 4 Grüne Oliven ohne Stein

• Die Zwiebel, die Essigzwiebeln, zwei Pfefferschoten mit eine Anchovis und die grüne Olive auf einen Zahnstocher speißen.

Хильда

8 стручковых перцев из Ибарры • 4 маринованных луковички • 4 филе анчоуса в масле • 4 оливки без косточки

• Нанизать на деревянную палочку луковичку, два стручковых перца, филе анчоуса и зеленую оливку.

ヒルダ

イバラ産トウガラシ　8本 • 子玉ねぎのピクルス　4個 • アンチョビ　4枚 • オリーブ（種を抜いたもの）　4個

•楊枝に子玉ねぎのピクルスと、トウガラシ2本、アンチョビ、そして一番上にグリーンオリーブの実を刺す。

吉尔达

8颗巴斯克小尖辣椒 • 4个腌小洋葱 • 4片橄榄油鳀鱼 • 4颗无核橄榄

• 用牙签串一个小洋葱、2个小尖辣椒、一片鳀鱼和一颗橄榄即可。

Pincho de aceituna, pepinillo, anchoa y bonito

Pincho of olive, gherkin, anchova and tuna fish

4 stoned olives • 4 gherkins • 4 anchovy in oil • 4 wedges of tinned tuna fish • 2 tbsp. vinaigrette

• Pass a cocktail stick through a stoned olive, a gherkin, a rolled-up anchovy and a wedge of tuna fish. • Place the *pinchos* on a plate, sprinkling the vinaigrette over them and serve.

Brochette d'olive, cornichon, anchois et thon

4 olives sans noyau • 4 cornichons • 4 anchois à l'huile • 4 morceaux de thon • 2 cuillérées de vinaigrette

• Sur un cure-dents, piquer une olive, un cornichon, un anchois enroulé et un morceau de thon. • Placer les brochettes sur une assiette et repartir un peu de vinaigrette sur les brochettes et servir.

Olivenspieß mit Gurke, Anchovis et Thunfisch

4 Grüne Oliven ohne Stein • 4 Gurken • 4 Anchovis in Öl • 4 Stücke Thunfisch • 2 EL Vinagrette

• Eine Olive, eine Gurke, eine gerolte Anchovis und ein Stück Thunfisch auf einen Zahnstocher spießen. • Die Spieße auf einen Teller stellen und auf das Spießen ein venig Vinagrette geben und servieren.

Шашлычок из оливок, огурца, анчоусов и тунца

4 соленых огурца • 4 свежих анчоуса в масле • 4 кусочка тунца в масле • 4 зеленых оливки без косточки • 2 ст. ложки соуса винигрет

• На деревянную палочку нанизать оливку, огурец, свернутый рулетиком анчоус и кусочек тунца. • Выложить шашлычок на тарелку и полить соусом винигрет. Подавать.

オリーブ、きゅうりのピクルス、アンチョビ、カツオのピンチョ

ミニキュウリのピクルス　4本 • アンチョビ　4枚 • カツオのオイル漬け　4切れ • オリーブ（グリーンで種を抜いたもの）4個 • ビナグレットソース大さじ2

• 楊枝にオリーブの実、ミニきゅうり、アンチョビを丸く巻いたもの、カツオのオイル漬けを刺す。• 皿にピンチョを盛って、ビナグレットを少し上にかけていただく。

橄榄小黄瓜鳀鱼金枪鱼串

4个嫩黄瓜 • 4条橄榄油鳀鱼 • 4块橄榄油金枪鱼 • 4颗无核橄榄 • 2调羹醋酱汁

• 用牙签串起一颗橄榄、一个小黄瓜、一条卷起来的鳀鱼和一块金枪鱼。• 串好后放在盘子里，淋上一点醋酱汁即可食用。

Pincho de atún, gamba, cebolla, aceituna y vinagreta

Pincho of tuna fish, prawn, onion, olive and vinaigrette

4 wedges of tuna fish • 4 prawns cooked • 4 stoned black olives • 2 tbsp. chopped onion • Vinaigrette

• Pass a cocktail stick through a wedge of tuna fish, a prawn and an olive. Sprinkle a little chopped onion over them and sprinkle the vinaigrette before serving.

Brochette de thon, gamba, oignon, olive et vinaigrette

4 morceaux de thon • 4 gambas cuites • 4 olives sans noyau • 2 cuillérées à soupe d'oignon haché • Vinaigrette

• Sur un cure-dents, piquer un morceau de thon, une gamba et une olive. Répartir un peu d'oignon sur chacune et les arroser de vinaigrette.

Speiß mit Thunfish, Gamba, Zwiebel, Olive und Vinagrette

4 Stücke Thunfisch • 4 geschälte Gambas • 4 Grüne Oliven ohne Stein • 2 EL gehackte Zwiebel • Vinagrette

• Eine Stück Thunfisch, eine Gamba und eine Olive auf einen Zahnstocher speißen. Jeden etwas von der Zwiebel streuen und Vinagrette beträufeln.

Шашлычок из тунца, креветок, лука, оливок с соусом винигрет

4 кусочка тунца • 4 вареные креветки • 4 зеленые оливки без косточки • 2 ст. ложки мелко порезанного лука • Винигрет

• Нанизать на деревянную палочку кусочек тунца, креветку и оливку. Сверху выложить немного лука. Полить соусом винигрет.

ツナ、エビ、玉ねぎ、オリーブとビナグレットのピンチョ

ツナ　4切れ • 小エビ（茹でたもの）4尾 • オリーブ（グリーンで種をぬいたもの）4個 • 玉ねぎのみじん切り　大さじ2 • ビナグレット

• 楊枝にツナ、エビ、オリーブを刺して、玉ねぎのみじん切りを少し上から散らし、ビナグレットをかける。

金枪鱼洋葱橄榄虾串

4块金枪鱼 • 4只熟虾 • 4个无核青橄榄 • 2调羹洋葱末 • 葱油醋酱

• 用牙签串一块金枪鱼、一只虾和一颗橄榄。在上面撒上一点洋葱末，浇上葱油醋酱

Pincho de queso manchego con membrillo

Brochette of Manchego cheese with quinc jelly

4 slices bread • 4 slices of Manchego cheese • 4 slices of quinc jelly

• Pass a cocktail stick through a slice of cheese and a slice of quinc jelly and place on a slice of bread.

Brochette de fromage Manchego avec pâte de coing

4 tranches de pain • 4 tranches de fromage Manchego • 4 tranches de pâte coing

• Piquer sur un cure-dents une tranche de fromage et une tranche de pâte coing et le placer sur un morceau de pain.

Spießchen mit Manchegokässe mit Qitten mus

4 Scheiben Baguette • 4 Scheiben Manchegokäse • 4 Scheiben Qitten mus

• Eine Scheibe Käse und ein Stück Qitten mus auf einen Zahnstocher spießen und auf eine Scheibe Brot setzen.

Шашлычок из ламанчского сыра с мармеладом из айвы

4 ломтика хлеба • 4 ломтика ламанчского сыра • 4 ломтика мармелада из айвы

• Сложить вместе ломтик мармелада из айвы и ломтик сыра, проколоть деревянной палочкой и выложить поверх ломтика хлеба.

マンチェゴチーズとメンブリージョのピンチョ

パン　4切れ • マンチェゴチーズスライス　4枚 • メンブリージョ（マルメロから作る羊羹状のジャム）4切れ

• チーズ、メンブリージョを楊枝に刺してパンの上に載せる。

奶酪榅桲串

4片面包 • 4片那曼查勾奶酪 • 4片榅桲

• 用牙签把一片奶酪和一片榅桲串起来，放在一片面包上。

Pincho de bacón con gambas

Brochette of Bacon and Prawns

4 slices toast • 4 rashers bacon • 4 prawns • Olive oil

• Peel the prawns and roll them up in the bacon, holding together with a skewer. Fry with a little oil in a frying pan. • Toast the bread and add it to the skewer. Serve hot.

Brochette de bacon et de crevettes

4 tranches de pain grillé • 4 tranches de bacon • 4 crevettes • Huile d'olive

• Décortiquer les crevettes et les enrouler dans une tranche de bacon fumé en les piquant sur un bâtonnet. Les faire cuire « à la plancha » avec un peu d'huile d'olive. • Faire griller le pain et piquer la brochette au milieu. Servir chaud.

Spießchen mit Bacon und Garnelen

4 Scheiben geröstetes Brot • 4 Scheiben Bacon • 4 Garnelen • Olivenöl

• Die Garnelen schälen, in den Bacon wickeln und das Ganze mit einem Zahnstocher zusammenstecken. In einer Pfanne mit wenig Öl braten. • Das Brot rösten und auf den Zahnstocher stecken. Heiß servieren.

Шашлычок из бекона и креветок

4 кусочка хлеба • 4 ломтика бекона • 4 креветки • Оливковое масло

• Очистить креветки и завернуть каждую креветку в ломтик бекона. Проколоть деревянной палочкой. Обжарить все в сковороде с небольшим количеством масла. • Поджарить кусочки хлеба и воткнуть в него палочку. Подавать горячим.

ベーコンとエビのピンチョ

トーストパン　4枚 • ベーコン　4枚 • 小エビ　4尾 • オリーブオイル

• エビの殻をむいてベーコンで巻き、楊枝に刺す。フライパンにオリーブオイルをほんの少しひいて焼く。• パンをトーストしてこれも楊枝に刺す。温かいうちにいただく。

培根虾串

4片吐司面包 • 4片培根 • 4只虾 • 橄榄油

• 把虾去壳后用培根把它卷起来，插上牙签固定。在锅中放少许油后煎培根虾串。• 把面包烤成吐司后插上虾和培根。趁热食用。

Pincho de salmón con huevas de arenque

Brochette of Salmon with Herring Roe

4 slices smoked salmon • 150 gr. chatka crab • 1 tbsp. spring onion • 2 tbsp. mayonnaise • 2 tbsp. herring roe • Perrins sauce • Tabasco • Extra virgin olive oil

• Finely chop the spring onion and chatka crab and mix with the mayonnaise. • Season and dress with a little Perrins sauce and a few drops of Tabasco. • Stuff the smoked salmon slices with the mixture. • Hold together with a cocktail stick, place on a dish and add a little herring roe on top of each slice. Sprinkle with a few drops of olive oil.

Brochette de saumon aux œufs de hareng

4 tranches de saumon fumé • 150 gr. de crabe chatka • 1 cuillerée à soupe de ciboulette • 2 cuillerées à soupe de mayonnaise • 2 cuillerées à soupe d'œufs de hareng • Sauce Perrins • Tabasco • Huile d'olive vierge extra

• Hacher finement la ciboulette, le crabe chatka et les mélanger à la mayonnaise. • Assaisonner, ajouter de la sauce Perrins et quelques gouttes de tabasco. • Farcir les tranches de saumon fumé avec la préparation. • Piquer le saumon sur un bâtonnet, disposer dans un plat de service et mettre des œufs de hareng sur chaque tranche. Arroser de quelques gouttes d'huile d'olive.

Lachsspießchen mit Heringsrogen

4 Scheiben Räucherlachs • 150 gr. Kamtschatkakrabbe • 1 EL gehackte Frühlingszwiebel • 2 EL Mayonnaise • 2 EL Heringsrogen • Worcestersauce • Tabasco • Extra natives Olivenöl

• Die Frühlingszwiebel und das Krabbenfleisch fein hacken und mit der Mayonnaise vermischen. • Würzen und mit etwas Worcestersauce und ein paar Tropfen Tabasco anrühren. • Die Räucherlachsscheiben mit der Zubereitung füllen. • Den Lachs auf einen Zahnstocher stecken, auf einen Teller legen und etwas Heringsrogen darüber verteilen. Mit ein paar Tropfen Olivenöl übergießen.

Шашлычок из лосося и селедочной икры

4 ломтика копченого лосося • 150 г крабов • 1 ст. ложка молодого зеленого лука • 2 ст. ложки майонеза • 2 ст. ложки селедочной икры • Ворчестерский соус • Табаско • Оливковое масло

• Мелко порезать зеленый лук и крабов, смешать все с майонезом. • Посолить и добавить чуть-чуть ворчестерского соуса и несколько капель Табаско. • Нафаршировать ломтики лосося подготовленной смесью. • Проколоть трубочки лосося деревянной палочкой и выложить сверху немного селедочной икры. Полить несколькими каплями оливкового масла.

サーモンとニシンの卵のピンチョ

スモークサーモン　4枚・カニの身　150 g・ねぎ　大さじ1・マヨネーズ　大さじ2・ニシンの卵　大さじ2・ペリンソース・タバスコ・エクストラバージンオリーブオイル

• ねぎをみじん切りにしてカニの身とマヨネーズを混ぜる。• ペリンソースを少々とタバスコも数滴加えて味をつける。• これをスモークサーモンに載せる。• 楊枝に刺して皿に盛り付け、上にニシンの卵を少し飾る。オリーブオイルを少し垂らす。

鲱鱼籽鲑鱼串

4片烟熏鲑鱼 • 150克蟹肉 • 1调羹嫩洋葱 • 2调羹沙拉酱 • 2调羹鲱鱼籽 • 伯林辣酱 • 辣椒油 • 特级初榨橄榄油

• 把洋葱和蟹肉切碎, 加入沙拉酱拌匀。• 再加点盐、一点伯林辣酱和几滴辣椒油。• 把上物用熏鲑鱼片包起。• 用牙签把鲑鱼串起来, 放在盘子里, 然后在上面撒上鲱鱼籽。浇上几滴橄榄油。

Pincho de champiñón, morcilla y aros de cebolla

Brochette of Mushrooms, Black Pudding and Onion Rings

4 slices bread • 4 large mushrooms • 2 rice black puddings • 1 onion • 4 eggs • 2 tbsp. flour • 1 tbsp. breadcrumbs • Olive oil • Salt • Pepper

• Wash the mushrooms, removing the stalks. • Beat the eggs and roll the mushrooms in the flour, beaten eggs and breadcrumbs. Fry in a frying pan with lots of hot oil. Once browned, remove from heat and drain on kitchen towel. Put to one side. • Slice the onion in thin rings and cover in the flour and beaten eggs. Fry in a frying pan with hot oil until they start to brown. Put to one side. • Fry the halved rice black pudding in very hot oil in another frying pan on a medium heat. • Thread the skewers, alternating black pudding, mushroom and some onion rings, and place on a slice of toasted bread.

Brochette de champignon, boudin et rondelles d'oignon

4 morceaux de pain • 4 gros champignons • 2 boudins de riz • 1 oignon • 4 œufs • 2 cuillerées à soupe de farine • 1 cuillerée à soupe de panure

• Nettoyer les champignons et couper les queues. • Battre les œufs et passer les champignons dans la farine, l'œuf battu et la panure. Dans une poêle avec beaucoup d'huile d'olive très chaude, faire frire les champignons. Une fois dorés, les ôter du feu et les égoutter sur un papier absorbant. Réserver. • Couper l'oignon en rondelles très fines, puis les passer dans la farine et l'œuf battu. Faire dorer l'oignon dans une poêle avec de l'huile chaude. Réserver. • Faire frire les boudins de riz coupés en deux dans une autre poêle avec de l'huile très chaude, à feu moyen. • Piquer un boudin, un champignon et quelques rondelles d'oignon à l'aide d'un bâtonnet. Disposer le tout sur un morceau de pain grillé.

Spießchen mit Champignons, Reisblutwurst und Zwiebelringen

4 Scheiben Brot • 4 große Champignons • 2 Reisblutwürste • 1 Zwiebel • 4 Eier • 2 EL Mehl • 1 EL Paniermehl • Olivenöl • Salz • Pfeffer

• Die Champignons waschen und die Stiele abschneiden. • Die Eier schlagen und die Champignons in Mehl, geschlagenem Ei und Paniermehl wälzen. Die Champignons in einer Pfanne mit reichlich heißem Öl braten. Wenn sie angebräunt sind, vom Feuer nehmen und auf Küchenpapier abtropfen lassen. Beiseite stellen. • Die Zwiebel in dünne Ringe schneiden und in Mehl und geschlagenem Ei wälzen. In einer Pfanne mit heißem Öl anbräunen. Beiseite stellen. • Die halbierten Reisblutwürste in einer anderen Pfanne mit sehr heißem Öl bei mittlerer Hitze braten. • Ein Stück Reisblutwurst, einen Champignon und ein paar Zwiebelringe auf einen Zahnstocher stecken und auf eine Scheibe geröstetes Brot legen.

Шашлычок из шампиньнов, кровяной колбасы и кружочков лука

4 ломтика хлеба • 4 больших шампиньона • 2 кровяные колбасы с рисом • 1 луковица • 4 яйца • 2 ст. ложки муки • 1 ст. ложка хлебной крошки • Оливкового масла • Соль • Молотый перец

• Промыть шампиньоны и отрезать ножки. • Взбить яйца и обвалять шампиньоны в муке, взбитых яйцах и хлебной крошке. В сковороде в достаточном количестве горячего масла обжарить шампиньоны. Когда они станут золотистыми, снять с огня и выложить на кухонную бумагу. Отставить в сторону. • Порезать лук тонкими кольцами, обвалять в муке и затем в яйце. Обжарить до золотистого цвета в достаточном количестве горячего масла. Отставить в сторону. • В другой сковороде обжарить кровяные колбасы с рисом, разрезанные пополам, на среднем огне и в горячем масле. • На деревянную палочку нанизать половинку колбасы, шампиньон и несколько кружочков лука. Выложить шашлычок на ломтик хлеба.

マッシュルーム、モルシージャ、オニオンリングのピンチョ

パン　4切れ・マッシュルーム（大きめのもの）　4個・ライスモルシージャ（血入りソーセージで米を使ったタイプ）　2個・玉ねぎ　1個・卵　4個・小麦粉　大さじ2・パン粉　大さじ　1・オリーブオイル・塩・こしょう

• マッシュルームの石突きをとってきれいにする。• 卵を割りほぐし、マッシュルームに小麦粉、溶き卵、パン粉の順につける。フライパンにたっぷり油を熱し、マッシュルームを揚げる。黄金色になったらキッチンペーパーで油をきる。• 玉ねぎをリング状に切って、小麦粉、溶き卵をつけ、油で揚げる。• 別のフライパンに油を高温に熱し、それから火力を少しおとして半分に切ったライスモルシージャを焼く。• 楊枝にライスモルシージャとマッシュルーム、オニオンリングを刺して、それをトーストしたパン切れに載せる。

蘑菇猪血肠洋葱圈串

4块小面包 • 4个大蘑菇 • 2条猪血肠 • 1个洋葱 • 4个鸡蛋 • 2调羹面粉 • 1调羹面包末 • 橄榄油 • 盐 • 胡椒

• 把蘑菇洗干净, 去蒂。• 把鸡蛋打散。把蘑菇沾取面粉, 过鸡蛋和面包末。在足量的热油中炸, 当蘑菇变得金黄时关火, 把蘑菇捞出后放在吸油纸上沥油。备用。• 把洋葱切成圈后沾取面粉和鸡蛋。放在油锅里炸成金黄色。备用。• 往另一个锅里倒足够的油, 用中火炸中分切开的猪血肠。• 用牙签串一块猪血肠、一个蘑菇和一些洋葱, 摆在烤好的吐司面包上食用。

Pincho de espárragos asados con jamón serrano

Brochette of Roast Asparagus with Serrano Ham

12 green asparagus • 12 slices Serrano ham • 5 tbsp. olive oil • 1 tbsp. lemon juice • 1 tbsp. warm water • 3 cloves garlic • 2 egg yolks • Coarse salt • Pepper • Olive oil

• Crush the garlic cloves in a mortar with a pinch of salt and pepper. When they form a paste, add the egg yolks and five spoonfuls of olive oil drop by drop, keeping the mixture moving until it takes consistency. Stir and, once well mixed, add the lemon juice and water until the mixture becomes thick. • Wash the asparagus and chop off the bottom. Roll up in a slice of Serrano ham. Put the rolls on a baking tray. Season with coarse salt, a little pepper and add a small dash of oil. • Put the tray in a preheated oven at 220 ºC and bake for 10 minutes. Serve hot with the sauce.

Brochette d'asperges grillées au jambon serrano

12 asperges vertes • 12 tranches de jambon serrano • 5 cuillerées à soupe d'huile d'olive • 1 cuillerée à soupe de jus de citron • 1 cuillerée à soupe d'eau tiède • 3 gousses d'ail • 2 jaunes d'œufs • Gros sel • Poivre • Huile d'olive

• Broyer les gousses d'ail dans un mortier, en ajoutant une pincée de sel et de poivre, jusqu'à obtenir une pâte. Ajouter les jaunes d'œufs et verser goutte à goutte cinq cuillerées d'huile d'olive tout en remuant pour prendre de la consistance. Remuer et une fois le tout bien mélangé, ajouter le jus de citron et l'eau jusqu'à obtenir une sauce épaisse. • Laver les asperges et couper le bas des tiges. Enrouler les asperges dans une tranche de jambon serrano. Les déposer sur une plaque de four. Assaisonner avec du gros sel et un peu de poivre, puis arroser d'un filet d'huile. • Mettre la plaque au four préchauffé à 220 ºC et laisser cuire 10 minutes. Servir chaud avec la sauce.

Spießchen mit gebratenem Spargel und Serranoschinken

12 grüne Spargelstangen • 12 Scheiben Serranoschinken • 5 EL Olivenöl • 1 EL Zitronensaft • 1 EL lauwarmes Wasser • 3 Knoblauchzehen • 2 Eigelb • Grobes Salz • Pfeffer • Olivenöl

• Die Knoblauchzehen mit einer Prise Salz und Pfeffer in einem Mörser zerstoßen. Sobald eine Paste entsteht, die Eigelbe hinzugeben und unter ständigem Rühren fünf EL Öl tropfenweise hinzugeben, damit die Mischung fest wird. Umrühren, und wenn alles gut gemischt ist, den Zitronensaft und das Wasser hinzufügen, bis eine dicke Sauce entsteht. • Den Spargel waschen und das untere Ende abschneiden. Je eine Scheibe Serranoschinken um eine Spargelstange wickeln. Die Röllchen in eine Auflaufform legen. Mit grobem Salz und etwas Pfeffer würzen und mit etwas Olivenöl übergießen. • Die Form bei 220 ºC 10 Minuten lang in den vorgeheizten Backofen stellen. Heiß zusammen mit der Sauce servieren.

Шашлычки из печеной спаржи с ветчиной Серрано

12 ростков зеленой спаржи • 12 ломтиков ветчины Серрано • 5 ст. ложек оливкового масла • 1 ст. ложка лимонного сока • 1 ст. ложка теплой воды • 3 зубчика чеснока • 2 желтка • Крупная соль • Молотый перец • Оливковое масло

• В ступке растолочь чеснок со щепоткой соли и перца. Когда получится пастообразная масса, добавить желтки и, не переставая толочь, влить по каплям пять ложек оливкового масла. Перемешать и добавить лимонный сок и воду, мешать до тех пор, пока не образуется довольно густой соус. • Вымыть спаржу и отрезать нижнюю часть. Завернуть росток спаржи в ломтик ветчины Серрано. Выложить рулетики в форму для духовки. Посолить, поперчить и полить оливковым маслом. • Запекать в предварительно разогретой до 220ºC духовке в течение 10-и минут. • Подавать горячим в сопровождении приготовленного соуса.

アスパラガスのハモンセラーノ巻きピンチョ

グリーンアスパラガス　12本 • ハモンセラーノ　12枚 • オリーブオイル • 大さじ5 • レモン汁　大さじ1 • ぬるま湯　大さじ1 • にんにく3かけ • 卵黄2個 • 大粒の塩 • こしょう • オリーブオイル

• にんにく、塩こしょう少々を鉢に入れて突き潰す。ペースト状になったら卵黄を加え、混ぜる手を休めずに、大さじ５杯分のオリーブオイルを少しずつ加えていき、しっかりとしたクリーム状になるまで混ぜる。全体がよく混ざったらレモン汁と湯を入れて混ぜる。• アスパラガスを洗って茎の下方を切る。ハモンセラーノを巻きつけ、天板に並べる。塩こしょうして、オリーブオイルを少し垂らす。• 220度に予熱しておいたオーブンに、天板を10分間入れる。 温かいうちにソースを添えていただく。

芦笋伊比利亚火腿串

12根青芦笋 • 12片伊比利亚生火腿 • 5调羹橄榄油 • 1调羹柠檬 • 1调羹温水 • 3瓣大蒜 • 2个蛋黄 • 粗盐 • 胡椒粉 • 1调羹蜂蜜

• 在研钵中将蒜瓣捣碎, 加入少量盐和胡椒粉。当成粘稠状时加入蛋黄。之后逐滴加入五调羹橄榄油, 同时不停搅拌, 使其成为糊状。当他们混合均匀后, 加入柠檬汁和水调成酱汁。• 把芦笋洗干净, 切掉底部。用火腿把它卷起来。把卷好的芦笋放在烤箱用托盘里。撒上盐和胡椒, 淋一点橄榄油。• 把托盘放入预热的烤箱中, 用220° C 烤10分钟。• 和准备好的酱汁一起趁热食用。

Pincho de espárragos con salmón

Brochette of Asparagus with Salmon

12 white asparagus • 12 slices smoked salmon • 3 egg yolks • 1½dl single cream • 3 tbsp. mayonnaise • Salt • Pepper

• Wash, peel and cook the asparagus. Put to one side. • Put the egg yolks and cream in a bain marie over a saucepan until it becomes a thin paste. Once cooled, mix with the mayonnaise. Season. Put to one side. • Roll up the asparagus in a slice of salmon, leaving the tip uncovered. • Place the asparagus on a baking dish, cover with the Sabayon sauce and grill. • Remove from oven, thread the asparagus on to skewers and place on a dish to serve.

Brochette d'asperges au saumon

12 asperges blanches • 12 tranches de saumon fumé • 3 jaunes d'œufs • 1,5 dl. de crème fraîche liquide • 3 cuillerées à soupe de mayonnaise • Sel • Poivre

• Nettoyer, peler et faire cuire les asperges. Réserver. • Dans une casserole au bain-marie, battre les jaunes d'œufs et la crème fraîche jusqu'à obtenir une crème fine. Une fois le tout refroidi, mélanger la crème et la mayonnaise. Assaisonner et réserver. • Enrouler les asperges dans une tranche de saumon en laissant ressortir les pointes. • Mettre les asperges dans un plat allant au four, les faire tremper dans la sauce Sabañón et les faire gratiner. • Retirer du four et piquer les asperges sur des bâtonnets. Disposer les brochettes dans un plat de service et servir.

Spießchen mit Spargel und Lachs

12 weiße Spargelstangen • 12 Scheiben Räucherlachs • 3 Eigelb • 150 ml. flüssige Sahne • 3 EL Mayonnaise • Salz • Pfeffer

• Den Spargel waschen, schälen und kochen. Beiseite stellen. • Die Eigelbe und die Sahne in einem Topf im Wasserbad schlagen, bis eine feine Creme entsteht. Wenn die Creme erkaltet, mit der Mayonnaise mischen. Salzen und pfeffern. Beiseite stellen. • Die Spargelstangen so in die Lachsscheiben wickeln, dass die Spitze hervorragt. • Den Spargel in eine Auflaufform geben, mit der Creme überziehen und gratinieren. • Aus dem Backofen nehmen, je eine Spargelstange auf einen Zahnstocher stecken und die Spießchen auf einem Teller servieren.

Шашлычок из спаржи с лососем

12 ростков белой спаржи • 12 ломтиков копченого лосося • 3 желтка • 1,5 дл жидких сливок • 3 ст. ложки майонеза • Соль • Молотый перец

• Помыть, почистить и сварить спаржу. Отставить в сторону. • В ковшике, на водяной бане, сбивать желтки со сливками до образования нежного крема. Когда крем остынет, смешать его с майонезом. Посолить и поперчить. Отставить в сторону. • Завернуть спаржу в ломтик лосося, оставляя верхушку спаржи неприкрытым. • Выложить рулетики в форму для духовки, полить приготовленным соусом Сабаньон и запечь на гриле духовки. • Вынуть рулетики из духовки. На деревянную палочку нанизать по одному рулетику и подавать в тарелке.

アスパラガスのサーモン巻きピンチョ

ホワイトアスパラガス　12本 • スモークサーモン　12枚 • 卵黄　3個 • 生クリーム　1 ½ dl • マヨネーズ　大さじ3 • 塩 • こしょう

• アスパラガスを洗って硬い部分をむいて茹でる。• 卵黄を湯煎しながら生クリームとよく混ぜてしっとりとしたクリーム状にする。冷めたらこのクリームをマヨネーズと混ぜる。塩こしょうする。• アスパラガスをサーモンで巻く。アスパラガスの先端がサーモンの端からちょっと外に出るように巻くこと。• 耐熱皿に並べていき、先に作ったソースをかけて、表面に焦げ目が軽くつくように焼く。• オーブンから取り出して、アスパラガスのサーモン巻きを楊枝に刺し、皿に盛って供する。

芦笋鲑鱼串

12根白芦笋 • 12片烟熏鲑鱼 • 3个蛋黄 • 50毫升液体奶油 • 3调羹沙拉酱 • 盐 • 胡椒

• 把芦笋洗干净、去皮后煮熟备用。• 把蛋黄和奶油隔水加热, 搅拌直到成糊状。等它凉了以后和沙拉酱一起混匀, 加盐和胡椒。备用。• 把芦笋用一片鲑鱼卷起来, 留芦笋尖在外面。• 把芦笋放进一个烤箱用盘里, 浇上沙巴浓酱之后一起烤。• 从烤箱里拿出来, 用牙签串起芦笋, 放在盘子里便完成了。

Pincho de gamba, espárrago, huevo cocido y aceituna

Pincho of prawn, aparragus, hard-boiled egg and olive

4 cooked prawns • 4 asparagus tips • 4 stoned green olives • 2 hard-boiled eggs • 1 tbsp. of mayonnaise

• Shell the eggs and cut in half. • Pass a cocktail stick through a half of the hard-boiled egg, an asparagus tip, a prawn and a green olive. • Spoon a little mayonnaise over the prawn and egg. Serve on a plate.

Brochete de gamba, d'aspege, d'oeuf dur et d'olive

4 gambas cuites • 4 têtes d'asperges • 4 olives verds sans noyau • 2 oeuf durs • 1 cuillérée à soupe de mayonnaise

• Écaler les oeufs et les couper en deux. • Piquer sur un cure-dents la moitié d'un oeuf, une tête d'asperge, une gamba et une olive verd. • Mettre un peu de mayonnaise sur la gamba et l'oeuf. Servir sur une assiette.

Gambaspieß mit Spargels, hart gekochtem Ei und Olive

4 gekocthe Gambas • 4 Spargelspitzen • 4 Grüne Oliven ohne Stein • 2 hart gekochtes Eis • 1 EL Mayonnaise

• Die gekochten Eier schälen und halbieren. • ½ von den hart gekochten Ei, eine Spargelspitze, eine Gamba und eine Grüne Oliven auf einen Zahnstocher spießen. • Auf die Gamba und das Ei ein wenig Mayonnaise geben. Servieren auf einen Teller stellen.

Шашлычок из креветок, спаржи, вареного яйца и оливок

4 вареные креветки • 4 ростка спаржи • 4 зеленые оливки без косточек • 2 вареных яйца • 1 ст. ложка майонеза

• Очистить яйца и разрезать пополам. • Нанизать на деревянную палочку половинку яйца, спаржу, креветку и оливку. • Выложить майонез поверх креветки и яйца. Подавать в тарелке.

小エビ、アスパラガス、ゆで卵、オリーブのピンチョ

小エビ（茹でたもの）　4尾 •アスパラガス　4本 •オリーブ（グリーンで種を抜いたもの）　4個 •ゆで卵　2個 •マヨネーズ　大さじ1

•ゆで卵の殻をむいて半分に切る。•楊枝に半分に切った卵、アスパラガス、小エビ、オリーブを刺す。•マヨネーズを小エビと卵のところに少しつける。皿に盛り付けて出す。

芦笋橄榄虾蛋串

4只熟虾 • 4根罐头芦笋 • 4颗无核青橄榄 • 2个煮鸡蛋 • 1调羹沙拉酱

• 把鸡蛋去壳后切成两半。• 用牙签串起半个鸡蛋、一根芦笋、一只剥好的虾和一颗橄榄。• 在虾和鸡蛋上浇沙拉酱，放在盘子里便完成了。

Pincho de langostinos con calabacín al brandy

Brochette of king prawns and courgette with brandy sauce

4 king prawns • ¼ courgette • Coarse salt • Olive oil • *For the sauce:* 100 gr. of single cream • 1 tsp. of chopped fresh chives • 1 tsp. of lemon juice • 1 tbsp. of brandy

• Wash the courgettes and cut them into thin slices with their skin on. • Spear a king prawn, cooked and peeled with the exception of its tail, wrap in a slice of courgette and brown on both sides in a frying pan with a splash of oil. Season with coarse salt. • In a saucepan cook the cream, lemon, brandy and chives for 5 minutes at low heat, stirring continuously. • Serve with a little on top of each brochette

Brochette de crevette et de courgette au brandy

4 grosses crevettes • ¼ de courgette • Gros sel • Huile d'olive • *Pour la sauce:* 100 gr. de crème fraîche liquide • 1 cuillerée à café de ciboulette fraîche hachée • 1 cuillerée à soupe de jus de citron • 1 cuillerée à café de brandy

• Laver les courgettes et les couper en rondelles très fines avec la peau. • Enfiler une crevette cuite et décortiquée (sauf la queue) sur une brochette. Enrouler une rondelle de courgette autour et faire dorer la brochette des deux côtés dans une poêle avec un filet d'huile d'olive. Assaisonner avec du gros sel. • Faire revenir la crème fraîche, le citron, le brandy et la ciboulette dans une casserole à feu doux, sans cesser de remuer. • Servir les brochettes en versant un peu de sauce sur chacune d'elles.

Spießchen mit Langustinen und Zucchini an Weinbrand

4 Langustinen • ¼ Zucchini • Grobes Salz • Olivenöl • *Für die Sauce:* 100 gr. flüssige Sahne • 1 TL gehackter frischer Schnittlauch • 1 EL Zitronensaft • 1 TL Weinbrand

• Die Zucchini waschen und ungeschält in sehr dünne Scheiben schneiden. • Je eine gekochte und bis auf den Schwanz geschälte Langustine auf einen Zahnstocher stecken, mit einer Zucchinischeibe umwickeln und von beiden Seiten in einer Pfanne mit einem Schuss Olivenöl braten. Mit grobem Salz würzen. • Sahne, Zitrone, Weinbrand und Schnittlauch in einem Topf bei kleiner Hitze unter ständigem Rühren fünf Minuten lang kochen. • Die Spießchen mit etwas Sauce übergießen und servieren.

Шашлычки из тигровых креветок с кабачком и брэнди

4 тигровые креветки • ¼ молодого кабачка • Крупная соль • Оливковое масло • Для соуса: 100 г жидких сливок • 1 коф. ложка молодого зеленого лука, мелко порезать • 1 ст. ложка лимонного сока • 1 коф. ложка брэнди

• Помыть кабачки и, не очищая кожицы, порезать на тонкие ломтики. • Нанизать на деревянную палочку вареную и очищенную креветку, завернутую в ломтик кабачка. Обжарить шашлычки в небольшом количестве масла до золотистого цвета. Посолить крупной солью. • В ковшике варить на медленном огне сливки, лимонный сок, брэнди и зеленый лук в течение 5-ти минут, постоянно помешивая. • Подавать, вылив немного соуса поверх каждого шашлычка.

エビとズッキーニのフランデー風味のピンチョ

車エビ　4尾 • ズッキーニ　¼ 本 • オリーブオイル • 大粒の塩 • ソースの材料: 生クリーム　100 g • チャイブのみじん切り　小さじ1 • レモン汁　大さじ1 • ブランデー　小さじ1

• ズッキーニを洗って皮をむかずに薄い輪切りにする。 • 茹でてから尾を残して殻をむいた車エビを串または楊枝に指し、ズッキーニで巻いて、油を少しひいたフライパンで両面を焼く。塩を振る。 • 鍋に生クリーム、レモン汁、ブランデー、チャイブを入れ5分間弱火にかける。その間かき混ぜる手を休めないこと。 • ソースを上から少しかけて供する。

白兰地青瓜虾串

4只对虾 • 1/4个青瓜 • 粗盐• 橄榄油 • 酱汁的制作: 100克液体奶油 • 1小调羹切碎的新鲜小洋葱 • 1调羹柠檬汁 • 1小调羹白兰地

• 烹饪方法• 把青瓜洗干净, 连皮一起切成薄片。• 把虾煮熟去壳带尾, 把它用一片青瓜卷起来用牙签串好, 把两端用一点点油在锅里煎成金黄, 加盐。• 在小火上把奶油、柠檬、白兰地和小洋葱粒煮5分钟, 不停搅拌酱汁。做成酱汁。• 在青瓜卷虾的两端浇上制作好的酱汁后食用。

Pincho de morcilla y queso de cabra con vinagreta

Brochette of Black Pudding and Goat's Cheese with Vinaigrette

4 slices black pudding • 4 thick slices goat's cheese • 1 ripe tomato • Olive oil • *For the vinaigrette:* 3 tbsp. oil • 1 tbsp. vinegar • 1 tbsp. honey • Coarse salt

• Prepare the vinaigrette by mixing all its ingredients. Set aside. • Wash the tomato and chop into thick slices. Fry until brown with a little oil in a frying pan over a low heat. Put to one side. • Fry the black pudding in a separate frying pan. Remove from heat when crunchy. • Toast the bread and lay a slice of tomato, black pudding and goat's cheese on top. Hold together with a cocktail stick. Grill in the oven. • Serve hot dressed with a little vinaigrette.

Brochette de boudin et de fromage de chèvre à la vinaigrette

4 rondelles de boudin • 4 rondelles épaisses de fromage de chèvre • 1 tomate mûre • Huile d'olive • *Pour la vinaigrette:* 3 cuillerées à soupe d'huile d'olive • 1 cuillerée à soupe de vinaigre • 1 cuillerée à soupe de miel • Gros sel

• Préparer la vinaigrette en mélangeant tous les ingrédients. Réserver. • Laver la tomate et la couper en rondelles épaisses. La faire dorer à feu doux dans une poêle avec un peu d'huile d'olive. Réserver. • Faire frire le boudin dans une autre poêle. Une fois bien croustillant, ôter du feu. • Faire griller le pain, puis mettre une rondelle de tomate, une rondelle de boudin et le fromage de chèvre par-dessus. Enfiler sur des brochettes. Faire gratiner au four. • Servir chaud en versant un peu de vinaigrette par-dessus.

Spießchen mit Blutwurst, Ziegenkäse und Vinaigrette

4 Scheiben Blutwurst • 4 dicke Scheiben Ziegenkäse • 1 reife Tomate • Olivenöl • *Für die Vinaigrette:* 3 EL Öl • 1 EL Essig • 1 EL Honig • Grobes Salz

• Die Zutaten für die Vinaigrette miteinander vermischen. Beiseite stellen. • Die Tomaten waschen und in dicke Scheiben schneiden. In einer Pfanne mit etwas Öl bei kleiner Hitze anbräunen. Beiseite stellen. • Die Blutwurst in einer anderen Pfanne braten. Vom Feuer nehmen, sobald sie knusprig ist. Das Brot rösten und je eine Tomatenscheibe, eine Blutwurstscheibe und den Ziegenkäse darauf legen. Einen Zahnstocher hineinstecken. Im Backofen gratinieren. • Mit etwas Vinaigrette übergießen und heiß servieren.

Шашлычок из кровяной колбасы и козьего сыра с соусом винигрет

4 кусочка кровяной колбасы • 4 толстых кусочка козьего сыра • 1 спелый помидор • Оливковое масло • Для соуса винигрет: 3 ст. ложки оливкового масла • 1 ст. ложка винного уксуса • 1 ст. ложка меда • Крупная соль

. Приготовить соус винигрет, смешав все ингредиенты. Отставить в сторону. . Вымыть помидор и порезать его на толстые ломтики. Обжарить кусочки помидора на слабом огне и в небольшом количестве масла. Отставить в сторону. . В отдельной сковороде обжарить кусочки кровяной колбасы до хрустящей корочки. . Обжарить кусочки хлеба, выложить сверху ломтик помидора, кусочек кровяной колбасы и ломтик козьего сыра. Проткнуть деревянной палочкой. Поставить в духовку и слегка запечь. . Подавать горячим, полив соусом винигрет.

モルシージャと山羊のチーズのピンチョ

モルシージャ（血入りソーセージ）4切れ • 山羊乳チーズ（厚く切ったもの）4切れ • 完熟トマト　1個 • オリーブオイル • ビナグレットの材料：　オリーブオイル　大さじ3 • 酢　大さじ1 • 蜂蜜　大さじ1 • オリーブオイル • 大粒の塩

• ビナグレットの材料をすべて混ぜて、ビナグレットを作る。• トマトを洗って厚めの輪切りにする。フライパンに油を少しひいて弱火で焼く。• 別のフライパンでモルシージャを焼き、カリッと焼けたら火からおろす。 • パンをトーストして、トマトスライスとモルシージャ、チーズを載せて、串に刺す。オーブンに入れて表面を焼く。 • ビナグレットを上から少々かけて温かいうちにいただく。

猪血肠羊奶酪串

4片猪血肠 • 4块羊奶酪 • 1个番茄 • 橄榄油 • 1调羹蜂蜜 •制作醋汁: 3调羹油 • 1调羹醋 • 粗盐

• 把调制醋汁的配料混合起来，作好后备用。把番茄洗干净，切成厚片，放入少许油小火煎成金黄色后备用。• 在另外一个锅中炸脆猪血肠。• 把面包烤成吐司，在上面摆上一片番茄，一片猪血肠和一片奶酪。• 用牙签把他们串起来，放入烤箱中稍烤一下。 • 淋上少许醋汁后趁热食用。

Pincho de pulpo a feira

Pincho of Octopus a feira

4 slices of cooked octopus • 1 patato • 1 tsp. mild papikra • 1 tsp. hot papikra • Olive oil • Rock salt

• Boil the octopus slices in salted water. Cut into pieces and reserve the water. • Boil the patato in it skin in the water used for cooking the octopus. When its ready drain, leave to cool and skin it. Cut into pieces the same size as the octopus slices. • Pass a cocktail stick through an octopus slice and a patato piece, salt with rock salt, spoon a mixture of mild and hot papikra and a drizzle of olive oil. Serve hot.

Brochette de poulpe a feira

4 rondelles de poulpe cuit • 1 pomme de terre • 1 cuillérée à café de papikra doux • 1 cuillérée à café de papikra piquant • Huile d'olive • Gros sel

• Cuire les rondelles de poulpe dans de l'eau salée. Découper en rondelles et reservé de l'eau. • Cuire la pomme de terre entière avec la peu dans de l'eau qui est resté de la cuison du poulpe. Quand est cuit, le égouter et le peler. Découper en morceaux de la même taill que les rondelles de pulpe. • Piquer sur un cure-dents une rondelle de poulpe et un morceau de pomme de terre, les saler avec un peu du gros sel, mettre un peu de papikra doux et papikra piquant sur elle et un peu d'huile d'olive. Le servir chaud.

Spießchen mit Krake a feira

4 Stücke gekochte Krake • 1 Kartoffel • 1 TL süßer Paprika • 1 TL scharfer Paprika • Olivenöl • Grobes Salz

• Die Krake in Salzwasser kochen. In Scheiben schneiden und das Wasser aufbewahren. • Die ganzen, ungeschälten Kartoffeln in dem Wasser kochen, das vom Krakenkochen übrig ist. Wenn sie gar sind, abtropfen lassen und schälen. Auf die gleiche Größe wie die Krakenscheiben schneiden. • Ein Stück Krake und ein Stück Kartoffel auf einen Zahnstocher stecken und mit grobem Salz, etwas süßem und etwas scharfem Paprika und ein paar Tropfen Olivenöl würzen. Heiß servieren.

Шашлычок из осьминога в стиле фейра

4 куска вареного осьминога • 1 картофелина • 1 коф. ложка сладкой паприки • 1 коф. ложка горячей паприки • Оливковое масло • Крупная соль

• Поварить некоторое время осьминога в соленой воде. Порезать на кусочки и сохранить воду, в которой варился осьминог. • В воде от варки осьминога сварить картофель в мундире. Когда картофель будет готов, вынуть и почистить. Порезать кусочками такого же размера, что и осьминог. • Нанизать на деревянную палочку кусочек осьминога, чередуя с кусочками картофеля. Посолить и посыпать сладкой и горячей паприкой, полить несколькими каплями оливкового масла. Подавать горячим.

ガリシア風タコのピンチョ

茹でタコ　4切れ • じゃがいも　1個 • パプリカ (甘口)　小さじ1 パプリカ (辛口)　小さじ1 • オリーブオイル • 大粒の塩

• 塩水でタコを茹でて輪切りにする。茹でるのに使った湯もとっておく。•タコを茹でた湯を使ってじゃがいもを皮ごと茹でる。茹で上がったら冷まして皮をむく。切ったタコと同じぐらいの大きさの輪切りにする。•楊枝にタコ1切れとじゃがいも1枚を刺し、塩と甘口辛口両方のパプリカ、オリーブオイルを数滴垂らして味をつける。 温かいうちにいただく。

加利西亚式章鱼串

4块熟章鱼 • 1个土豆 • 1小调羹甜辣椒粉 • 1小调羹辣椒粉 • 橄榄油 • 大颗粒盐

• 把章鱼用盐水煮熟，切成片，留盐水待用。• 把土豆连皮一起放在煮过章鱼的盐水里煮。熟了之后捞出削皮。切成和章鱼片一样大小。• 用牙签串起一片章鱼和一片土豆，加盐、甜辣椒粉、辣椒粉和几滴橄榄油。趁热吃。

Pincho de rape, tomate, langostino y pimiento verde con salsa tártara

Brochette of Monkfish, Tomato, King Prawn and Green Pepper with Tartare Sauce

4 cubes monkfish • 4 peeled king prawns • 4 cherry tomatoes • ½ green pepper • 1 tbsp. tartare sauce • Coarse salt • Virgin olive oil

• Put a slice of monkfish, a whole cherry tomato, a king prawn and a slice of green pepper on a cocktail stick. Season. Toss in a frying pan with a little oil over a high heat for a couple of minutes. Serve hot with a little tartare sauce on top.

Brochette de lotte, tomate, crevette et poivron vert sauce tartare

4 dés de lotte • 4 grosses crevettes décortiquées • 4 tomates cerises • ½ poivron vert • 1 cuillerée à soupe de sauce tartare • Gros sel • Huile d'olive vierge

• Enfiler un de lotte, une tomate cerise, une crevette et un dé de poivron vert sur une brochette. Assaisonner. Dans une poêle avec un peu d'huile à feu vif, faire revenir les brochettes en les retournant régulièrement pendant quelques minutes. Servir chaud en versant un peu de sauce tartare par-dessus.

Spießchen mit Seeteufel, Tomate, Langustine, grüner Paprika und Tatarensauce

4 Würfel Seeteufel • 4 geschälte Langustinen • 4 Cherrytomaten • ½ grüne Paprika • 1 EL Tatarensauce • Grobes Salz • Natives Olivenöl

• Je einen Seeteufelwürfel, eine ganze Cherrytomate, eine Langustine und einen Würfel grüne Paprika auf einen Zahnstocher stecken. Würzen. In einer Pfanne mit etwas Öl bei großer Hitze zwei Minuten lang von beiden Seiten braten. Heiß mit etwas Tatarensauce darüber servieren.

Шашлычок из морского черта, помидора, тигровой креветки и зеленого перца в соусе тартар

4 кусочка мяса морского черта • 4 очищенные тигровые креветки • 4 помидора черри • ½ зеленого перца • 1 ст. ложка соуса тартар • Крупная соль • Оливковое масло

• Нанизать на деревянную палочку кусочек морского черта, помидор черри, креветку и кусочек зеленого перца. Посолить. Обжарить шпажку пару минут на сильном огне и в небольшом количестве масла. Подавать горячим с соусом тартар.

アンコウ、トマト、車エビ、ピーマンのタルタルソース添えピンチョ

アンコウ（角切りにしたもの）4個 • 車エビ（殻をむいたもの）4尾 • チェリートマト　4個 • ピーマン（緑）半個 • タルタルソース　大さじ1 • 大粒の塩 • バージンオリーブオイル

•串にアンコウ、トマト、エビ、四角く切ったピーマンを刺して、塩を振る。強火のフライパンにオリーブオイルを少しひき、ひっくり返しながら両面を2分間焼く。温かいうちにタルタルソースを添えていただく。

鮟鱇番茄青椒虾串

4块鮟鱇鱼 • 4只虾去壳 • 4颗樱桃番茄 • 半个青椒 • 1调羹鞑靼酱（由沙拉酱、鸡蛋、辣椒等制成）• 粗盐 • 橄榄油

• 用牙签串一块鮟鱇鱼、一颗樱桃番茄、一只虾和一块青椒。加盐。在锅中倒入少许油后用大火把串好的材料放入煎，两面翻动几分钟。淋上少许鞑靼酱后趁热食用。

Pincho de tomate y rape

Brochette of Tomatoes and Monkfish

½ kg. monkfish • 2 ripe tomatoes • 2 eggs • 1 clove garlic • ½ tsp. parsley • 2 tbsp. flour • Salt • Olive oil

• Wash the tomato and chop into thick slices. Season and roll in the flour and one of the eggs, beaten. • Fry with oil in a frying pan over a medium heat. Remove and drain on kitchen towel. Put to one side. • Slice the monkfish, season and mix with the beaten egg, parsley and finely-chopped garlic in a bowl for half an hour. Then fry the fish on both sides in a frying pan with oil over a medium heat. • Serve one slice of tomato and one slice of monkfish on a cocktail stick.

Brochette de tomate et de lotte

½ kg. de lotte • 2 tomates mûres • 2 œufs • 1 gousse d'ail • ½ cuillerée à café de persil • 2 cuillerées à soupe de farine • Sel • Huile d'olive

• Laver les tomates et les couper en rondelles épaisses. Assaisonner, puis les passer dans la farine et l'œuf battu. • Les frire dans une poêle avec de l'huile à feu moyen. Ôter du feu et égoutter sur du papier absorbant. Réserver. • Couper la lotte en rondelles, assaisonner, la mettre dans un bol, puis mélanger avec un œuf battu, le persil et l'ail émincé pendant une demi-heure. Une fois ce temps écoulé, faire frire la lotte des deux côtés à feu moyen dans une poêle avec de l'huile. • Enfiler une rondelle de tomate et de lotte sur des brochettes.

Spießchen mit Tomate und Seeteufel

½ kg. Seeteufel • 2 reife Tomaten • 2 Eier • 1 Knoblauchzehe • ½ TL Petersilie • 2 EL Mehl • Salz • Olivenöl

• Die Tomaten waschen und in dicke Scheiben schneiden. Würzen und in Mehl und einem geschlagenen Ei wälzen. • Die panierten Tomaten in einer Pfanne mit Öl bei mittlerer Hitze braten. Herausnehmen und auf Küchenpapier abtropfen lassen. Beiseite stellen. • Den Seeteufel in Scheiben schneiden, würzen und in einer Schüssel mit einem geschlagenen Ei, der Petersilie und dem fein gehackten Knoblauch mischen und eine halbe Stunde lang ziehen lassen. Anschließend den Fisch in einer Pfanne mit Öl bei mittlerer Hitze von beiden Seiten braten. • Je eine Tomaten- und eine Seeteufelscheibe auf einen Zahnstocher stecken.

Шашлычок из помидора и морского черта

½ кг мяса морского черта • 2 спелых помидора • 2 яйца • 1 зубчик чеснока • ½ коф. ложки петрушки • 2 ст. ложки муки • Соль • Оливковое масло

• Вымыть помидоры и порезать на толстые ломтики. Посолить и обвалять в муке и во взбитом яйце. • В сковороде обжарить помидоры на среднем огне. Выложить на кухонную бумагу. • Порезать мясо морского черта на кусочки, посолить и поместить в емкость со взбитым яйцом, петрушкой и мелко порезанным чесноком на 30 мин. Обжарить кусочки рыбы с обеих сторон на среднем огне. • Нанизать на деревянную палочку кусочек помидора и кусочек морского черта.

トマトとアンコウのピンチョ

アンコウ　½ kg • 完熟トマト　2個 • 卵　2個 • にんにく　1かけ • パセリ　小さじ½ • 小麦粉　大さじ2 • 塩 • オリーブオイル

•トマトを洗って厚めの輪切りにする。塩を振ってから小麦粉と溶き卵で衣をつけ、中火のフライパンに油を入れて揚げる。•キッチンペーパーで油をきる。• アンコウを筒切りにして塩を振り、ボールに溶き卵とパセリ、にんにくのみじん切りと一緒に入れて30分間おく。• フライパンに油を入れて中火でアンコウの両面を焼く。• 串にトマトとアンコウを刺す。

番茄鮟鱇串

1斤鮟鱇鱼 • 2个熟番茄 • 2个鸡蛋 • 1瓣大蒜 • 半小调羹洋香菜 • 2调羹面粉 • 盐 • 橄榄油

• 把番茄洗净后切成厚片。加盐后拖过蛋液拍上面粉。 • 在锅中放少量油, 用中火炸好番茄。捞出后放在吸油纸上沥油。备用。• 把鮟鱇鱼切成片, 加点盐后放入碗中, 放一个蛋液、洋香菜、蒜茸一起置半个小时。之后用中火油炸好鱼片。• 用牙签串一片鱼和一片番茄即成。

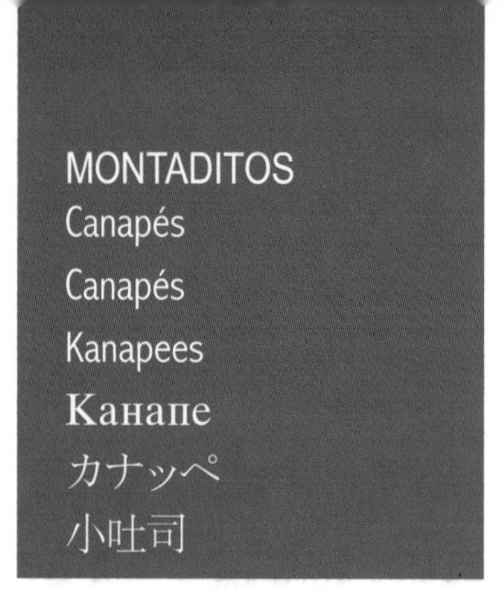

Huevos mollet sobre tostadas con espinacas y jamón

Mollet Eggs on Toast with Spinach and Ham

4 slices bread • 4 eggs • 250 gr. spinach • 100 gr. Iberian ham • 100 gr. single cream • 50 gr. butter • 2 tbsp grated Gruyère cheese • Pepper • Salt

• Wash the spinach and boil in lots of salted water. Drain and fry lightly in a frying pan with the butter. When almost done, add the cream. • Fry the slices of bread. When browned, remove and layer the spinach and finely-chopped Iberian ham on top. Keep hot. • Prepare the mollet eggs by putting them in boiling water on a low heat for five minutes after boiling. Remove and hold under cold running water. Remove the shell and place one egg on each piece of toast, covering with another layer of spinach. Sprinkle with the grated cheese and grill on a high heat until the cheese has melted. Serve hot.

Œufs mollets sur toasts aux épinards et au jambon

4 tranches de pain de mie • 4 œufs • 250 gr. d'épinards • 100 gr. de jambon ibérique • 100 gr. de crème liquide • 50 gr. de beurre • 2 cuillerées de gruyère râpé • Poivre • Sel

• Nettoyer les épinards et les faire cuire dans une casserole remplie d'eau salée. Les égoutter et les faire revenir dans une poêle avec le beurre. Lorsqu'ils sont presque cuits, ajouter la crème. • Faire frire les tranches de pain. Une fois dorées, les retirer et déposer une couche d'épinards par-dessus, ainsi que le jambon ibérique finement haché. Réserver au chaud. • Faire les œufs mollets en les plongeant dans de l'eau bouillante à feu doux pendant cinq minutes. Les retirer et les passer sous l'eau froide. Enlever les coquilles et placer un œuf sur chaque toast en les recouvrant d'une deuxième couche d'épinards. Saupoudrer de gruyère râpé et faire gratiner à feu vif jusqu'à ce que le fromage soit fondu. Servir chaud.

Weichgekochte Eier auf Toasts mit Spinat und Schinken

4 Scheiben Toastbrot • 4 Eier • 250 gr. Spinat • 100 gr. iberischer Schinken • 100 gr. Sahne • 50 gr. Butter • 2 Löffel geriebener Gruyère-Käse • Pfeffer • Salz

• Den Spinat waschen und in reichlich Salzwasser kochen. Abtropfen lassen und in einer Pfanne mit Butter anbraten. Wenn er fast fertig ist, die Sahne zugießen. • Die Brotscheiben in etwas Öl anrösten. Sobald sie goldbraun sind, vom Feuer nehmen und eine Schicht Spinat und den fein gehackten iberischen Schinken daraufgeben. Warmhalten. • Die Eier in kochendes Wasser geben und fünf Minuten lang auf kleiner Flamme weichkochen. Herausnehmen und unter kaltem Wasser abschrecken. Schälen, auf jedes Toast ein Ei legen und mit einer weiteren Schicht Spinat bedecken. Den geriebenen Käse darüberstreuen und bei großer Hitze gratinieren, bis der Käse zerschmolzen ist. Heiß servieren.

Яйца в мешочек на тостах со шпинатом и ветчиной Иберико

4 куска хлеба для тостов • 4 яйца • 250 г шпината • 100 г ветчины Иберико • 100 г жидких сливок • 50 г сливочного масла • 2 ложки тертого сыра Груер • Молотый перец • Соль

• Промыть шпинат и сварить в большом количестве соленой воды. Откинуть на дуршлаг и обжарить в сковороде в сливочном масле. Когда шпинат будет почти готов, добавить сливки. • Поджарить тосты. Когда хлеб станет золотистым, выложить на каждый кусочек немного шпината и мелко порезанный окорок. Отставить в сторону. Тосты должны оставаться горячими. • Приготовить яйца в мешочек, погрузив их в кипящую на медленном огне воду на пять минут. Вынуть яйца и оставить их под струей холодной воды. Очистить и выложить поверх тостов. Покрыть слоем шпината, посыпать тертым сыром и запечь в духовке до расплавления сыра.Подавать горячим.

半熟卵、ほうれん草、生ハムのトースト

食パン　4枚 • 卵　4個 • ほうれん草　250 g • ハモンイベリコ　100 g • 生クリーム　100 g • バター　50 g • グリュイエールチーズをおろしたもの　大さじ2 • こしょう • 塩

•ほうれん草を洗って、たっぷりの塩水で茹でる。水気をきってフライパンでバターで炒める。だいぶ火が通ったところでクリームを加える。　•食パンを焼く。こんがりと焼けたら、その上にほうれん草のベース、細かく刻んだ生ハムを載せる。•沸騰した湯に卵を入れ、5分間弱火で茹で、湯から取り出して水道水にあて、半熟卵を作る。殻をむいて、トーストの上に一つずつ卵を置き、その上から更にほうれん草を載せる。おろしたチーズを上からかけ、チーズが溶けるまで強火で表面を焼く。　温かいうちにいただく。

蛋皮菠菜火腿吐司

4片切片面包 • 4个鸡蛋 • 250克菠菜 • 100克伊比利亚火腿 • 100克液体奶油 • 50克黄油 • 2调羹瑞士奶酪屑 • 胡椒 • 盐

• 把菠菜洗干净, 放在盐水中煮熟。捞出后和黄油一起炒, 快炒好时加入液体奶油。• 把面包放在油中炸, 当变成金黄色时捞出。在盘子里放上菠菜和火腿粒, 在上面摆上面包。备用。• 制作鸡蛋皮时把鸡蛋放入开水中小火煮五分钟, 取出后用凉水冲。去壳后把它摆在面包上, 上面• 再放一层菠菜。撒上奶酪屑后烤几分钟直到奶酪融化。趁热食用。

Montadito de boquerón y salmón ahumado

Канапе из анчоуса и копченого лосося

4 ломтика французской булки • 4 анчоуса • 4 тонких ломтика копченого лосося • 4 каперса • 1 зубчик чеснока • 1 дл уксуса • 1 дл оливкового масла • Соль

• Почистить анчоусы в холодной воде. Отделить филе и вынуть кости. Обсушить филе анчоуса и посолить. Залить уксусом и оставить на 3 часа в холодном месте. • Вынуть филе из уксуса и поместить в миску с оливковым маслом и ломтиками чеснока. • Поджарить хлеб и выложить на каждый ломтик филе анчоуса, ломтик лосося. Украсить каперсами.

カタクチイワシとスモークサーモンのカナッペ

フランスパン（トーストしたもの）4切れ • カタクチイワシ　4尾 • スモークサーモン　4枚 • ケーパー　4個 • にんにく　1かけ • 酢　1 dl • バージンオリーブオイル　1 dl • パセリのみじん切り　大さじ1 • 塩

・　カタクチイワシを冷水の中で、骨をとって下ごしらえする。水気を取って塩を振り、容器に並べて酢をかけ、冷蔵庫で3時間寝かせる。　・　水気をよく取って、別の容器に今度はオリーブオイルとスライスしたにんにくと一緒に入れておく。　・　パンをトーストし、まずカタクチイワシを、次にスモークサーモンを載せる。ケーパーを飾る。

鳀鱼和烟熏鲑鱼吐司

4片法式面包吐司 • 4条鳀鱼 • 4薄片烟熏鲑鱼 • 4颗刺山柑 • 1瓣大蒜 • 100毫升醋 • 100毫升橄榄油 • 盐

• 用冷水把鳀鱼洗干净, 去刺分成两片。沥干, 然后放在盘子里, 加盐和醋, 。放置于阴凉处腌3小时。• 腌好后沥干, 放入另一个盛有橄榄油和蒜片的盘里。• 把面包烤出吐司, 在上面放上一片鳀鱼和一片熏鲑鱼。放上刺山柑。

Montadito de bonito con huevo cocido y anchoa

Canapés of Tuna fish with egg and anchovy

4 slices of French bread • ½ chooped onion • 75 gr. of tuna fish in oil • 4 anchovy fillets in oil • 12 capers • 1 hard-boiled egg • 2 tbsp. of mayonnaise

• Break up the tuna fish and mix with the onion, the capers and the mayonnaise. • Toast the bread and spread each slice the tuna fish, sprinkle with chopped hard-boiled egg and finally place an anchovy fillet on top.

Canapé de bonite, d'oeuf dur et d'anchois

4 tranches de *baguette* • ½ oignon haché • 75 gr. de bonite a l'huile • 4 filets d'anchois à l'huile • 12 câpres • 1 oeuf dur • 2 cuillérées à soupe de mayonnaise

• Émietter le bonite à l'huile et le mélanger avec l'oignon, les câpres et la mayonnaise. • Griller le pain et beurrer chaque tranque de bonite a l'huile, saupoudrer d'un peu d'ouef mixé et, finalement un filet d'anchois.

Thunfischscnittchen mit hart gekochtem Ei und Anchovas

4 Scheiben Baguette • ½ gehackte Zwiebel 75 gr. Thunfisch in Öl • 4 Anchovisfilets in Öl • 12 Kapern • 1 hart gekochte Ei • 2 EL Mayonnaise

• Thunfisch zerkleinem und mit der Zwiebel, die Kapern und die Mayonnaise vermischen. • Das Brot toasten und alle Scheiben mit Thunfish belegen, etwas geschnittenes Ei darüber streuen und obenauf ein Anchovisfilet.

Канапе из тунца с яйцом и анчоусами

4 ломтика французской булки • ½ луковицы, мелко порезать • 75 г тунца в масле • 4 филе анчоуса в масле • 12 каперсов • 1 вареное яйцо • 2 ст. ложки майонеза

• Измельчить тунец и смешать его с луком, каперсами и майонезом. • Обжарить хлеб, намазать каждый кусочек тунцовой массой, посыпать измельченным крутым яйцом и выложить филе анчоуса.

カツオとゆで卵、アンチョビのカナッペ

フランスパン　4切れ　• 玉ねぎ（みじん切り）半個分　• カツオ（オイル漬けされた缶入りのもの）75 g　• アンチョビ（オイル漬けされたもの）4枚　• ケーパー　12個　• ゆで卵　1個　• マヨネーズ　大さじ2

•カツオをほぐして玉ねぎ、ケーパー、マヨネーズと混ぜる。•トーストしたパンに塗って、みじん切りにしたゆで卵を散らし、最後にアンチョビを載せる。

金枪鱼鳀鱼鸡蛋吐司

4片法式面包 • 半个洋葱末 • 7 5克油浸金枪鱼 •4片油浸鳀鱼 •1 2颗刺山柑 •1个煮鸡蛋 •2 调羹沙拉酱

• 把金枪鱼搅碎与洋葱末、刺山柑和沙拉酱混合。• 把面包烤成吐司, 每块上面抹上上述金枪鱼酱, 撒上煮鸡蛋末后放上一片鳀鱼。

Montadito de pollo a la campesina

Canapé of Chicken à la Paysanne

4 slices bread • 3 chicken breasts • 1 lettuce • 1 onion • 5 spoonfuls mayonnaise • Olive oil • Salt • Pepper

• Fry the chicken breasts in a frying pan over a medium heat, sliced and seasoned to taste. Once they have cooked, cut them into pieces and put to one side. • Wash the lettuce thoroughly and chop it very finely. • Mix the mayonnaise, finely-chopped onion, lettuce and chicken in a bowl. • Toast the bread and spread the prepared mixture onto each slice.

Canapé de poulet à la campagnarde

4 tranches de pain • 3 blancs de poulet • 1 laitue • 1 oignon • 5 cuillerées de mayonnaise • Huile d'olive • Sel • Poivre

• Couper les blancs de poulet en petits morceaux et les faire frire dans une poêle à feu moyen, en assaisonnant à convenance. Après cuisson, les émietter et réserver. • Bien laver la laitue et l'émincer finement. • Dans un bol, mélanger la mayonnaise, l'oignon émincé, la laitue et le poulet. • Faire griller le pain et répartir la préparation sur chaque tranche.

Kanapee mit Hähnchen nach Bauernart

4 Scheiben Brot • 3 Hähnchenbrüste • 1 Kopfsalat • 1 Zwiebel • 5 Löffel Mayonnaise • Olivenöl • Salz • Pfeffer

• Die in Stücke geschnittenen und nach Geschmack gesalzenen und gepfefferten Hähnchenbrüste in einer Pfanne bei mittlerer Hitze braten. Wenn sie gar sind, kleinschneiden und beiseite stellen. • Den Kopfsalat gut waschen und sehr klein schneiden. • Die Mayonnaise, die fein gehackte Zwiebel, den Salat und das Hähnchenfleisch in einer Schüssel mischen. • Das Brot rösten und die Mischung auf den Scheiben verteilen.

Канапе из курицы по-крестьянски

4 ломтика хлеба • 3 куриные грудки • 1 кочан зеленого салата • 1 луковица • 5 ст. ложек майонеза • Оливковое масло • Соль • Молотый перец

• Посолить и порезать куриные грудки. Пожарить на умеренном огне. Когда будут готовы, измельчить и отставить в сторону. • Хорошо промыть салатные листья и мелко порезать. • В миске смешать майонез, мелко порезанный лук, салатные листья и куриное мясо. • Обжарить хлеб и выложить сверху приготовленную смесь.

鶏の田舎風カナッペ

パン　4切れ　• 鶏胸肉　3枚 • レタス　1個 • 玉ねぎ　1個 • マヨネーズ　大さじ5 • オリーブオイル • 塩 • こしょう

• 中火のフライパンで、塩こしょうして適当に切った胸肉を炒める。火が通ったら細かく切る。• レタスを洗って細かく刻む。• ボールにマヨネーズと玉ねぎのみじん切り、レタスと胸肉を入れて混ぜ合わせる。• パンをトーストし、その上に混ぜ合わせを載せる。

家鸡吐司

4片面包 • 3块家鸡胸肉 • 1个生菜 • 1个洋葱 • 5调羹沙拉酱 • 橄榄油 • 盐 • 胡椒粉

• 鸡胸切片, 加适量盐和胡椒粉, 中火炸熟。再将其切碎, 放于一旁备用。• 将生菜洗净, 切碎。• 在碗中将沙拉酱、洋葱粒、生菜粒和鸡肉拌匀。• 将面包烤成吐司, 在上面涂上混合好的生菜鸡肉酱。

Montadito de boquerones en vinagre con jamón ibérico

Canapé of White Anchovies in Vinegar with Iberian Ham

4 slices homemade bread • 8 white anchovies in vinegar • 4 slices Iberian ham • 2 ripe tomatoes • Virgin olive oil • Coarse salt

• Toast the bread. Rub a tomato over one slice leaving the pulp and pips. Season lightly and sprinkle with olive oil. • Place an anchovy and then a slice of ham on top of each slice of bread.
f bread.

Canapé d'anchois au vinaigre et de jambon ibérique

4 tranches de pain de campagne grillé • 8 anchois au vinaigre • 4 tranches de jambon ibérique • 2 tomates mûres • Huile d'olive vierge • Gros sel

• Faire griller le pain. Frotter la moitié d'une tomate sur les tranches de pain en laissant la pulpe et les graines. Saler légèrement et arroser d'un filet d'huile d'olive. • Disposer un anchois sur chaque toast et une tranche de jambon par-dessus.

Kanapee mit Sardellen in Essig und iberischem Schinken

4 Scheiben Bäckerbrot • 8 Sardellen in Essig • 4 Scheiben iberischer Schinken • 2 reife Tomaten • Natives Olivenöl • Grobes Salz

• Das Brot rösten. Die Brotscheiben mit je einer halben Tomate einreiben, sodass Fleisch und Kerne haften bleiben. Leicht würzen und mit etwas Olivenöl beträufeln. • Je eine Sardelle und eine Scheibe Schinken darauf legen.

Канапе из анчоусов с ветчиной Иберико

4 ломтика крестьянского хлеба • 8 анчоусов в уксусе • 4 ломтика ветчины Иберико • 2 спелых помидора • Оливковое масло • Крупная соль

• Обжарить хлеб. Намазать каждый кусочек половинкой помидора, оставляя на хлебе мякоть и семечки. Посолить и слегка полить оливковым маслом. • Выложить анчоусы и прикрыть ломтиком окорока.

カタクチイワシとハモンイベリコのカナッペ

手作り、自家焼きパンのトースト　4個 • カタクチイワシの酢漬け　8尾 • ハモンイベリコ　4枚 • 完熟トマト　2個 • バージンオリーブオイル • 大粒の塩

•パンをトーストし、トマトを半分に切ったものをこすりつける。その際実や種もつくようにする。軽く塩を振って、オリーブオイルをさっと垂らす。•カタクチイワシを上に置き、その上に生ハムを置く。

鳀鱼火腿吐司

4片吐司面包 • 8片醋腌鳀鱼 • 4片伊比利亚生火腿 • 2个熟番茄 • 初榨橄榄油 • 粗盐

• 把面包烤成吐司。用半个番茄涂抹面包片, 留下少许果肉和籽。加少量盐后倒上一点橄榄油。• 摆一片鳀鱼和一片火腿在面包上。

Montadito de morcilla con pimientos del piquillo

Canapés of black pudding and piquillo pepper

4 slices of French bread • 4 slices of black pudding • 2 piquillo peppers • Olive oil

• Fry the black pudding in oil. When they are crispy place to one side and drain. • Pass a cocktail stick through a slice of baguette, a slice of black pudding and half a piquillo pepper. Serve hot.

Canapé de boudin noir au poivron de piquillo

4 morceaux de baguette • 4 tranches de boudin noir • 2 poivrons de piquillo • Huile d'olive

• Frie les boudins dans l'huile d'olive. Quand ils sont bien croustillants les retirer du feu et les égoutter. Réserver. • Piquer sur un cure-dents un morceau de baguette, un tranche de boudin noir et un demi poivron de piquillo. Servir chaud.

Schnittchen Blutwurst mit Piquillo Paprika

4 Scheiben Baguette • 4 Scheiben Blutwurst • 2 gebakene Piquillo Paprika • Olivenöl

• Die Blutwurstscheiben in Öl braten. Wenn sie knusprig sind, von Feuer nehmen un bei Seite stellen. Abtrophen lassen. • Eine Scheibe Baguette, eine Scheibe Blutwurst und eine halbe Piquillo Paprika auf eine Zahnstocher spießen. Heiß servieren.

Канапе из кровяной колбасы с перцами пикильо

4 кусочка французской булки • 4 тонких ломтика кровяной колбасы • 2 перца пикильо • Оливковое масло

• Пожарить кусочки кровяной колбасы до хрустящей корочки. Удалить излишек масла. Отставить в сторону. • На деревянную палочку нанизать кусочек хлеба, кусочек колбасы и половинку перца. Подавать горячим.

モルシージャとピキージョピーマンのカナッペ

フランスパン　4切れ • モルシージャ（血入りソーセージ）4切れ • ピキージョピーマン　2個 • オリーブオイル

• フライパンでモルシージャを焼く。カリッと仕上がったら取り出して油をきる。 • 楊枝にパンとモルシージャ、ピキージョピーマン半分を刺す。 温かいうちにいただく。

猪血肠红辣椒吐司

4片法式面包 • 4薄片猪血肠 • 2片罐装红辣椒 • 橄榄油

• 将猪血肠放入油锅中炸。当炸到咯吱作响时捞出沥油。放置一旁备用。• 用牙签将切好的面包、一片猪血肠和半片红辣椒串起来。趁热食用。

Montadito de calabacín con gamba y bacón

Canapé of Courgette with Prawns and Bacon

4 slices sesame seed toast • 4 cooked prawns • 4 rashers lean bacon • 1 courgette • 1 egg • 2 tbsp. flour • Olive oil • Salt • Pepper

• Beat the egg well. Put to one side. Wash the courgette and chop it in half lengthways. Then chop lengthways again into thin slices. • Put a slice of bacon on top of each courgette slice. Season to taste. Place a peeled and cooked prawn at one end. • Roll up the slice and put a cocktail stick through the centre. Cover the roll with the beaten egg and the flour. Fry the rolls in a frying pan with a small amount of very hot oil. When they start to brown remove from heat and drain on kitchen towel. Serve hot on the sesame seed toast.

Canapé de courgette aux crevettes et au bacon

4 tranches de pain au sésame grillé • 4 crevettes cuites • 4 tranches de bacon maigre • 1 courgette • 1 œuf • 2 cuillerées à soupe de farine • Huile d'olive • Sel • Poivre

• Bien battre l'œuf. Réserver. Laver la courgette et la couper en deux dans le sens de la longueur. Couper ensuite en lamelles pas trop épaisses, dans le sens de la longueur. • Poser une tranche de bacon sur chaque lamelle de courgette. Assaisonner au goût. Poser une crevette cuite et décortiquée à l'une des extrémités. • Enrouler la tranche et piquer au milieu à l'aide d'un bâtonnet. Passer les petits rouleaux dans l'œuf battu et fariner. Les faire frire dans une poêle avec un peu d'huile très chaude. Une fois bien dorés, les égoutter sur un papier absorbant. Servir chaud sur les tranches de pain au sésame.

Kanapee mit Zucchini, Garnele und Bacon

4 Scheiben geröstetes Sesambrot • 4 gekochte Garnelen • 4 Scheiben magerer Bacon • 1 Zucchini • 1 Ei • 2 EL Mehl • Olivenöl • Salz • Pfeffer

• Das Ei gut schlagen. Beiseite stellen. Die Zucchini waschen und längs halbieren. Dann ebenfalls längs in nicht zu dicke Scheiben schneiden. • Auf jede Zucchinischeibe eine Scheibe Bacon legen. Nach Geschmack salzen und pfeffern. Auf ein Ende eine gekochte, geschälte Garnele legen. • Das Ganze zusammenrollen und in die Mitte einen Zahnstocher stechen. Die Röllchen in geschlagenem Ei wenden und bemehlen. Die Röllchen in einer Pfanne mit etwas sehr heißem Öl braten. Wenn sie angebräunt sind, vom Feuer nehmen und auf Küchenpapier abtropfen lassen. Heiß auf dem gerösteten Sesambrot servieren.

Канапе из кабачка с креветкой и беконом

4 ломтика хлеба с кунжутом • 4 вареные креветки • 4 ломтика нежирного бекона • 1 кабачок • 1 яйцо • 2 ст. ложки муки • Оливковое масло • Соль • Молотый перец

• Взбить яйцо. Отставить в сторону. Очистить и разрезать кабачок вдоль на две части, затем порезать каждую половинку на продольные не очень толстые ломтики. • На каждый ломтик кабачка выложить ломтик бекона. Посолить и поперчить по вкусу. На конец ломтика выложить вареную и очищенную креветку. • Закатать ломтик кабачка и воткнуть в него деревянную палочку. Обмакнуть этот рулетик в яйцо, а затем в муку. Обжарить рулетики в небольшом количестве горячего масла до золотистого цвета. Выложить на кухонную бумагу, чтобы стек лишний жир. Подавать горячим, выложив рулетики на ломтики кунжутного хлеба.

ズッキーニ、小エビ、ベーコンのカナッペ

ゴマ入りトーストクラッカー　4枚 • 小エビ（茹でたもの）4尾 • ベーコン　4枚 • ズッキーニ　1本 • 卵　1個 • 小麦粉　大さじ2 • オリーブオイル • 塩 • こしょう

•卵をよく溶く。ズッキーニは洗って縦長に半分に切ってから、縦方向にあまり厚くならないように切っていく。•ズッキーニをスライスしたもの各1枚につきベーコン1枚をその上に載せ、好みで塩こしょうする。一方の端に茹でて殻をむ

いた小エビを置く。 •これを巻いて中心を楊枝でとめる。溶き卵にくぐらせて小麦粉をはたく。フライパンに少量の油を熱し、高温で焼く。こんがり焼けたら取り出してキッチンペーパーで油分をきる。トーストクラッカーに載せて温かいうちにいただく。

培根虾小南瓜吐司

4片芝麻吐司 • 4只熟虾 • 4片培根 • 1条小南瓜 • 1个鸡蛋 • 2调羹面粉 • 橄榄油 • 盐 • 胡椒粉

• 把鸡蛋打散备用。把南瓜洗干净后对半切开, 再切成长薄片。• 在每片南瓜上放一片培根。按个人喜好加入盐和胡椒粉。放上去壳熟虾。• 把南瓜片卷起来, 在中央插上牙签。然后拖过蛋液, 拍上面粉。在少量热油中炸到两边呈金黄色• 后捞出, 放在吸油纸上沥油。趁热放在芝麻吐司上即可食用。

Montadito de chatka, langostinos y pimientos del piquillo

Crab, Prawn and Piquillo peppers canapés

4 slices of French bread • 4 cooked king prawns • 2 piquillo peppers • 125 gr. of crab meat • 1 tbsp. of mayonnnaise • Salt

• Mince the crab meat, season and mix with the mayonnaise. • Fill the slices of bread, lay the piquillo pepper cut into strips on top, and a king prawn with a cocktail stick.

Canapé de chatka, crevettes cuites et poivrons de piquillo

4 tranches de *baguette* • 4 grosses crevettes cuites • 2 poivrons de piquillo • 125 gr. de chatka • 1 cuillérée à soupe de mayonnaise • Sel

• Émiétter le chatka, l'assaisonner et le mélanger à la mayonnaise. • Répartir le mélange dans les tranches de pain, disposer sur le dessus le poivron piquillo en lamelles et une grosse crevette, le tout piqué d'un cure-dents.

Chatkaschnittchen mit Langusten und Paprika

4 Scheiben *Baguette* • 4 gekochte Langusten • 2 gebackene Paprika • 125 g. Chatka • 1 EL Mayonnaise • Salz

• Das Chatkafleisch zerbröseln, salzen und mit der Mayonnaise vermengen.
• Auf die Baguettescheibe verteilen, darauf die in Streifen geschnittene Paprika und eine auf einen Zahnstocher gespießte geschälte Languste.

Канапе из крабов, тигровых креветок и перцев пикильо

4 ломтика французской булки • 4 вареные тигровые креветки • 2 перца пикильо • 125 г крабов • 1 ст. ложка майонеза • Соль

• Измельчить крабов, посолить и смешать с майонезом.
• Равномерно распределить крабовую смесь между ломтиками хлеба, выложить сверху полоски перца и одну очищенную креветку. Воткнуть деревянную палочку.

カニと車エビ、ピキージョピーマンのカナッペ

フランスパン　4切れ •車エビ（茹でたもの）4尾 •ピキージョピーマン　2個 •タラバガニの身　125 g •マヨネーズ　大さじ1 •塩

•カニ肉をほぐして塩で調味してマヨネーズと合わせる。 • パンに塗って、その上に細切りにしたピーマンと殻をむいたエビを載せ、楊枝で刺す。

蟹肉对虾红辣椒吐司

4块法式面包 • 4只熟对虾 • 2个罐装红辣椒 • 1 25克蟹肉 • 1调羹沙拉酱• 盐

•将蟹肉弄碎, 加盐后与沙拉酱一起拌匀。•将上述蟹肉酱涂在每块面包上, 再放上辣椒条和一只去壳对虾。插好牙签。

Montadito de chatka y espárragos

Canapé of Chatka Crab and Asparagus

4 slices bread • 150 gr. chatka crab • 4 asparagus tips • 1 tbsp. mayonnaise

• Flake the chatka crab and mix with the mayonnaise. • Spread the mixture on a slice of bread and garnish with an asparagus tip.

Canapé de crabe chatka aux asperges

4 tranches de pain • 150 gr. de crabe chatka • 4 pointes d'asperges • 1 cuillerée à soupe de mayonnaise

• Émietter le crabe chatka et le mélanger à la mayonnaise. • Mettre le crabe chatka sur une tranche de pain et décorer avec une pointe d'asperge.

Kanapee mit Kamtschatkakrabbe und Spargel

4 Scheiben Brot • 150 gr. Kamtschatkakrabbe • 4 Spargelspitzen • 1 EL Mayonnaise

• Das Krabbenfleisch zerlegen und mit der Mayonnaise vermischen. • Auf die Brotscheiben geben und mit einer Spargpitze garnieren.

Канапе из крабов и спаржи

4 ломтика хлеба • 150 г крабов • 4 верхушки спаржи • 1 ст. ложка майонеза

• Измельчить крабов и смешать с майонезом. • Выложить на хлеб крабов и украсить верхушкой спаржи.

カニとアスパラガスのカナッペ

パン　4切れ •カニの身（タラバガニの水煮）150 g •アスパラガス（先端部分）4本 •マヨネーズ　大さじ1

• カニの身をほぐしてマヨネーズとあえる。• カニの身をパンに塗って、アスパラガスをその上に飾る。

蟹肉芦笋吐司

4片面包 • 150克蟹肉 • 4根芦笋尖 • 1调羹沙拉酱

• 把蟹肉捣碎后拌匀沙拉酱。• 把它涂在面包上，摆一根芦笋。

Montadito de chistorra, bacón, jamón y pimientos del piquillo

Canapé of *Chistorra*, Bacon, Iberian Ham and Piquillo Peppers

4 slices bread • 4 rashers bacon • 4 slices Iberian ham • 4 small *chistorras* (spicy sausages) • 4 piquillo peppers • 1/2 clove garlic • Olive oil

• Fry the bacon, ham, *chistorras* and piquillo peppers in a frying pan with hot oil. When they start to brown remove from heat and put to one side. • Toast the bread, cover it with half a garlic clove, add a dash of olive oil and lay the piquillo pepper, a slice of ham, a rasher of bacon and a *chistorra* on top. Hold it together with a cocktail stick and serve at once.

Canapé de *chistorra*, bacon, jambon et poivrons de Piquillo

4 tranches de pain • 4 tranches de bacon • 4 tranches de jambon ibérique • 4 petites *chistorras* (petit chorizo à frire) • 4 poivrons de Piquillo • 1/2 gousse d'ail • Huile d'olive

• Dans une poêle avec de l'huile bien chaude, faire frire le bacon, le jambon, les *chistorras* et les poivrons de Piquillo. Ôter du feu lorsqu'ils commencent à être dorés et réserver. • Faire griller le pain, frotter avec une demi gousse d'ail, verser un filet d'huile d'olive et poser un poivron de Piquillo, une tranche de jambon, une tranche de bacon et une *chistorra* par-dessus. Piquer avec un bâtonnet et servir immédiatement.

Kanapee mit *Chistorra*, Bacon, Schinken und Piquillo-Paprika

4 Scheiben Brot • 4 Scheiben Bacon • 4 Scheiben iberischer Schinken • 4 kleine Chistorras • 4 Piquillo-Paprika • 1/2 Knoblauchzehen • Olivenöl

• Bacon, Schinken, Chistorras (Wurst aus Navarra) und Piquillo-Paprika in einer Pfanne mit heißem Öl braten. Sobald sie Farbe annehmen, vom Feuer nehmen und beiseite stellen. • Das Brot rösten, mit einer halben Knoblauchzehe einreiben, etwas Olivenöl darübergießen und darauf eine Piquillo-Paprika, eine Scheibe Schinken, eine Scheibe Bacon und eine Chistorra legen. Einen Zahnstocher hineinstechen und sofort servieren.

Канапе из чисторры, бекона, ветчины Иберико и перца пикильо

4 ломтика хлеба • 4 ломтика бекона • 4 ломтика ветчины Иберико • 4 маленькие чисторры (пикантные колбаски из Наварры) • 4 перца пикильо • 1/2 зубчика чеснока • Оливковое масло

• Поджарить бекон, ветчину Иберико, чисторры и перцы в сковороде с горячим маслом. Когда все ингредиенты приобретут желаемый цвет, снять с огня. • Поджарить хлеб, натереть каждый ломтик половинкой зубчика чеснока, слегка полить оливковым маслом и выложить сверху перец, ломтик ветчины Иберико, ломтик бекона и чисторру. Воткнуть деревянную палочку и подавать.

チストラソーセージ、ベーコン、生ハム、ピキージョピーマンのカナッペ

パン　4切れ • ベーコン　4枚 • ハモンイベリコ　4枚 • 小さめのチストラ（細長いナバーラ地方のソーセージ）4個 • ピキージョピーマン　4個 • にんにく　1/2かけ • オリーブオイル

• フライパンに油を熱してベーコン、生ハム、チストラ、ピキージョピーマンを焼く。• トーストしたパンににんにく半かけを塗り、オリーブオイルを一筋たらす。その上にピキージョピーマン、ハム、ベーコン、チストラの順に載せていき、楊枝で刺して出来立てをいただく。

腊肠培根火腿吐司

4片法式面包 • 4片培根 • 4片伊比利亚生火腿 • 4根西班牙巴斯克腊肠 • 4个罐装红辣椒 • 1/2瓣大蒜 • 橄榄油

•把培根、腊肠和红辣椒放在橄榄油中炸到颜色稍深时即可捞出，备用。•把面包烤成吐司，擦上半瓣大蒜，涂上少许橄榄油，然后依次放上辣椒、一片火腿、一片培根和一根腊肠。插上牙签后立即食用。

Montadito de foie con langostinos y pasas

Canapé of Foie Gras with King Prawns and Raisins

4 slices bread • 200 gr. foie gras micuit • 4 king prawns, with heads removed • 12 raisins • 4 tbsp. sweet wine • Coarse salt • Olive oil

• Peel and season the prawns. • Sauté in a casserole dish with a little oil. When they have browned add the raisins and wine. Leave to cook and remove when the wine has caramelised. • Toast the bread slices, top with a slice of foie gras, a king prawn and three raisins. Serve hot, sprinkling with the sauce and a pinch of coarse salt.

Canapé de foie gras aux crevettes et aux raisins secs

4 tranches de pain • 200 gr. de foie gras de canard mi-cuit • 4 queues de grosses crevettes • 12 raisins secs • 4 cuillerées à soupe de vin doux • Gros sel • Huile d'olive

• Décortiquer et assaisonner les crevettes. • Faire sauter les queues dans une casserole avec un peu d'huile. Une fois dorées, ajouter les raisins secs puis le vin. Laisser mijoter et ôter du feu lorsque le vin caramélise. • Faire griller les tranches de pain et disposer une tranche de foie gras, une crevette et trois raisins secs par-dessus. Servir chaud en versant la sauce par-dessus et en ajoutant une pincée de gros sel.

Kanapee mit Foie gras, Langustinen und Rosinen

4 Scheiben Brot • 200 gr. Entenleber-Micuit • 4 Langustinenschwänze • 12 Rosinen • 4 EL Süßwein • Grobes Salz • Olivenöl

• Die Langustinen schälen und würzen. • Die Schwänze in einer Kasserolle mit etwas Öl sautieren. Wenn sie angebraten sind, die Rosinen und den Wein hinzugeben. Gar werden lassen und vom Feuer nehmen, wenn der Wein karamellisiert. • Das Brot rösten, je eine Scheibe Foie gras, einen Langustinenschwanz und drei Rosinen darauf legen. Mit der Sauce beträufeln, mit einer Prise grobem Salz würzen und heiß servieren.

Канапе из фуа гра с тигровыми креветками и изюмом

4 ломтика хлеба • 200 г фуа гра • 4 тигровые креветки без головы • 12 изюмин • 4 ст. ложки сладкого вина • Крупная соль • Оливковое масло

• Очистить и посолить креветки. • В кастрюле с небольшим количеством масла обжарить креветки. Когда креветки станут золотистыми, добавить изюм и вино. Когда вино приобретет вид жидкой карамели, снять с огня. • Обжарить хлеб, выложить ломтик фуа гра, на него положить креветку и три изюмины. Подавать горячим, полив соусом и слегка посолив крупной солью.

エビと干しぶどうのカナッペ

パン　4切れ • フォアグラのミ・キュイ（半生タイプ）200 g • エビ　4尾 • 干しぶどう　12粒 • 甘口ワイン　大さじ4 • 大粒の塩 • オリーブオイル

• エビの殻をむき、塩を振る。• カスエラ（調理してそのまま食卓に出せるタイプの平鍋）に油を少しひいてエビを炒める。火が通ったら干しぶどう、ワインを加える。ワインでカラメリーゼ（飴がけ）されたら火からおろす。• パンをトーストし、フォアグラを載せ、その上にエビと干しぶどう3粒を載せる。汁と大粒の塩を上から少しかけて温かいうちにいただく。

鹅肝酱葡萄干虾吐司

4片面包 • 200克鹅肝酱 • 4只对虾 • 12颗葡萄干 • 4调羹甜葡萄酒 • 粗盐 • 橄榄油

• 把虾去壳后加盐。• 在锅中放少许油炒虾仁。当它变得金黄时加入葡萄干和葡萄酒煮熟，当葡萄酒收汁后关火。 • 把面包烤成吐司，在上面涂上鹅肝酱，摆上一只虾和三粒葡萄干。浇一点汁、撒一撮盐后趁热食用。

Montadito de foie con compota de manzana

Canapé of Foie Gras with Apple Compote

4 slices bread • 200 gr. foie gras micuit • 100 gr. apples • 1 tbsp. sugar • 4 thyme leaves • A pinch of vanilla

• Wash and cut the apples into small slices without peeling the skin. • Boil the apple with a little water in a saucepan over a low heat until soft. Blend and return to the saucepan. Add the sugar and cook over a low heat while stirring until it melts. Add the vanilla. Remove once it has adopted a creamy consistency. • Toast the bread, add a slice of foie gras and spread a little compote on top. Garnish with thyme.

Canapé de foie gras de canard à la compote de pommes

4 tranches de pain • 200 gr. de foie gras de canard mi-cuit • 100 gr. de pommes • 1 cuillerée à soupe de sucre • 4 feuilles de thym • Une pincée de vanille

• Laver et couper les pommes en dés sans enlever la peau. • Dans une casserole avec un peu d'eau, faire cuire les pommes à feu doux jusqu'à ce qu'elles ramollissent. Les mixer puis les remettre dans la casserole. Ajouter le sucre et faire cuire à feu doux sans cesser de remuer, jusqu'à ce que le sucre fonde. Incorporer la vanille. Ôter du feu une fois que la compote acquiert une consistance crémeuse. • Faire griller le pain, disposer un morceau de foie gras et étaler un peu de compote par-dessus. Décorer avec le thym.

Kanapee mit Foie gras und Apfelkompott

4 Scheiben Brot • 200 gr. Entenleber-Micuit • 100 gr. Äpfel • 1 EL Zucker • 4 Blätter Thymian • 1 Prise Vanille

• Die Äpfel waschen und ungeschält würfeln. • Die Äpfel in etwas Wasser bei schwacher Hitze weichkochen. Im Mixer zerkleinern und wieder in den Topf geben. Den Zucker hinzufügen und bei schwacher Hitze unter ständigem Rühren kochen lassen, bis der Zucker zerschmolzen ist. Die Vanille zugeben. Vom Feuer nehmen, sobald es eine cremige Konsistenz angenommen hat.
• Das Brot rösten, ein Stück Foie gras darauf legen und etwas Kompott darüberstreichen. Mit Thymian garnieren.

Канапе из фуа гра с яблочным кремом

4 ломтика хлеба • 200 г фуа гра • 100 г яблок • 1 ст. ложка сахара • 4 листочка тимьяна • Щепотка ванили

• Вымыть яблоки и порезать на кусочки, не удаляя кожицу. • В ковшике на медленном огне и в небольшом количестве воды сварить яблоки до мягкости. Вынуть и превратить в пюре.

Выложить пюре в ковшик, добавить сахар и варить, постоянно помешивая, на медленном огне до полного растворения сахара. Добавить ваниль. Снять с огня, когда масса приобретет консистенцию крема. • Обжарить хлеб и выложить на него кусочек печени и немного яблочного крема. Украсить тимьяном.

フォアグラのりんごのコンポートのカナッペ

パン　4切れ •フォアグラのミ・キュイ（半生タイプ）200 g •りんご　100 g •砂糖　大さじ1 •タイム　4葉 •バニラ　一つまみ

• りんごを洗って皮のついたままさいの目に切る。• 鍋を弱火にかけて少量の水でりんごを柔らかくなるまで煮る。ミキサーなどで細かく粉砕して鍋に戻す。砂糖を加えてかき混ぜる手を休めずに、砂糖が溶けるまで弱火で煮る。バニラを加える。クリーム状にしっとりしてきたら火からおろす。• パンをトーストし、フォアグラを載せ、りんごをその上に置く。タイムの葉を飾る。

鹅肝酱苹果吐司

4片面包 • 200克鹅肝酱 • 100克苹果 • 1调羹糖 • 4片百里香 • 一撮香草

• 把苹果连皮一起切成小块。• 在锅中放少量水后小火把苹果煮软。把它搅拌成泥状后加糖, 继续小火煮, 不停搅动, 直到糖全部融化。加入香草。待形成较稠的糊状后关火。• 把面包烤成吐司, 涂上一点鹅肝酱后涂上苹果糊。摆上百里香用来装饰。

Montadito de huevos de codorniz, chorizo y pimiento del piquillo

Canapé of Quail's Egg, Chorizo and Piquillo Peppers

4 slices French bread • 4 quail's eggs • 1 Burgos chorizo • 2 piquillo peppers • Extra virgin olive oil • Salt

• Fry the quail's eggs until the whites start to brown. • Using the same oil, fry the chorizo in thin slices. • Slice the piquillo pepper. • Toast the slices of bread. Put a slice of pepper, a fried egg and some chorizo slices on top of each one. Serve hot.

Canapé aux œufs de caille, au chorizo et aux poivrons de Piquillo

4 tranches de pain blanc • 4 œufs de caille • 1 chorizo de Burgos • 2 poivrons de Piquillo • Huile d'olive extra • Sel

• Faire frire les œufs de caille jusqu'à ce que le blanc soit doré. • Faire frire le chorizo coupé en fines rondelles dans la même huile. • Couper les poivrons de Piquillo en rondelles. • Faire griller les tranches de pain. Disposer une rondelle de poivron, un œuf frit et quelques rondelles de chorizo sur chacune d'elles. Servir chaud.

Kanapee mit Wachteleiern, Chorizo und Piquillo-Paprika

4 Scheiben Baguette • 4 Wachteleier • 1 Chorizo aus Burgos • 2 Piquillo-Paprika • Extra natives Olivenöl • Salz

• Die Wachteleier so braten, dass der Dotter goldgelb bleibt. • Die in dünne Scheiben geschnittene Chorizo im gleichen Öl braten. • Die Piquillo-Paprika in breite Streifen schneiden. • Die Brotscheiben rösten. Darauf je einen Streifen Paprika, ein Spiegelei und einige Scheiben Chorizo legen. Heiß servieren.

Канапе из перепелиных яиц, чоризо и перца пикильо

4 ломтика французской булки • 4 перепелиных яйца • 1 чоризо (колбаса с паприкой) из Бургоса • 2 перца пикильо • Оливковое масло • Соль

• Пожарить перепелиные яйца, доведя белок до золотистого цвета. • В том же самом масле обжарить чоризо, порезанную тонкими кружочками. • Порезать перцы кусочками. • Поджарить ломтики хлеба. Выложить на каждый ломтик кусочек перца, жареное яйцо и несколько кружочков чоризо. Подавать горячим.

うずらの卵、チョリソ、ピキージョピーマンのカナッペ

フランスパン　4切れ •うずらの卵　4個 •ブルゴス産チョリソ　1個 •ピキージョピーマン　2個 •エクストラバージンオリーブオイル •塩

• うずらの卵を、白身部分がこんがりとするぐらいに目玉焼きにする。• 卵を焼いた油を使って薄い輪切りにしたチョリソを焼く。• ピキージョピーマンを輪切りにする。• パンをトーストし、ピーマン1切れ、目玉焼き、チョリソの輪切り数枚を載せる。　温かいうちにいただく。

鹌鹑蛋腊肠红辣椒吐司

4片法式面包 • 4个鹌鹑蛋 • 1个西班牙布尔戈斯腊肠 • 2个罐装红辣椒 • 橄榄油 • 盐

• 把鹌鹑蛋煮熟, 去壳, 放在橄榄油中炸到表面呈金黄色。• 腊肠切成薄片, 也放在橄榄油中炸熟。• 将辣椒切成片。• 把面包烤成吐司。在每片上放一片辣椒、一个炸鹌鹑蛋和一片腊肠。 趁热食用。

Montadito de jamón ibérico con pimiento

Ham and Green Pepper Canapés

4 slices of bread • 4 slices cured ham • 1 green pepper • Olive oil • Salt

• Wash and cut the pepper into four pieces. Fry in olive oil, drain on kitchen paper and season. • Toast the bread. Place a slice of ham on each piece of bread. On top place the green pepper and serve immediately.

Canapé de jambon et poivron vert

4 tranches de pain • 4 tranches de jambon Serrano • 1 poivron vert • Huile d'olive • Sel

• Laver et couper le poivron en quatre morceaux. Le frire dans l'huile d'olive, l'égoutter sur un papier absorbant et l'assaisonner. • Griller le pain. Déposer une tranche de tambor sur chaque tranche de pain. Ajouter dessus le poivron et le servir chaud.

Schinkenschnittchen mit grüner Papikra

4 Scheiben Baguette • 4 Scheiben Serranoschinken • 1 Paprika • Olivenöl • Salz

• Die Páprika waschen und in 4 Stücke schneiden. In Olivenöl braten, auf Küchenpapier abtropfen lassen und salzen. • Das Brot toasten. Auf jede Brotscheibe eine Scheibe Schinken legen. Darauf die Papikra und heiß servieren.

Канапе из ветчины Иберико и перца

4 кусочка хлеба • 4 ломтика ветчины Иберико • 1 зеленый перец • Оливковое масло • Соль

• Вымыть перец и разрезать его на четыре части. Пожарить перец в оливковом масле, выложить на кухонную бумагу и посолить. • Обжарить кусочки хлеба. Выложить на каждый кусочек ломтик ветчины Иберико. Сверху выложить перец и подавать горячим.

ハモンイベリコとピーマンのカナッペ

パン 4切れ • ハモンイベリコ 1 枚 • ピーマン (緑) 1個 • オリーブオイル • 塩

• ピーマンを洗って4つに切る。オリーブオイルで焼き、キッチンペーパーで油分水分をよくきって塩で味付けする。 • パンをトーストする。生ハムを載せ、その上にピーマンを載せて温かいうちにいただく。

火腿青椒吐司

4片法式面包 • 4片伊比利亚生火腿 • 1个青椒 • 橄榄油 • 盐

• 将青椒洗净, 切成4块。用橄榄油炸熟后捞出放在吸油纸上沥油。• 把面包烤成吐司, 各放上一片火腿, 再把青椒放在最上方即可趁热食用。

Montadito de jamón ibérico con huevo frito de codorniz

Canapé of Iberian Ham with Fried Quail's Egg

4 slices French bread • 4 slices Iberian ham • 4 quail's eggs • 1 clove of garlic • 2 ripe tomatoes • Extra virgin olive oil • Coarse salt

• Wash, halve and grate the tomato. Season and add a dash of olive oil. Put to one side. • Fry the quail's eggs until the whites start to brown. • Toast the slices of bread and spread them with the grated tomato. Lay a slice of ham and the quail's egg on top.

Canapé de jambon ibérique à l'œuf de caille frit

4 tranches de pain blanc • 4 tranches de jambon ibérique4 œufs de caille • 1 gousse d'ail • 2 tomates mûres • Huile d'olive extra • Gros sel

• Laver la tomate, la couper en deux et la râper. Assaisonner et arroser d'un filet d'huile d'olive. Réserver. • Faire frire les œufs de caille jusqu'à ce que le blanc soit doré. • Faire griller les tranches de pain et étaler la tomate râpée. Poser une tranche de jambon et l'œuf de caille par-dessus.

Kanapee mit iberischem Schinken und Wachtelspiegelei

4 Scheiben Baguette • 4 Scheiben iberischer Schinken • 4 Wachteleier • 1 Knoblauchzehe • 2 reife Tomaten • Extra natives Olivenöl • Grobes Salz

• Die Tomaten waschen, halbieren und reiben. Würzen und etwas Olivenöl darübergießen. Beiseite stellen. • Die Wachteleier so braten, dass der Dotter goldgelb bleibt. • Die Brotscheiben rösten und mit den geriebenen Tomaten bestreichen. Darauf je eine Scheibe Schinken und ein Wachtelei legen.

Канапе из ветчины Иберико и жареных перепелиных яиц

4 ломтика французской булки • 4 ломтики ветчины Иберико • 4 перепелиных яйца • 1 зубчик чеснока • 2 спелых помидора • Оливковое масло • Крупная соль

• Очистить помидоры, разрезать пополам и потереть. Посолить и полить оливковым маслом. Отставить в сторону. • Пожарить перепелиные яйца, доведя белок до золотистого цвета. • Обжарить ломтики хлеба и намазать их тертым помидором. Выложить сверху ломтик ветчины Иберико и перепелиное яйцо.

ハモンイベリコとうずらの卵のカナッペ

フランスパン 4切れ • ハモンイベリコ 4枚 • うずらの卵 4個 • にんにく 1かけ • 完熟トマト 2個 • エクストラバージンオリーブオイル • 大粒の塩

• トマトを洗って半分に切っておろす。塩をして、オリーブオイルをほんの少したらして味を調える。• うずらの卵を、白身部分がこんがりとするぐらいに目玉焼きにする。• パンをトーストし、おろしたトマトを塗り、その上に生ハムと卵を載せる。

火腿鹌鹑蛋吐司

4片法式面包 • 4片伊比利亚生火腿 • 4个鹌鹑蛋 • 1瓣大蒜 • 2个番茄 • 橄榄油 • 粗盐

• 把番茄洗干净, 切开后捣碎。加盐, 并浇上一点橄榄油, 备用。• 把鹌鹑蛋煮熟, 去壳,, 炸至金黄色。• 把面包烤成吐司, 涂上准备好的番茄酱。在上面放上火腿和鹌鹑蛋。

Montadito de boquerones con huevos de trucha

Canapé of White Anchovies with Trout Roe

4 slices French bread, diagonally sliced • 8 white anchovies marinated in vinegar • 4 tsp. of trout roe

• Toast the bread and place two white anchovy fillets on top, then add a spoonful of trout roe along the toast.

Canapé aux anchois et aux œufs de truite

4 tranches de pain blanc coupées en diagonale • 8 anchois marinés au vinaigre • 4 cuillerées à café d'œufs de truite

• Faire griller le pain et poser deux filets d'anchois et une cuillerée d'œufs de truite sur chaque toast.

Kanapee mit Sardellen und Forellenrogen

4 schräg geschnittene Scheiben Baguette • 8 in Essig eingelegte Sardellen • 4 TL Forellenrogen

• Das Brot rösten, auf jede Scheibe zwei Sardellenfilets legen und einen Löffel Forellenrogen längs über die Scheibe verteilen.

Канапе с анчоусами и икрой форели

4 ломтика французской булки • 8 маринованных в уксусе анчоусов • 4 коф. ложки икры форели

• Поджарить ломтики хлеба и выложить сверху по два анчоуса и ложку икры форели.

カタクチイワシとイクラのカナッペ

フランスパン（斜め切りにしたもの） 4切れ • カタクチイワシ（酢に漬けてマリネしたもの） 8尾 • イクラ（マス卵） 小さじ4

• パンをトーストし、カタクチイワシを2尾ずつとイクラ小さじ1ずつを載せる。

鳟鱼籽鳀鱼吐司

4片法式面包斜切 • 8片醋腌鳀鱼 • 4小调羹鳟鱼籽

• 把面包烤成吐司,在每片上面放上2片鳀鱼, 再涂上一小调羹鳟鱼籽。

Montadito de jamón ibérico, salmón, gamba y huevo

Canapé of Iberian Ham, Salmon, Prawns and Egg

4 slices French bread • 3 boiled eggs • 4 peeled, cooked prawns • 4 slices Iberian ham • 4 slices smoked salmon • 2 tbsp. mayonnaise

• Cut the boiled eggs in half. Grate one of the eggs and put to one side. • Toast the bread slices and lay a slice of Iberian ham on top. Over this lay a slice of smoked salmon, half an egg, a little mayonnaise and a prawn. Hold together with a cocktail stick. Sprinkle the grated egg over the top.

Canapé de jambon ibérique, saumon, crevette et œuf

4 tranches de pain blanc • 3 œufs durs • 4 crevettes décortiquées et cuites • 4 tranches de jambon ibérique • 4 tranches de saumon fumé • 2 cuillerées à soupe de mayonnaise

• Couper les œufs durs en deux. Râper un œuf et réserver. • Faire griller la tranche de pain et poser dessus une tranche de jambon. Mettre une tranche de saumon fumé, un demi-œuf, un peu de mayonnaise et une crevette par-dessus. Piquer avec un bâtonnet. Saupoudrer d'œuf râpé.

Kanapee mit iberischem Schinken, Lachs, Garnelen und Ei

4 Scheiben Baguette • 3 gekochte Eier • 4 gekochte, geschälte Garnelen • 4 Scheiben iberischer Schinken • 4 Scheiben Räucherlachs • 2 EL Mayonnaise

• Die gekochten Eier halbieren. Ein Ei raspeln und beiseite stellen. • Das Brot rösten und mit einer Scheibe iberischem Schinken belegen. Darauf eine Scheibe Räucherlachs, ein halbes Ei, etwas Mayonnaise und eine Garnele geben. Einen Zahnstocher hineinstecken. Mit geriebenem Ei bestreuen.

Канапе из ветчины Иберико, лосося, креветок и яйца

4 ломтика французской булки • 3 вареных яйца • 4 вареные и очищенные креветки • 4 ломтика ветчины Иберико • 4 ломтика копченого лосося • 2 ст. ложки майонеза

• Разрезать яйца на две части. Одно из яиц измельчить в крошку и отставить в сторону. • Поджарить хлеб и выложить сверху ломтик ветчины Иберико. На него выложить ломтик лосося, половинку яйца, немного майонеза и креветку. Воткнуть деревянную палочку и присыпать яичной крошкой.

ハモンイベリコ、サーモン、エビ、卵のカナッペ

フランスパン 4切れ • ゆで卵 3個 • 小エビ（茹でて殻をむいたもの） 4尾 • ハモンイベリコ 4枚 • スモークサーモン 4枚 • マヨネーズ 大さじ2

• ゆで卵を半分に切る。1個だけはおろしておく。 • をトーストし、その上に、生ハム、スモークサーモン、ゆで卵の半分、マヨネーズ少し、エビの順に載せる。楊枝で刺す。仕上げにおろしたゆで卵を上から散らす。

火腿鲑鱼虾吐司

4片法式面包 • 3个煮鸡蛋 • 4只熟虾去壳 • 4片伊比利亚生火腿 • 4片烟熏鲑鱼 • 2调羹沙拉酱

• 把煮鸡蛋去壳，对半切开。其中一个鸡蛋切碎，放在一边备用。• 将面包烤成吐司，放上一片火腿。再放上烟熏鲑鱼和半个鸡蛋，涂上一层沙拉酱，最后放上虾仁。• 插上牙签。洒上鸡蛋末。

Montadito de jamón, alcachofa y habitas con crema de queso

Canapé of Iberian Ham, Artichoke and Baby Broad Beans with Cream Cheese

4 slices French bread • 4 slices Iberian ham • 16-20 baby broad beans • 2 artichoke hearts • 125 gr. aïoli • ½ tsp. paprika • 75 gr. cream cheese • 2 cloves garlic • 20 ml. milk • Olive oil • Salt

• Wash the baby broad beans, boil in water with salt, drain and put to one side. • Put the garlic cloves, the milk, two tablespoonfuls of oil and the cream cheese into a blender. Blend until they form a thick mixture. • Peel the artichokes until only the heart remains and cut the tips, boil, drain and cut into small pieces. Put to one side. • Toast the bread slices, top with the slices of Iberian ham, four or five broad beans and some small pieces of artichoke heart. Cover each slice with a layer of cream cheese. Sprinkle with a little paprika. • Place in the oven on a high heat for 30 seconds. Serve at once.

Canapé de jambon, d'artichaut et de petites fèves à la crème de fromage

4 tranches de pain blanc • 4 tranches de jambon ibérique • 16/20 petites fèves • 2 cœurs d'artichauts • 125 gr. d'aïoli • ½ cuillère à café de paprika • 75 gr. de fromage crémeux • 2 gousses d'ail • 20 ml. de lait • Huile d'olive • Sel

• Nettoyer les fèves, les faire cuire dans de l'eau salée, les égoutter et réserver. • Passer les gousses d'ail, le lait, deux cuillerées à soupe d'huile et le fromage crémeux au mixeur. Mixer jusqu'à obtenir une crème épaisse. • Effeuiller les artichauts pour ne garder que les cœurs et couper les pointes. Faire cuire, égoutter et couper en petits morceaux. Réserver. • Faire griller les tranches de pain, poser les tranches de jambon serrano, quatre ou cinq fèves et quelques morceaux de cœurs d'artichauts. Étaler un peu de crème de fromage sur chaque tranche. Saupoudrer d'un peu de paprika. • Mettre au four, à haute température, pendant 30 secondes. Servir immédiatement.

Kanapee mit Schinken, Artischocken, Bohnen und Käsecreme

4 Scheiben Baguette • 4 Scheiben iberischer Schinken • 16-20 Bohnen • 2 Artischockenherzen • 125 gr. Alioli • ½ TL Paprika • 75 gr. Rahmkäse • 2 Knoblauchzehen • 20 ml. Milch • Olivenöl • Salz

• Die Bohnen waschen, in Salzwasser kochen, abtropfen lassen und beiseite stellen. • Die Knoblauchzehen, die Milch, zwei EL Öl und den Rahmkäse in einen Mixer geben. Schlagen, bis eine feste Creme entsteht. • Die Artischocken bis auf das Herz schälen und die Enden abschneiden, kochen, abtropfen lassen und in kleine Stücke schneiden. Beiseite stellen. • Die Brotscheiben rösten und die Scheiben iberischen Schinken, vier oder fünf Bohnen und ein paar Stücke Artischockenherzen darauf legen. Die Scheiben mit einer Schicht Käsecreme bedecken. Mit etwas Paprika bestreuen. • 30 Sekunden lang bei großer Hitze im Ofen backen. Sofort servieren.

Канапе из ветчины Иберико, артишоков и сливочного сыра

4 ломтика французской булки • 4 ломтика ветчины Иберико • 16 до 20 фасолин • 2 донышка артишоков • 125 г ложка алиоли • ½ коф. ложка паприки • 75 г сливочного сыра • 2 зубчика чеснока • 20 мл молока • Оливковое масло • Соль

• Промыть фасоль, сварить в соленой воде, слить воду и отставить в сторону. • В процессор выложить зубчики чеснока, молоко, две ст. ложки масла и сливочный сыр. Взбивать до образования густой массы. • Очистить артишоки, оставив только донышки, сварить, слить воду и порезать на небольшие кусочки. Отставить в сторону. • Поджарить кусочки хлеба, выложить сверху ломтики ветчины Иберико, четыре-пять фасолин и кусочки донышек артишока. Накрыть каждое канапе слоем сливочного сыра. Слегка посыпать паприкой. • Поставить в духовку с высокой температурой и запекать в течение 30-и секунд. Подавать.

生ハム、アーティチョーク、そら豆とクリームチーズのカナッペ

フランスパン　4切れ •ハモンイベリコ　4枚 •そら豆（小粒）　16個か20個 •アーティチョーク　2個 •アリオリソース 125g •パプリカ　小さじ½ •クリームチーズ　75 g •にんにく　2かけ •牛乳　20 ml •オリーブオイル •塩

•そら豆は洗って湯に塩を加えて茹でる。•ハンドミキサーに、にんにくと牛乳、オリーブオイル大さじ2、クリームチーズをかけて、とろっとしたクリーム状になるまで攪拌する。•アーティチョークを柔らかい花芯の部分だけを残すようにむいて先端を切る。茹でてから小さく刻んでおく。　•パンをトーストし、生ハムと、4個（あるいは5個）のそら豆、アーティチョークを刻んだものを載せる。先に用意したクリームをその上からかけ、パプリカを少々振る。•強火のオーブンに30秒入れる。　•作りたてですぐにいただくこと。

火腿洋蓟蚕豆奶酪吐司

4片法式面包 • 4片伊比利亚生火腿 • 16到20粒嫩蚕豆 • 2颗洋蓟芯 • 125调羹蒜油 • 半小调羹辣椒粉 • 75克奶酪酱 • 2瓣大蒜 • 20毫升牛奶 • 橄榄油 • 盐

• 将蚕豆洗净，在水中加盐煮熟，捞出备用。• 把蒜瓣、牛奶、两调羹油和奶酪酱放入搅拌器中搅拌成糊状。• 将洋蓟去皮去刺，只留下芯。煮熟捞出后切成小块，放在一旁备用。• 将面包片烤成吐司，每片上放一片伊比利亚火腿、四至五粒蚕豆和一小块洋蓟。然后浇上一层预先制作好的奶酪糊，撒上一点辣椒粉。 • 在烤箱中用大火烤30秒拿出。立即食用。

Montadito de merluza con cebolla

Canapé of Hake with Onion

4 slices bread • 4 hake fillets • 1 onion • 1 tbsp. flour • 1 egg • Olive oil • Salt

• Fry the onions julienne lightly in a frying pan with a little olive oil. Season and put to one side. • Coat the hake fillets with the flour and beaten egg, season and fry in a frying pan with plenty of hot olive oil and remove from heat. Drain on kitchen towel. • Toast the bread, add the lightly fried onion and then the hake fillet. Serve hot.

Canapé de colin aux oignons

4 tranches de pain • 4 filets de colin • 1 oignon • 1 cuillerée à soupe de farine • 1 œuf • Huile d'olive • Sel

• Dans une poêle avec un peu d'huile d'olive, faire revenir l'oignon coupé en julienne. Assaisonner et réserver. • Passer les filets de colin dans la farine et l'oeuf battu, assaisonner et faire frire dans une poêle avec beaucoup d'huile d'olive très chaude. Ôter du feu. Les égoutter sur un papier absorbant. • Faire griller le pain, mettre l'oignon et le filet de colin par-dessus. Servir chaud.

Kanapee mit Seehecht und Zwiebel

4 Scheiben Brot • 4 Seehechtfilets • 1 Zwiebel • 1 EL Mehl • 1 Ei • Olivenöl • Salz

• Die in feine Streifen geschnittene Zwiebel in einer Pfanne mit etwas Olivenöl anbraten. Würzen und beiseite stellen. • Die Seehechtfilets in Mehl und geschlagenem Ei wälzen, würzen und in einer Pfanne mit reichlich heißem Öl braten. Vom Feuer nehmen. Auf Küchenpapier abtropfen lassen. • Das Brot rösten und Zwiebeln und Seehechtfilets darauf legen. Heiß servieren.

Канапе из мерлана с луком

4 кусочка хлеба • 4 спинки мерлана • 1 луковица • 1 ст. ложка муки • 1 яйцо • Оливковое масло • Соль

• Мелко порезать лук и пожарить его в сковороде с небольшим количеством масла. Посолить и отставить в сторону. • Обвалять кусочки мерлана в муке и взбитом яйце, посолить и жарить в достаточном количестве горячего масла. Выложить на кухонную бумагу, чтобы удалить излишки жира. • Обжарить кусочки хлеба, выложить сверху лук и кусочек мерлана. Подавать горячим.

メルルーサと玉ねぎのカナッペ

パン　4切れ •メルルーサの背身　4切れ •玉ねぎ　1個 •小麦粉　大さじ1• 卵　1個 •オリーブオイル •塩

• フライパンにオリーブオイルを少しひいて千切りにした玉ねぎを炒める。塩で味付けしておいておく。• 溶き卵と小麦粉で衣をつけたメルルーサに塩を振り、たっぷりの油で高温で揚げる。キッチンペーパーで油分をきる。• パンをトーストし、玉ねぎとメルルーサを載せる。• 温かいうちにいただく

无须鳕鱼吐司

4片面包 • 4块无须鳕鱼片 • 1个洋葱 • 1调羹面粉 • 1个鸡蛋 • 橄榄油 • 盐

• 洋葱切碎。锅置小火, 放入少量橄榄油, 倒入洋葱, 加盐, 煎成糊状, 备用。• 将鳕鱼块加盐, 再拖过蛋液, 拍上面粉, 在油中炸熟。捞出后放置吸油纸上沥油。• 将面包烤成吐司, 在上面先涂一层准备好的洋葱糊, 然后放上鳕鱼块。趁热食用。

Montadito de bacalao en lecho de aceite y tomate de Bodeguita Romero

Bodeguita Romero Canapé of Cod on a Bed of Oil and Tomato

4 slices bread • 4 slices marinated cod • 3 tomatoes • 1 clove garlic • Seasoning Olive oil • Salt

• Process the peeled tomato and garlic, season, add a dash of oil and stir. • Toast the bread slices, spread with the tomato and place a slice of marinated cod on top.

Canapé de morue sur un lit d'huile d'olive et de tomate façon Bodeguita Romero

4 tranches de pain • 4 tranches de morue marinée • 3 tomates • 1 gousse d'ail • Sel • Huile d'olive • Sel

• Mixer la tomate pelée et l'ail, assaisonner, verser un filet d'huile d'olive et mélanger. • Faire griller les tranches de pain, frotter la tomate et poser dessus une tranche de morue marinée.

Kanapee mit Kabeljau auf Tomatenbett mit Öl nach Art der Bodeguita Romero

4 Scheiben Brot • 4 Scheiben marinierter Kabeljau • 3 Tomaten • 1 Knoblauchzehe • Olivenöl • Salz

• Die geschälten Tomaten und den Knoblauch zerkleinern, würzen und mit einem Schuss Olivenöl mischen. • Das Brot rösten, mit der Tomatenmischung bestreichen und eine Scheibe marinierten Kabeljau darauf legen.

Канапе из трески на подушке из масла и помидора от *Бодегита Ромеро*

4 ломтика хлеба • 4 ломтика маринованной трески • 3 помидора • 1 зубчик чеснока • Приправы • Оливковое масло • Соль

• Очистить помидоры от кожицы. Превратить в пюре помидоры и чеснок, посолить, добавить немного оливкового масла и смешать.
• Обжарить ломтики хлеба, намазать томатным пюре и выложить поверх ломтик трески.

バカラオとトマトのボデギータ・ロメロ風カナッペ

パン　4切れ ・バカラオ (塩蔵タラ) のマリネ　4枚 ・トマト　3個 ・にんにく　1かけ ・塩 ・オリーブオイル・塩

• トマトとにんにくをミキサーのかけ、塩を振ってオリーブオイルをさっと垂らして混ぜる。 • パンをトーストし、先のトマトを塗って、その上にバカラオのマリネを置く。

番茄鳕鱼吐司

4片切片面包 • 4片熟鳕鱼 • 3个番茄 • 1瓣大蒜 • 盐 • 橄榄油 . 盐

• 把番茄和大蒜去皮后切碎, 加盐, 倒入少许橄榄油后搅匀。• 面包烤成吐司, 把番茄涂在上面, 摆上一片鳕鱼。

Montadito de morcilla con espinacas, pasas y piñones

Canapé of Black Pudding with Spinach, Raisins and Pine Nuts

4 slices bread • 4 slices black pudding • 300 gr. cooked spinach • 50 gr. Raisins • 30 gr. pine nuts • Olive oil • Salt

• Fry the black pudding in a frying pan with a little oil, removing from heat when crunchy. • In another frying pan over a low heat brown the raisins and pine nuts with a little oil, add the spinach, season and fry lightly. • Spread a layer of spinach, raisins, pine nuts and the black pudding on top of the bread. Thread the ingredients on to skewers and eat hot.

Canapé de boudin aux épinards, aux raisins secs et aux pignons

4 tranches de pain • 4 rondelles de boudin • 300 gr. d'épinards cuits • 50 gr. de raisins secs • 30 gr. de pignons • Huile d'olive • Sel

• Faire frire les rondelles de boudin dans une poêle avec un peu d'huile. Ôter du feu une fois croustillantes. • Dans une autre poêle avec un peu d'huile, faire dorer les raisins secs et les pignons à feu doux, ajouter les épinards, assaisonner, puis faire revenir le tout. • Mettre une couche d'épinards, de raisins secs et de pignons sur une tranche de pain, puis le boudin par-dessus. Piquer à l'aide d'un bâtonnet et servir chaud.

Kanapee mit Blutwurst, Spinat, Rosinen und Pinienkernen

4 Scheiben Brot • 4 Scheiben Blutwurst • 300 gr. gekochter Spinat • 50 gr. Rosinen • 30 gr. Pinienkerne • Olivenöl • Salz

• Die Blutwurst in einer Pfanne mit etwas Öl braten und vom Feuer nehmen, sobald sie knusprig ist. • Die Rosinen und die Pinienkerne in einer anderen Pfanne mit etwas Öl bei schwacher Hitze anbraten, den Spinat zugeben, würzen und braten. • Das Brot mit Spinat, Rosinen und Pinienkernen belegen und die Blutwurst darauf legen. Einen Zahnstocher hineinstecken und heiß servieren.

Канапе из кровяной колбасы, шпината, изюма и кедровых орешков

4 ломтика хлеба • 4 кусочка кровяной колбасы • 300 г вареного шпината • 50 г изюма • 30 г кедровых орешков • Оливковое масло • Соль

• В сковороде в небольшом количестве масла, пожарить кровяную колбасу, когда она станет хрустящей, снять с огня. • В другой сковороде, обжарить на медленном огне и в небольшом количестве масла, изюм и орехи до золотистого цвета, добавить шпинат, посолить и обжарить. • На ломтик хлеба выложить шпинат, на него - изюм, орехи и, затем, кровяную колбасу. Проткнуть деревянной палочкой и подавать горячим.

モルシージャ、ほうれん草、干しぶどう、松の実のカナッペ

パン　4切れ ・モルシージャ (血入りソーセージ) 4切れ ・ほうれん草 (茹でたもの) 300 g ・干しぶどう　50 g ・松の実　30 g ・塩

• フライパンに油を少しひいてモルシージャを焼き、カリッとこんがり仕上がったら火からおろす。• 弱火のフライパンに油を少しひき、干しぶどうと松の実を炒める。ほうれん草を加えて塩を振•り、更に炒める。• パンに、ほうれん草、干しぶどう、松の実を載せ、その上にモルシージャを置く。楊枝で刺し•て温かいうちにいただく。

猪血肠葡萄干松子菠菜吐司

4片面包 • 4片猪血肠 • 300克熟菠菜 • 50克葡萄干 • 30克松子 • 橄榄油 • 盐

• 在锅中加少量油, 炸猪血肠, 当变脆时关火。• 在另外一个锅中加少量油, 倒入葡萄干和松子, 小火炒, 倒入菠菜后加盐稍炒。• 在面包上摆上菠菜、葡萄干、松子和猪血肠。• 插上牙签后趁热食用。

Montadito de setas de cardo con jamón serrano

Canapé with King Trumpet mushroom and ham

4 slices of French bread • 175 gr. of king trumpet mushroom • 4 slices of ham • 1 clove of chopped garlic • Olive oil • Salt

• Clean the king trumpet mushrooms, chop them and fry with a clove of chooped garlic in a little olive oil. • Toast the bread and place some mushrooms on each slice and a slice of ham on top.

Canapé de pleurote du panicaut et jambon serrano

4 tranches de baguette • 175 gr. de pleurote du panicaut • 4 portions de jambon serrano • 1 gousse d'ail haché • Huile d'olive • Sel

• Laver les pleurotes du panicaut, les découper et les griller avec un peu d'huile avec le gousse d'ail haché. • Griller le pain et placer quelques champignons dans la tranche de baguette et la portion de jambon par en haut.

Kanapee mit Kräuterseitlingen und Serranoschinken

4 Scheiben Baguette • 175 g Kräuterseitlinge • 4 Scheiben Serranoschinken • 1 gehackte Knoblauchzehe • Extra natives Olivenöl • Salz

• Die Pilze waschen, würzen, in Stücke schneiden und zusammen mit dem Knoblauch in etwas Olivenöl braten. • Das Brot rösten, die Pilze darauf verteilen und je eine Scheibe Schinken darüberlegen.

Канапе из вешенок с ветчиной Серрано

4 ломтика французской булки • 175 г вешенок • 4 ломтика ветчины Серрано • 1 мелко порезанный зубчик чеснока • Оливковое масло • Соль

• Очистить грибы, посолить и порезать на кусочки. Обжарить с чесноком в небольшом количестве масла. • Обжарить кусочки хлеба и выложить на них грибы, прикрыв сверху кусочком ветчины.

ハモンセラーノとエリンギのカナッペ

フランスパン　4切れ　• エリンギ茸　175 g • ハモンセラーノ　4枚 • にんにくのみじん切り　1かけ • エクストラバージンオリーブオイル • 塩

• エリンギをきれいにし、塩を振って適当な大きさに切り、にんにくと少量のオリーブオイルで炒める。 • パンをトーストし、エリンギとハモンセラーノを上に載せる 。

蘑菇火腿吐司

4片法式面包 • 175克新鲜西班牙蘑菇 • 4片伊比利亚生火腿 • 1片捣碎的蒜瓣 • 橄榄油• 盐

• 将蘑菇洗干净, 加盐, 切成片, 用少量橄榄油加蒜油炸。• 将面包烤成吐司, 在每片上面放适量蘑菇和火腿。

Pan de pita con tomate, higo y jamón ibérico

Pitta Bread with Tomato, Fig and Iberian Ham

4 small pitta breads • 1 large red tomato • 2 figs • 4 slices Iberian ham

• Lightly wet the pitta bread and bake in the oven for a few minutes to make it crunchy. • Put a slice of tomato, half a peeled fig and a thin slice of Iberian ham on top of each pitta bread.

Pain pita à la tomate, à la figue et au jambon ibérique

4 petits pains pita • 1 grosse tomate rouge • 2 figues • 4 tranches de jambon ibérique

• Humidifier légèrement le pain pita et mettre au four quelques minutes pour qu'il devienne croustillant. • Mettre une rondelle de tomate, une demi figue pelée et une fine tranche de jambon ibérique sur le pain pita.

Pitabrot mit Tomaten, Feigen und iberischem Schinken

4 kleine Pitabrote • 1 große rote Tomate • 2 Feigen • 4 Scheiben iberischer Schinken

• Das Pitabrot leicht anfeuchten und einige Minuten lang im Backofen backen, damit es knusprig wird. • Das Pitabrot mit einer Scheibe Tomate, einer halben geschälten Feige und einer Scheibe feinem iberischem Schinken belegen.

Пита с помидором, инжиром и ветчиной Иберико

4 небольших хлебца пита • 1 большой красный помидор • 2 инжира • 4 ломтика ветчины Иберико

• Слегка смочить питы и выпекать в духовке в течение нескольких минут, пока питы не станут хрустящими. • Вложить в питу ломтик помидора, половину инжира и ломтик ветчины Иберико.

ピタパンのトマト、いちじく、ハモンイベリコ載せ

ピタパン（小さいもの）4枚 •トマト（大きなもの）1個 • いちじく　2個 • ハモンイベリコ　4枚

• ピタパンを軽く湿らせてからオーブンに数分入れてカリッとするまで焼く。•トマトのスライス、皮をむいて半分に切ったいちじく、生ハムを載せる。

番茄无花果火腿小面包

4个小龙舌兰面包 • 1个大番茄 • 2个无花果 • 4片伊比利亚火腿

• 把小龙舌兰面包稍湿后烤几分钟成脆面包。• 在每片面包上摆上切好的番茄、半个剥好皮的无花果和一薄片火腿。

Montadito de solomillo de cerdo con queso Brie

Canapé of Pork Sirloin with Brie

4 slices French bread • 4 x 50 gr. pork sirloin steaks • 120 gr. brie • 1 green pepper • Olive oil • Coarse salt • Pepper

• Cut the cheese into 30g slices. Put to one side. • Wash and de-seed the green pepper and cut into four slices the same size as the steaks. • Lightly fry the pepper in a frying pan with a little oil, seasoning with coarse salt. • Cook the steak on a very hot grill with a little olive oil, seasoning to taste. • Put a steak, a slice of green pepper and a slice of brie on top of each slice of bread. Put in the oven until the cheese has melted. Serve hot.

Canapé de filet mignon de porc au brie

4 tranches de pain blanc • 4 filets mignons de porc de 50 gr. chacun • 120 gr. de brie • 1 poivron vert • Huile d'olive • Gros sel • Poivre

• Couper le fromage en tranches de 30 gr. Réserver. • Laver, épépiner et couper le poivron vert en quatre morceaux de la taille des filets. • Dans une poêle avec un peu d'huile, faire frire le poivron vert en assaisonnant légèrement avec du gros sel. • Cuire « à la plancha » le filet mignon avec un peu d'huile d'olive et assaisonner à convenance. • Placer un filet, un morceau de poivron vert et une tranche de fromage sur le pain. Les mettre au four jusqu'à ce que le fromage fonde. Servir chaud.

Kanapee mit Schweinefilet und Brie

4 Scheiben Baguette • 4 Scheiben Schweinefilet von je 50 gr. • 120 gr. Brie • 1 grüne Paprika • Olivenöl • Grobes Salz • Pfeffer

• Den Käse in Scheiben von je 30 gr. schneiden. Beiseite stellen. • Die grüne Paprika waschen, Kerne entfernen und die Schote in 4 Stücke von der Größe der Filetscheiben schneiden. • Die leicht mit grobem Salz gewürzte grüne Paprika in einer Pfanne mit etwas Öl braten. • Das nach Geschmack gesalzene und gepfefferte Filet auf einem sehr heißen Grillblech mit etwas Öl braten. • Das Brot aufschneiden und je eine Filetscheibe, ein Stück Paprika und eine Scheibe Käse hineinlegen. Im Ofen backen, bis der Käse zerläuft. Heiß servieren.

Канапе из свиной вырезки с сыром Бри

4 куска французской булки • 4 кусочка свиной вырезки весом в 50 г каждый • 120 г сыра Бри • 1 зеленый перец • Оливковое масло • Крупная соль • Молотый перец

• Нарезать сыр на кусочки по 30 г каждый и отставить в сторону. • Очистить зеленый перец, удалить семечки и разрезать на четыре части, соответствующие по размеру кусочкам вырезки, слегка посолить. • Пожарить кусочки перца в небольшом количестве масла. • В плоской, очень горячей сковороде с небольшим количеством масла приготовить кусочки свинины, посоленные и поперченные по вкусу. • Надрезать куски булки и поместить во внутрь кусочек вырезки, кусочек перца и ломтик сыра. Запекать в духовке до тех пор, пока сыр не расплавится. Подавать горячим.

ヒレ肉とブリーチーズのサンドイッチ

フランスパン　4切れ • 豚ヒレ肉　50 gのもの4切れ • ブリーチーズ 120 g • ピーマン（緑）　1個 • オリーブオイル • 大粒の塩 • こしょう

• チーズを30gずつスライスする。• ピーマンを洗って種をとり、ヒレ肉と同じ大きさに4つに切る。• フライパンに少量の油をひいて軽く塩をしたピーマンを焼く。• 熱く熱した鉄板にオリーブオイルを少しひいて、好みで塩こしょうしたヒレ肉を焼く。• フランスパンのスライスを半分に割って、ヒレ肉とピーマン、チーズを一切れずつ入れる。それを、チーズが溶けるまでオーブンに入れる。• 温かいうちにいただく。

猪柳奶酪吐司

4片法式面包 • 4片猪柳肉, 每片50克 • 120克法国布里奶酪 • 1个青椒 • 橄榄油 • 粗盐 • 胡椒粉•

• 将奶酪切成每片30克, 放于一旁备用。• 将青椒洗干净, 去籽, 切成与猪柳肉一般大小的四块。• 将青椒放入少许油中炸熟, 加入适量盐。• 在烫的铁板上用橄榄油烤熟里脊肉, 根据口味加盐和胡椒。• 在面包块上切一道口, 夹入一块里脊肉、一块青椒和一块奶酪。放入烤箱烤至奶酪融化。 趁热享用。

Montadito de cazón en adobo «Bienmesabe» gaditano

Canapé of Cadiz "Bienmesabe" Marinated Dogfish

4 slices toasted French bread • 1 kg. dogfish • 8 cloves garlic • 1 tsp. oregano • 1 tsp. cumin • 1 tsp. ground red paprika • ½ lemon • ½ l. sherry vinegar • Sherry • Batter flour • Salt • Olive oil

• Wash the dogfish thoroughly, cut into large slices and put in a deep container. • Cover the fish with the peeled and finely-chopped garlic cloves, paprika, oregano, cumin, vinegar, a dash of sherry and seasoning. Cover and leave to stand for at least 4 hours at room temperature, stirring a couple of times so that the dogfish absorbs the flavour. • Drain the fish and coat it with the flour. Fry in a frying pan with lots of hot oil bit by bit so that the oil doesn't cool. Remove and drain on kitchen towel. • Toast the bread and place a couple of cubes of dogfish and a few drops of lemon juice on top.

Canapé de chien de mer mariné *Bienmesabe* gaditain

4 tranches de pain blanc grillé • 1 kg. de chien de mer • 8 gousses d'ail • 1 cuillerée à café d'origan • 1 cuillerée à café de cumin • 1 cuillerée à café de paprika rouge moulu • ½ citron • ½ l. de vinaigre de xérès • Vin fin de xérès • Farine de poisson • Sel • Huile d'olive

• Bien nettoyer le chien de mer, le couper en gros dés et le mettre dans un récipient creux. • Saupoudrer l'ail pelé et finement haché, le paprika, l'origan et le cumin sur le poisson, puis verser le vinaigre et un filet de vin fin. Assaisonner. Recouvrir et laisser reposer le tout pendant au moins 4 heures à température ambiante, en remuant de temps en temps pour que le chien de mer imprègne la saveur. • Égoutter le poisson et le faire revenir avec la farine. Faire frire le chien de mer dans une poêle avec beaucoup d'huile d'olive très chaude, en évitant que l'huile ne refroidisse. Ôter du feu et égoutter sur du papier absorbant. • Faire griller le pain, puis poser quelques dés de chien de mer et presser quelques gouttes de citron par-dessus.

Kanapee mit Hundshai in Marinade *Bienmesabe* aus Cádiz

4 Scheiben französisches Brot • 1 kg. Hundshai • 8 Knoblauchzehen • 1 TL Oregano • 1 TL Kümmel • 1 TL rotes Paprikapulver • ½ Zitrone • ½ l. Sherry-Essig • Sherry • Fischmehl • Salz • Olivenöl

• Den Hundshai gut säubern, in große Würfel schneiden und in ein hohes Gefäß geben. • Den Fisch mit den geschälten und fein gehackten Knoblauchzehen, Paprika, Oregano, Kümmel, Essig und einem Schuss Sherry bedecken und würzen. Das Gefäß verschließen und mindestens vier Stunden lang bei Zimmertemperatur stehen lassen. Ab und zu umrühren, damit der Hundshai möglichst viel Geschmack annimmt. • Den Fisch abtropfen lassen und in Mehl wenden. Den Hundshai in einer Pfanne mit reichlich heißem Öl nach und nach braten, um zu vermeiden, dass das Öl abkühlt. Herausnehmen und auf Küchenpapier abtropfen lassen. • Das Brot rösten, zwei Seehundswürfel darauf legen und ein paar Tropfen Zitronensaft darüberträufeln.

Канапе из мариннованной акулы «Биенмесабе» по-кадизски

4 ломтика французской булки • 1 кг мяса акулы • 8 зубчиков чеснока • 1 коф. ложка орегано • 1 коф. ложка кумина • 1 коф. ложка красной молотой паприки • ½ лимона • ½ л винного уксуса Херес • Вино Херес • Мука для рыбы • Соль • Оливковое масло

• Хорошо промыть мясо акулы и порезать крупными ломтиками. Поместить в глубокую миску. • Прикрыть рыбу мелко порезанным чесноком, паприкой, орегано, кумином и уксусом. Вылить немного вина Херес и посолить. Закрыть крышкой и оставить как минимум на 4 часа при комнатной температуре, перемешивая время от времени для того, чтобы рыба пропиталась. • Вынуть рыбу из маринада и обвалять в муке. Жарить в большом количестве горячего масла, небольшими порциями для того, чтобы масло не остывало. Выкладывать куски рыбы на кухонную бумагу. • Обжарить хлеб и выложить сверху пару ломтиков акулы и полить несколькими каплями лимона.

カディス地方のホシザメの漬け揚げ「ビエンメサベ」のカナッペ

フランスパンをトーストしたもの　4切れ • ホシザメ　1 kg • にんにく　8かけ • オレガノ　小さじ1 • クミン　小さじ1 • パプリカ　小さじ1 • レモン　½ 個 • シェリー酒ビネガー　½ l • シェリー酒 • 小麦粉（魚フライ用） • 塩 • オリーブオイル

• ホシザメをきれいにして、大き目の角切りにし、底の深い容器に入れる。• サメを、皮をむいてみじん切りにしたにんにく、パプリカ、オレガノ、クミン、ビネガー、シェリー酒少々で覆って、塩も振る。蓋をして、4時間以上常温で寝かせる。その間2度ほどかき混ぜてまんべんなく下味がつくようにする。• サメの水気をきって、小麦粉をつける。フライパンに油をたっぷり入れて高温に熱し、油の温度が下がらないように少量ずつ揚げる。キッチンペーパーで油分をきる。• パンをトーストして、揚げた魚を2個ずつぐらい載せ、レモンを数滴しぼりかける。

加的斯卤汁角鲨吐司

4片法式吐司面包 • 1公斤角鲨 • 8瓣大蒜 • 1小调羹牛至 • 1小调羹孜然芹 • 1小调羹辣椒粉 • 半个柠檬 • 半升雪利酒醋 • 雪利酒 • 鱼粉 • 盐 • 橄榄油

• 把角鲨洗干净, 切成大块后放在大碗中。• 把大蒜去皮切碎后和辣椒粉、孜然芹、醋、葡萄酒、盐一起洒在鱼块上。把碗盖好, 在室温下静置4小时, 中途翻动几次让角鲨进味。• 把鱼块取出后沾取面粉。在足量油中慢慢把角鲨炸熟, 途中避免油冷却。捞出后沥油。• 把面包烤成吐司后在上面摆上角鲨上, 挤柠檬汁在上面。

Mini de anchoas con huevo y salsa mayonesa

Anchovy, Egg and Mayonnaise Rolls

4 bread rolls • 8 anchovies in oil • 4 slices Iberian ham • 4 lettuce leaves • 2 boiled eggs • 2 tbsp. mayonnaise

• Slice the bread in half, spread one slice with the mayonnaise and place a pre-washed lettuce leaf, half an egg cut into slices, a piece of sliced ham and two anchovy fillets on top. Top off with the other half of the bread roll.

Mini d'anchois, œufs et mayonnaise

4 petits pains • 8 anchois à l'huile • 4 tranches de jambon ibérique • 4 feuilles de laitue • 2 œufs durs • 2 cuillerées à soupe de mayonnaise

• Couper le pain en deux, étaler de la mayonnaise sur une tranche, puis mettre une feuille de laitue préalablement lavée, un demi œuf coupé en rondelles, une tranche de jambon coupé en lamelles et deux filets d'anchois par-dessus. Couvrir avec l'autre moitié du pain.

Brötchen mit Sardellen, Ei und Mayonnaise

4 Brötchen • 8 Sardellen in Öl • 4 Scheiben iberischer Schinken • 4 Salatblätter • 2 gekochte Eier • 2 EL Mayonnaise

• Die Brötchen halbieren, je eine Hälfte mit der Mayonnaise bestreichen und ein gewaschenes Salatblatt, ein halbes in Scheiben geschnittenes Ei, eine in Streifen geschnittene Scheibe Schinken und zwei Sardellenfilets darauf legen. Mit der anderen Brötchenhälfte bedecken.

Мини из анчоуса и яйца с соусом майонез

4 хлебца • 8 анчоусов в масле • 4 ломтика ветчины Иберико • 4 листа зеленого салата • 2 вареных яйца • 2 ст. ложки майонеза

• Разрезать хлебцы пополам, одну часть намазать майонезом в выложить сверху лист зеленого салата, половину вареного яйца, порезанного ломтиками, ломтик ветчины Иберико, порезанный на маленькие кусочки, и два филе анчоуса. Прикрыть второй половинкой хлебца.

アンチョビと卵のミニサンド

小型パン　4個 • アンチョビ（オイル漬け）8枚 • ハモンイベリコ　4枚
レタス　4枚 • ゆで卵　2個 • マヨネーズ　大さじ2

•パンを半分に割って、片方にマヨネーズを塗り、その上に洗ったレタスの葉を1枚、輪切りにした卵を半個分、細く切った生ハム1枚分、アンチョビ2枚を置く。もう片方のパンで閉じる。

鸡蛋鳀鱼面包夹

4个小面包 • 8片橄榄油鳀鱼 • 4片伊比利亚生火腿 • 4片生菜叶 • 2个煮鸡蛋 • 2调羹沙拉酱

• 把面包对半切开, 在一片上面涂上沙拉酱, 摆上一片洗净的生菜叶, 半个切成片的鸡蛋, 一片切丝的火腿和2片鳀鱼。盖上另外一半面包。

Mini de atún, huevo, espárragos y mayonesa

Tuna, Egg, Asparagus and Mayonnaise Rolls

8 slices crustless bread • 8 white asparagus • 250 gr. tuna in oil • 2 boiled eggs • 4 lettuce leaves • 2 ripe tomatoes • 4 tbsp. mayonnaise • Salt

• Peel and grate the eggs. • Wash the tomatoes and chop into small slices without the pips. Wash the lettuce and julienne it. • Mix the eggs, tomatoes, lettuce, flaked tuna and asparagus chopped into small slices in a bowl and stir in the mayonnaise. Season. • Slice the bread into triangles. Spread one slice with the mixture and cover with the other.

Mini de thon, œufs, asperges et mayonnaise

8 tranches de pain de mie écroûté • 8 asperges blanches • 250 gr. de thon à l'huile • 2 œufs durs • 4 feuilles de laitue • 2 tomates mûres • 4 cuillerées à soupe de mayonnaise • Sel

• Écaler les œufs et les râper. • Laver les tomates et les couper en petits morceaux, sans les graines. Laver la laitue et la couper en julienne. • Réunir les œufs, les tomates, la laitue, le thon émietté et les asperges coupées en petits morceaux dans un bol, ajouter la mayonnaise, puis mélanger le tout. Assaisonner. • Couper les tranches de pain de mie en diagonale. Badigeonner une tranche avec la préparation et la couvrir avec l'autre moitié.

Toast mit Thunfisch, Ei, Spargel und Mayonnaise

8 Scheiben Toastbrot ohne Kruste • 8 weiße Spargelstangen • 250 gr. Thunfisch in Öl • 2 gekochte Eier • 4 Salatblätter • 2 reife Tomaten • 4 EL Mayonnaise • Salz

• Die Eier schälen und reiben. • Die Tomaten waschen, entkernen und in kleine Stücke schneiden. Die Salatblätter waschen und in feine Streifen schneiden. • Die Eier, die Tomaten, die Salatblätter, den zerlegten Thunfisch und den in kleine Stücke geschnittenen Spargel in einer Schüssel mit der Mayonnaise mischen. Würzen. • Die Toastbrotscheiben diagonal halbieren. Je eine Hälfte mit der Mischung bestreichen und mit der anderen Hälfte bedecken.

Мини с тунцом, яйцом, спаржей и майонезом

8 ломтиков хлеба для тостов без корочки • 8 ростков белой спаржи • 250 г тунца в масле • 2 вареных яйца • 4 листа зеленого салата • 2 спелых помидора • 4 ст. ложки майонеза • Соль

• Яйца очистить от скорлупы и потереть. • Вымыть помидоры и порезать их маленькими кусочками, удалив семена. Вымыть и мелко порезать салатные листья. • В миске смешать яйца, помидоры, зеленый салат, измельченный тунец и майонез. Посолить. • Разрезать хлеб пополам наискосок. Одну половинку намазать приготовленной смесью и прикрыть второй половинкой.

ツナ、卵、アスパラガス、マヨネーズのサンドイッチ

食パン（耳のないもの）8枚 • ホワイトアスパラガス　8本 • ツナ（オイル漬け）　250 g • ゆで卵　2個 • レタス　4枚 • 完熟トマト　2個 • マヨネーズ　大さじ4 • 塩

• ゆで卵の殻をむいておろす。•トマトを洗って種を取り、小さく切り分ける。レタスは洗って千切りにする。•ボールに卵、トマト、レタス、ほぐしたツナ、小さく切ったアスパラガス、マヨネーズを入れて混ぜる。塩で味を調える。•食パンを斜めに半分に切って三角形にし、片方に混ぜたものを塗ってもう片方で閉じる。

芦笋金枪鱼面包夹

8片去皮切片面包 • 8根白芦笋 • 250克橄榄油金枪鱼 • 2个煮鸡蛋 • 4片生菜叶 • 2个熟番茄 • 4调羹沙拉酱 • 盐

• 把鸡蛋去壳, 切碎。• 把番茄洗干净、去籽后且成小块。把生菜洗净, 切碎。• 把鸡蛋、番茄、生菜、捣碎的金枪鱼和芦笋粒一起倒入碗中, 用沙拉酱拌匀。加盐。• 把面包沿对角线切开, 把调好的酱涂在一片上面, 盖上另一片。

Mini de blanco y negro con alioli

Black Pudding and Sausage Rolls with Aïoli Sauce

4 bread rolls • 8 small sausages • 4 onion black puddings • 1 tbsp. lemon juice • 1 tbsp. warm water • 3 cloves garlic • 2 egg yolks • Olive oil • Salt • Pepper

• Crush the garlic cloves in a mortar with a pinch of salt and pepper. When they form a paste, add the egg yolks and five spoonfuls of olive oil drop by drop, keeping the mixture moving until it takes consistency. Stir and, once thoroughly mixed, add the lemon juice to form the aïoli sauce. • Fry the sausages with a little olive oil in a frying pan over a medium heat. Remove them and fry the black puddings in the same oil. • Slice open the bread rolls, spread them with the aïoli sauce and then add two sausages and a black pudding. Serve hot.

Mini noir et blanc à l'aïoli

4 petits pains • 8 petites saucisses • 4 boudins à l'oignon • 1 cuillerée à soupe de jus de citron • 1 cuillerée à soupe d'eau tiède • 3 gousses d'ail • 2 jaunes d'œufs • Huile d'olive • Sel • Poivre

• Broyer les gousses d'ail dans un mortier, en ajoutant une pincée de sel et de poivre, jusqu'à obtenir une pâte. Ajouter les jaunes d'œufs et verser goutte à goutte cinq cuillerées d'huile d'olive tout en remuant pour prendre de la consistance. Remuer et une fois le tout bien mélangé, ajouter le jus de citron pour obtenir l'aïoli. • Faire cuire les saucisses à feu moyen dans une poêle avec un peu d'huile d'olive. Les retirer. Puis faire cuire les boudins dans la même huile. • Ouvrir les petits pains, les badigeonner d'aïoli et disposer deux saucisses et un boudin. Servir chaud.

Schwarzweißes Brötchen mit Alioli

4 Brötchen • 8 kleine Würstchen • 4 spanische Zwiebelblutwürste • 1 EL Zitronensaft • 1 EL lauwarmes Wasser • 3 Knoblauchzehen • 2 Eigelb • Olivenöl • Salz • Pfeffer

• Die Knoblauchzehen mit einer Prise Salz und Pfeffer in einem Mörser zerstoßen. Sobald eine Paste entsteht, die Eigelbe hinzugeben und unter ständigem Rühren fünf EL Öl tropfenweise hinzugeben, damit die Mischung fest wird. Umrühren, und wenn alles gut gemischt ist, den Zitronensaft hinzufügen, um die Alioli-Sauce fertigzustellen. • Die Würstchen in einer Pfanne mit etwas Olivenöl bei mittlerer Hitze braten. • Herausnehmen und im gleichen Öl die Blutwürste braten. • Die Brötchen durchschneiden, mit Alioli-Sauce bestreichen und zwei Würstchen und eine Blutwurst darauf legen.Heiß servieren.

Черно-белые мини с соусом алиоли

4 маленьких хлебца • 8 маленьких сосисок • 4 кровяные колбасы с луком • 1 ст. ложка лимонного сока • 1 ст. ложка теплой воды • 3 зубчика чеснока • 2 желтка • Оливковое масло • Соль • Молотый перец

• В ступке потолочь чеснок вместе со щепоткой соли и черного перца. Когда получится пастообразная масса, добавить желтки и, продолжая толочь, вылить по каплям 5 ст. ложек масла. Перемешать и добавить лимонный сок и воду, перемешивать, пока не получится густой соус алиоли. • На среднем огне и в небольшом количестве масла обжарить сосиски. Вынуть. В том же самом масле обжарить кровяную колбасу. • Раскрыть хлебцы, намазать соусом алиоли и вложить по две сосиски и одной кровяной колбасе. Подавать горячим.

アリオリソースの白黒ミニサンド

• 小型パン　4個 • 小さめのソーセージ　8個 • 玉ねぎのモルシージャ（血入りソーセージ）4個 • レモン汁　大さじ1 • ぬるま湯　大さじ1 • にんにく　3かけ • 卵黄　2個 • オリーブオイル • 塩　• こしょう

• にんにく、塩こしょう少々を鉢に入れて突き潰す。ペースト状になったら卵黄を加え、混ぜる手を休めずに、大さじ５杯分のオリーブオイルを少しずつ加えていき、しっかりとしたクリーム状になるまで混ぜる。全体がよく混ざったらレモン汁と湯を入れて混ぜ、アリオリソースを作る。• フライパンを中火にかけてオリーブオイルを少しひき、ソーセージを焼く。取り出して、同じフライパンでモルシージャにも火を通す。• パンを半分に割ってアリオリソースを塗り、ソーセージ２個とモルシージャ１個を載せる。　温かいうちにいただく。

黑白腊肠蒜油面包夹

4个小面包 • 8根小的白腊肠 • 4块洋葱猪血腊肠 • 1调羹柠檬汁 • 1调羹开水 • 3瓣大蒜 • 2个蛋黄 • 橄榄油 • 盐 • 胡椒粉

• 在研钵中将蒜瓣捣碎, 加入少量盐和胡椒粉。当成粘稠状时加入蛋黄。之后逐滴加入五调羹橄榄油, 同时不停搅拌, 使其成为糊状。当他们混合均匀后, 加入柠檬汁和水调成蒜油。• 在锅置中火, 加少量油, 依此加热白腊肠和猪血腊肠。• 把面包切开, 涂上蒜油, 每个夹入2根腊肠和1块猪血肠。趁热食用。

Mini de brandada de bacalao con pimiento verde

Brandade and Green Pepper Rolls

4 bread rolls • 250 gr. cod • 3 green peppers • 150 ml. single cream • Virgin olive oil • Salt

• Put the cod in cold water for 12 hours, changing the water each 4 hours, each time drying the pieces of cod and then putting them in new, fresh water. Once this is done, cut the skin into thin strips with scissors, wash the cod, remove the bones and crumble. • Wash the peppers, julienne them, season and sauté over a high heat with a little oil until they start to brown. • Boil the cream in a saucepan over a low heat and add the cod. Once cooked, blend the fish and add a tablespoonful of olive oil to emulsify. • Slice the bread rolls down the middle and fill with a base layer of brandade and a slice of green pepper. Serve warm or hot.

Mini de brandade de morue au poivron vert

4 petits pains • 250 gr. de morue • 3 poivrons verts • 150 ml. de crème fraîche liquide • Huile d'olive vierge • Sel

• Laisser la morue dans de l'eau froide pendant 12 heures, en changeant l'eau toutes les trois heures et en égouttant à chaque fois les morceaux de morue. Une fois cette opération terminée, couper la morue en fines lamelles à l'aide de ciseaux, bien enlever les arêtes et émietter. • Nettoyer les poivrons, les couper en julienne, assaisonner et les faire sauter dans une poêle à feu vif avec un peu d'huile, jusqu'à ce qu'ils soient dorés. • Dans une casserole, faire bouillir la crème fraîche à feu doux et ajouter la morue. Une fois cuite, la passer au mixeur en ajoutant une cuillerée à soupe d'huile d'olive pour émulsionner. • Couper les petits pains en deux, puis mettre une couche de brandade et un morceau de poivron vert par-dessus. Servir tiède ou chaud.

Brötchen mit Kabeljaubrandade und grüner Paprika

4 Brötchen • 250 gr. Klippfisch • 3 grüne Paprika • 150 ml. flüssige Sahne • Natives Olivenöl • Salz

• Den Klippfisch 12 Stunden lang in kaltes Wasser legen. Dabei das Wasser alle drei Stunden (insgesamt 4 Mal) wechseln und die Fischstücke jedes Mal abtrocknen und wieder in frisches Wasser legen. Anschließend die Haut mit einer Schere in dünne Streifen schneiden, sorgfältig alle Gräten entfernen und den Fisch in kleine Stücke zerlegen. • Die Paprika waschen, in Feine Streifen schneiden, würzen und bei großer Hitze in etwas Öl anbräunen. • Die Sahne in einem Topf langsam zum Kochen bringen und den Fisch zugeben. Wenn er gar ist zerkleinern und zum Emulgieren einen EL Olivenöl hinzufügen. • Die Brötchen halbieren und mit einer Schicht Brandade und einem Stück Paprika füllen. Warm oder heiß servieren.

Мини из пюре трески с зеленым перцем

• 4 маленьких хлебца • 250 г трески • 3 зеленых перца • 150 мл жидких сливок • Оливковое масло • Соль

• Поместить треску в холодную воду на 12 часов, меняя воду 4 раза, каждый раз обсушив куски трески и заливая свежую воду. По прошествии этого времени разрезать куски трески с помощью ножниц, вынуть кости и отделить кожу, покрошить треску. • Почистить перцы, мелко порезать, посолить и обжарить до золотистого цвета на сильном огне и в небольшом количестве масла. • В небольшой кастрюльке вскипятить сливки на медленном огне и добавить крошку трески. Когда рыба готова, измельчить все в миксере и добавить ст. ложку оливкого масла, чтобы придать нужную консистенцию. • Разрезать хлебцы пополам и заполнить их пюре трески и выложить сверху зеленый перец. • Подавать теплым или горячим.

バカラオのブランダーダとピーマンのミニサンド

小型パン　4個 • バカラオ（塩蔵タラ）250 g • ピーマン（緑）3個 • 生クリーム　150 ml • バージンオリーブオイル • 塩

• バカラオを水につけて、3時間ごとに水を変えながら12時間かけて（計4回水を変える）塩抜きする。水を変えるたびにいったんバカラオの水気をとること。塩抜きが終わったら、料理バサミでまず細長く短冊状に切っていき、それから骨を抜き、細かくほぐす。• ピーマンは洗って千切りにし、塩を振って、少量の油を使って強火でこんがりとするまで炒める。• 鍋に生クリームを入れ弱火で沸騰させ、バカラオを入れる。火が十分に通ったら、ミキサーなどで魚の身が細かく粉砕されるようにし、オリーブオイル大さじ1を加えて乳状にする。• パンを半分に割って、先の手順で出来上がったバカラオのブランダーダと、ピーマンを詰める。 熱いうちでも少し冷めてからでもいただける。

鳕鱼青椒面包夹

4个小面包 • 250克鳕鱼 • 3个青椒 • 150毫升液体奶油 • 橄榄油 • 盐

• 将鳕鱼放在凉水中泡12个小时, 换四次水, 每次把鳕鱼块沥干后放入新的水中。然后取鱼肉, 切成鱼条。• 把青椒洗干净, 切碎, 加盐后用少量油在火上炒煎至变色。• 在小锅中放入奶油, 用小火加热至沸腾, 加入鳕鱼。至鱼肉熟后把鱼肉捣碎, 加入一调羹橄榄油, 使其成糊状。• 把小面包切开, 在中间夹入鳕鱼糊和青椒。趁热食用或稍凉食用

Mini de calamares

Squid Ring Rolls

4 bread rolls • 200 gr. squid • Batter flour • Salt • Oil

• Wash the squid and chop each one into slices ½cm thick. Season. • Roll them in batter flour and fry at 280ºC in lots of very hot olive oil. • Drain on kitchen towel. • Slice the bread rolls in half and fill with the squid rings. Serve hot.

Mini de calmars

4 petits pains • 200 gr. de calmars • Farine de poisson • Sel • Huile d'olive

• Nettoyer les calmars et les couper en rondelles d'un demi centimètre chacune. Assaisonner. • Les passer dans la farine de poisson et les faire frire à 280 °C avec beaucoup d'huile d'olive très chaude. Les égoutter sur du papier absorbant. • Couper les petits pains en deux et les farcir de calmars. Servir chaud.

Brötchen mit Kalmaren

4 Brötchen • 200 gr. Kalmare • Fischmehl • Salz • Öl

• Die Kalmare reinigen und in Scheiben mit einer Dicke von 0,5 cm schneiden. Würzen.

In Fischmehl wenden und bei 280 °C in reichlich sehr heißem Olivenöl braten. Auf Küchenpapier abtropfen lassen. • Die Brötchen halbieren und mit den Kalmaren füllen. Heiß servieren.

Мини с кальмарами

4 хлебца • 200 г кальмаров • Мука для рыбы • Соль • Масло

• Очистить кальмаров и порезать на кусочки в 0,5 см каждый. Посолить. • Обвалять каждый кусочек в муке для рыбы и обжарить в разогретом до 280ºC оливковом масле. Выложить на кухонную бумагу. • Разрезать хлебцы пополам и заполнить кальмарами. Подавать горячим.

イカリングミニサンド

小型パン　4個 • イカ　200 g • 小麦粉（魚フライ用）• 塩 • 油

• イカの下ごしらえをして、5ミリ幅の輪に切っていく。塩を振る。

• 小麦粉をはたいて、280度に熱したたっぷりの油で揚げる。キッチンペーパーで油をきる。• パンを半分に割って、イカリングをはさむ。　温かいうちにいただく。

鱿鱼面包夹

4个小面包 • 200克鱿鱼 • 鱼粉 • 盐 • 油

• 把鱿鱼洗干净, 且成半厘米宽的环状, 加盐。• 鱿鱼圈拍上鱼粉后在足量的橄榄油中用280º C 高温炸熟。放在吸油纸上沥油。• 把面包对半切开, 夹入鱿鱼。趁热食用。

Mini de Camembert gratinado

Camembert rolls

4 rolls • 4 big slices of Camembert • 8 small slices of tomato • Salt

• Cut open the rolls and place two small slices of tomato. Season. Place a slice of Camembert on each roll. • Close the rolls and heat in the oven during two minutes. Serve hot.

Mini de Camembert grillé

4 petit pains • 4 grands portions de Camembert • 8 petites rondelles de tomates • Sel

• Couper le pain par la moitié et disponer deux petites rondelles de tomate dans chaque petit pain. Saler. Disponer deux portions de Camembert par dessus. • Couvrir avec l'autre moitié du pain et le mettre au four environ deux minutes. Les servir chaud.

Mini mit Camembert

4 kleine Brötchen • 4 grosse Scheiben Camembert • 8 kleine Scheiben Tomate • Salz

• Das Brot in zwei Hälften schneiden und auf eine Hälfte zwei kleine Scheiben Tomate. Salzer. Und zwei Scheiben Camembert legen. • Mit der anderen Hälften zudecken und ein zwei Minuten in den Ofen schieben. Heiß servieren.

Мини из запеченого Камембера

4 маленьких хлебца • 4 больших ломтя сыра Камембер • 8 тонких кружочков помидора • Соль

• Разрезать хлебцы пополам и выложить на одну половинку по два кружочка помидор. Посолить. Выложить сыр Камембер. • Прикрыть второй половинкой хлебца и поместить в духовку на две минуты. Подавать горячим.

とろけるカマンベールのミニサンド

小型パン　4個 • カマンベールチーズ（大きめに切ったもの）4切れ • トマト（薄めの輪切りにしたもの）　8枚 • 塩

• パンを半分に切って、トマトの輪切り２枚を置き塩を振る。その上にカマンベールチーズを載せる。 • もう片方のパンを被せて2分オーブンに入れる。温かいうちにいただく。

法国奶酪面包夹

4块小烤面包 • 4大块法国卡门伯特奶酪 • 8薄片番茄 • 盐

• 把面包从中间切开, 将两片番茄放在其中半块面包上, 加盐, 然后放上奶酪。• 将另外半块面包盖在上面, 放入烤箱烤三分钟。趁热食用。

Mini de chapata con tortilla de jamón y queso

Ham and Cheese Omelette Rolls

4 ciabatta rolls • 4 eggs • 4 slices cooked ham • 4 slices cheese for melting • 2 ripe tomatoes • Salt

• Beat an egg, season and pour into a frying pan on a medium heat with a dash of oil. Place a slice of ham and cheese on top. Fold the omelette and leave to gain consistency. • Slice the bread roll and squeeze a tomato over one half, leaving the pulp and pips. Lightly season and sprinkle with a little olive oil. Put the hot omelette on top and cover with the other half of the ciabatta.

Mini d'omelette au jambon et au fromage

4 petites chapatas • 4 œufs • 4 tranches de jambon cuit • 4 tranches de fromage fondant • 2 tomates mûres • Sel

• Battre un œuf, l'assaisonner et le verser dans une poêle avec un filet d'huile d'olive à feu moyen. Poser une tranche de jambon et une autre de fromage par-dessus. Fermer l'omelette et lui donner sa forme. • Couper les chapatas en deux et frotter la moitié d'une tomate sur le pain en laissant la pulpe et les graines. Assaisonner légèrement et arroser d'un filet d'huile d'olive. Placer l'omelette chaude par-dessus et couvrir.

Ciabatta-Brötchen mit Schinken-Käse-Omelett

4 Ciabatta-Brötchen • 4 Eier • 4 Scheiben Kochschinken • 4 Scheiben Schmelzkäse • 2 reife Tomaten • Salz

• Ein Ei schlagen, würzen und in eine Pfanne mit einem Schuss Öl bei mittlerer Hitze geben. Eine Schinken- und eine Käsescheibe darauf legen. Das Omelett einschlagen und formen. • Die Brötchen halbieren und je eine Hälfte mit Tomate einreiben, sodass Fleisch und Kerne haften bleiben. Leicht würzen und mit etwas Olivenöl beträufeln. Das heiße Omelett darauf legen und mit der anderen Brötchenhälfte bedecken.

Мини с омлетом, ветчиной и сыром

4 маленьких хлебца • 4 яйца • 4 ломтика ветчины • 4 ломтика плавящегося сыра • 2 спелых помидора • Соль

• Взбить яйцо, посолить и вылить в сковороду с небольшим количеством масла. Выложить на одну половину ломтик ветчины и ломтик сыра. Закрыть второй половиной. Жарить на среднем огне. • Разрезать хлебцы пополам и намазать одну часть половиной помидора, оставляя на хлебе мякоть и семечки. Посолить и чуть полить оливковым маслом. Выложить сверху омлет, прикрыть второй половинкой хлебца.

ハムチーズオムレツのチャパタパンサンドイッチ

小型のチャパタパン　4個 • 卵　4個 • ハム　4枚 • スライスチーズ（溶けるタイプ）4枚 • 完熟トマト　2個 • 塩

• 卵を溶いて、塩を振り、油を少しひいた中火のフライパンに入れる。その上にハムとスライスチーズを載せ、卵で閉じて形を整えハムとチーズが中に入ったオムレツを作る。• パンを半分に割ってその片方に、半分に切ったトマトをこすりつける。その際実や種もつくようにする。軽く塩を振ってオリーブオイルをさっと垂らす。その上に温かいオムレツを載せてもう片方のパンで閉じる。

火腿奶酪蛋饼面包夹

4片硬皮面包 • 4个鸡蛋 • 4片熟火腿 • 4片奶酪片 • 2个熟番茄 • 盐

• 把一个鸡蛋打散, 加盐, 倒入放好油的过中用中火煎。放上一片火腿和一片奶酪。再用蛋液盖住。直到煎熟成形。• 把面包对半切开, 把番茄抹在一片上面，使沾上少许果肉和籽。加少许盐后倒一点橄榄油，把鸡蛋饼放在上面，把另外一半面包盖上。

Mini de chatka, jamón y lechuga

Chatka Crab, Ham and Lettuce Rolls

4 slices crustless bread • 75 gr. chatka crab • 40 gr. cooked ham • 2 lettuce leaves • 1 tbsp. mayonnaise

• Flake the chatka crab and tear the pre-washed lettuce leaves and cooked ham. Mix with the mayonnaise. • Lightly toast the bread and slice in half into two triangles. Spread the mixture on one triangle and top with the other.

Mini de crabe chatka, jambon et laitue

4 tranches de pain de mie sans croûte • 75 gr. de crabe chatka • 40 gr. de jambon cuit • 2 feuilles de laitue • 1 cuillerée à soupe de mayonnaise

• Émietter le crabe chatka, les feuilles de laitue préalablement lavées et le jambon cuit. Mélanger avec la mayonnaise. • Faire griller légèrement les tranches de pain de mie et les couper en diagonale. Badigeonner une tranche et la couvrir avec l'autre moitié.

Toast mit Kamtschatkakrabbe, Schinken und Blattsalat

4 Scheiben Toastbrot ohne Kruste • 75 gr. Kamtschatkakrabbe • 40 gr. Kochschinken • 2 Salatblätter • 1 EL Mayonnaise

• Das Krabbenfleisch, die gewaschenen Salatblätter und den Kochschinken zerkleinern. Mit der Mayonnaise vermischen. • Das Toastbrot leicht toasten und diagonal halbieren. Je ein Dreieck bestreichen und mit dem anderen Dreieck bedecken.

Мини из крабов, окорока и салата

4 кусочка хлеба для тостов без корочки • 75 г крабов • 40 г вареного окорока • 2 листа зеленого салата • 1 ст. ложка майонеза

• Измельчить крабов, салатные листья и окорок. Смешать с майонезом. • Слегка обжарить тосты и разрезать пополам наискосок. Намазать одну половинку приготовленной массой и прикрыть другой половинкой.

カニ、ハム、レタスのサンドイッチ

食パン（耳のないもの）4枚 • カニの身（タラバガニの水煮）75 g • ハム 40 g • レタス　2枚 • マヨネーズ　大さじ1

• カニの身をほぐし、洗ったレタス、ハムも細かく切ってマヨネーズですべてあえる。• 食パンを軽くトーストして、斜めに切って三角形にし、片方にあえ物を塗って、もう片方のパンを上に載せる。

生菜火腿蟹肉面包夹

4片去皮切片面包 • 75克蟹肉 • 40克熟火腿 • 2片生菜叶 • 1调羹沙拉酱

• 把蟹肉、洗净的生菜和火腿切碎。和沙拉酱一起拌匀。

• 把面包烤成吐司后沿对角线切开。把准备好的酱料涂在一片上面，盖上另外一片。

Mini de lomo, bacón y pimiento verde

Pork, bacon and green pepper rolls

4 rolls • 4 pork fillets • 4 thin rashers of bacon • 1 green pepper • Olive oil • Salt

• Season the bacon fillets and fry them in a little oil. • Season the pork fillets and fry them in a little oil. • Fry the green pepper, season a cut into four little pieces. • Cut open the rolls and place them with a rasher of bacon, a pork fillet and a piece of pepper. Serve immediaterly very hot.

Mini d'échine, bacon et poivron verd

4 petits pains • 4 tranches d'échine • 4 fines tranches de bacon • 1 poivron vert • Huile d'olive • Sel

• Assaisonner les tranches de bacon et les cuisiner dans une poêle avec un peu d'huile. • Assaisonner les tranches d'échine et les cuisiner dans une poêle avec un peu d'huile. • Frire le poivron vert, l'assaisonner et le couper dans quatre morceaux. • Ouvrir les petits pans et disponer a l'interieur une tranche de bacon, une tranche d'échine et un morceau de poivron. Les servir bien chaudes.

Mini mit lende, bacon und grüne Papikra

4 kleine Brötchen • 4 Lendenfilets • 4 feine Baconscheiben • 1 grüne Paprika • Olivenöl • Salz

• Die Baconscheiben salzen und in einer Pfanne mit etwas Öl garen. • Die Lendenfilets salzen und in einer Pfanne mit etwas Öl garen. • Die grüne Páprika braten, salzen un in vier Teile. • Brötchen aufschneiden und in jedes ein Bacon, ein Filet und ein Stück Paprika legen. Heiß servieren.

Мини с вырезкой, беконом и зеленым перцем

4 маленьких хлебца • 4 ломтика вырезки • 4 токних ломтика • бекона • 1 зеленый перец • Оливковое масло • Соль

• Посолить бекон и обжарить его в небольшом количестве масла. • Посолить вырезку и обжарить в небольшом количестве масла. • Пожарить зеленый перец, посолить и порезать на четыре части. • Разрезать хлебцы пополам и на одну половинку выложить ломтик бекона, ломтик вырезки и кусочек зеленого перца. Сложить хлебцы. Подавать горячим.

豚ロース、ベーコン、ピーマンのミニサンド

小型パン　4個 • 豚ロース　4枚 • ベーコン　4枚 • ピーマン（緑）　1個 • オリーブオイル • 塩

• ベーコンに適宜塩を振って油を少しひいたフライパンで焼く。• 豚ロースも同様にする。• ピーマンを焼いて塩を振り4つに切る。• パンを半分に切って、ベーコン、ロース肉、ピーマンを入れる。 熱々でいただく。

里脊培根青椒面包夹

4块小面包 • 4片里脊肉 • 3薄片培根 • 1个青椒 • 橄榄油 • 盐

• 把培根放在锅中加少许盐煎熟。• 把里脊放在锅中加少许盐煎熟。• 把青椒放在锅中加少许盐煎熟。• 把面包切开, 依次夹入一块培根、一片里脊和一块青椒。趁热食用。

Mini de pepito de ternera con gírgola a la plancha

Mini of steak and girgola rolls

4 rolls • 4 small veal steaks of 50 gr. • 4 girgolas • Olive oil • Salt • Pepper

• Season the veal steaks with salt and pepper and fry in a little hot olive oil. • Wash first the girgolas and do the same. Season. • Open the rolls and fill each one with a girgola and a veal steak. Close and serve hot immediately.

Petit sandwich de viande au girgola grillé

4 petit pains • 4 petit filets de veau de 50 gr. • 4 girgolas (pleurotus eryngii) • Huile d'olive • Sel • Poivre

• Assaissoner les filets de veau avec sel et poivre et les faire griller avec un peu d'huile très chaude. • Lavé préalablement les girgolas et griller également à l'huile. Saler et poivrer. • Ouvrir les petits pains et les farcir avec une girgola et un petit filet de veau, les fermer et les servir chauds.

Mini mit pepito Rinderfilet mit Pilzen aus der heißen Phanne

4 kleine Brötchen • 4 kleine schewere Rinderfilets • 4 Austernpilze • Olivenöl • Salz • Pfeffer

• Kleins Rinderfilets salzen und pfeffern und mit einem Schuss Olivenöl in der heißen Phanne braten. • Die zuvor gewaschenen Austernpilze ebenso in der heißen Phanne mit Olivenöl zubereiten. Salzen und pfeffern. • Brötchen aufscheiden und jades mit einem Pilz und einem Filet füllen, schließen und heiß servieren.

Мини с филе говядины и вешенками

4 маленьких хлебца • 4 филе говядины по 50 г каждое • 4 большие вешенки • Оливковое масло • Соль • Молотый перец

• Посолить и поперчить филе и обжарить в плоской сковороде в небольшом количестве очень горячего масла. • Хорошо промыть вешенки и обжарить их в плоской сковороде в оливковом масле. Посолить и поперчить. • Надрезать хлебцы и заполнить их вешенками и филе говядины. Закрыть и подавать горячими.

牛肉とシメジのミニサンド

小型パン　4個 ・ 牛肉 (50 gずつ切ったもの) 4枚 ・ シメジ (ヒラタケ　大きめのもの) 4個 ・ オリーブオイル ・ 塩 ・ こしょう

• 牛肉に塩こしょうして、熱した鉄板に油を少しひいて焼く。 • シメジを洗って同様に鉄板で焼く。塩こしょうする。 • パンを半分に割って。牛肉とシメジを詰めて閉じる。温かいうちにいただく。

平菇牛肉面包夹

4块小面包 • 4片小牛肉各50克 • 4大块平菇 • 橄榄油 • 盐 • 胡椒粉

• 牛肉加盐和胡椒粉稍腌, 铁板加热, 放上油, 再放上牛肉煎熟。 • 把平菇洗干净后也在铁板上加油煎熟, 加盐和胡椒粉。 • 把面包切开, 夹入一块平菇一片牛肉。趁热食用。

Mini de ternera con setas al gratén

Veal Rolls with Wild Mushrooms au Gratin

4 bread rolls • 4 thin veal fillets • 200 gr. mushrooms • 50 gr. grated cheese • 2 onions • 1 clove garlic • Salt • Olive oil

• Wash the mushrooms and julienne them. • Sauté the onion julienne over a low heat in a frying pan with a little oil until it browns and remove from the heat. • Brown the garlic in a frying pan over a high heat, add the mushrooms, season and remove when cooked. • Slice the bread rolls in half, add a layer of onion, a veal fillet, some mushrooms, sprinkle the grated cheese over the top and grill. Cover with the other half of bread and serve.

Mini de veau aux champignons gratinés

4 petits pains • 4 filets de veau • 200 gr. de champignons • 50 gr. de fromage râpé • 2 oignons • 1 gousse d'ail • Sel • Huile d'olive

• Laver les champignons et les couper en julienne. • Couper l'oignon en julienne et le faire revenir à feu doux dans une poêle avec un peu d'huile. Ôter du feu une fois doré. • Faire dorer l'ail dans une poêle à feu vif, ajouter les champignons et assaisonner. Une fois dorés, ôter du feu. • Couper le pain en deux, mettre une couche d'oignon, un filet de veau, quelques champignons, saupoudrer de fromage râpé et faire gratiner. Couvrir avec l'autre moitié du pain et servir.

Brötchen mit Kalbfleisch und Pilzen au gratin

4 Brötchen • 4 dünne Kalbsschnitzel • 200 gr. Pilze • 50 gr. geriebener Käse • 2 Zwiebeln • 1 Knoblauchzehe • Salz • Olivenöl

• Die Pilze waschen und in feine Streifen schneiden. • Die in feine Streifen geschnittenen Zwiebeln in einer Pfanne mit etwas Öl bei schwacher Hitze sautieren und vom Feuer nehmen, sobald sie angebräunt sind. • Den Knoblauch bei starker Hitze in einer Pfanne anbraten, die Pilze zugeben, würzen und vom Feuer nehmen, sobald sie gar sind. • Die Brötchen halbieren, eine Schicht Zwiebeln, ein Kalbsschnitzel und ein paar Pilze darauf legen, mit dem geriebenen Käse bestreuen und gratinieren. Mit der anderen Brötchenhälfte bedecken und servieren.

Мини из говядины и грибов

4 маленьких хлебца • 4 филе говядины • 200 г грибов • 50 г тертого сыра • 2 луковицы • 1 зубчика чеснока • Соль • Оливковое масло

• Вымыть грибы и мелко порезать. • В сковороде, на медленном огне и в небольшом количестве масла, обжарить мелко порезанный лук. Когда лук станет золотистым, снять с огня. • В другой сковороде обжарить на сильном огне чеснок, когда станет золотистым, добавить грибы. Жарить до готовности грибов. • Разрезать хлебцы пополам. Выложить на одну половинку лук, филе говядины, несколько грибов, посыпать тертым сыром и запечь. Накрыть второй половинкой хлебца и подавать.

牛肉と茸のとろーりミニサンド

小型パン　4個 • 牛肉（薄く切ったもの）4枚 • 茸　200 g • おろしたチーズ　50 g • 玉ねぎ　2個 • にんにく　1かけ • 塩 • オリーブオイル

• 茸を洗って千切りにする。•フライパンを弱火にかけて油を少しひき、薄く切った玉ねぎを炒めて、色づいたら火からおろす。•強火のフライパンでにんにくを炒め、茸を加えて塩を振る。•パンを半分に割って、玉ねぎを敷き、その上に牛肉、茸を置き、おろしたチーズをかけてオーブンで焼く。• もう片方のパンを上において供する。

奶酪蘑菇牛肉面包夹

4个小面包 • 4薄片牛肉 • 200克蘑菇 • 50克碎奶酪 • 2个洋葱 • 1瓣大蒜 • 盐 • 橄榄油

• 把蘑菇洗净切碎。• 在锅中倒少量油, 小火炒洋葱末。当变黄时捞出。• 大火把大蒜炝黄后倒入蘑菇, 加盐。烧熟后关火。• 把面包对半切开, 在面包上依次放上洋葱, 一片牛肉, 香菇, 再撒上奶酪屑后稍烤, 盖上另一半面包即可食用。

Mini de vegetal frío

Salad rolls

4 rolls • ½ lettuce • 4 slices tomato • 12 asparagus tips • 2 hard-boiled eggs • 50 gr. mayonnaise

• Open de rolls and spread them with mayonnaise. • Shell the eggs and cut in half. • Fill the rolls with tomato, lettuce, sliced hard-boiled egg and the asparagus tip cut lengthways into two. Close the rolls. Serve.

Mini végétal

4 petits pains • ½ laitue • 4 rondelles de tomate • 12 têtes d'asperges • 2 oeufs durs • 50 gr. de mayonnaise

• Ouvrir les petits pains et les beurrer avec la mayonnaise. • Écaler les oeufs et les couper en deux. • Fourrer les petits pains de tomate, de laitue, d'oeuf coupé en rondelles et des asperges coupées en deux par la longueur. Fermer les petits pains. Les servir.

Gemüsemini

4 kleine Brötchen • ½ grüner Salat • 4 Schieben Tomate • 12 Spargelspitzen • 2 hart gekochte Eier • 50 gr. Mayonnaise

• Brötchen aufscheiden und mit Mayonnaise bestreichen. • Die gekochten Eier schälen und halbieren. • Mit geschnittenem der Tomate, grüner Salat, in Scheiben geschnittenem Ei und den längs durchgeschnittenen Spargelspitzen belegen. Zuklappen. Servieren.

Мини вегетарианский

4 хлебца • ½ кочана зеленого салата • 4 ломтика помидора • 12 верхушек спаржи • 2 вареных яйца • 50 г майонеза

• Разрезать хлебцы и намазать их майонезом. • Очистить яйца и разрезать пополам. • Заполнить хлебцы кусочком помидора, салатными листьями, половинкой яйца, порезанного на кусочки, и верхушками спаржи, разрезанными в продольном направлении пополам. Закрыть хлебцы второй половинкой и подавать.

ベジタブルミニサンド

小型パン　4個 • レタス　半個 • トマトの輪切り　4枚 • アスパラガス（先端部分）12本 • ゆで卵　2個 • マヨネーズ　50 g

• パンを半分に切ってマヨネーズを塗る。　• ゆで卵をむいて半分に切る。
•パンの片方にトマト、レタス、ゆで卵を輪切りにしたもの、アスパラガスを縦に半分に切ったものを載せて、もう片方を被せる。

蔬菜面包夹

4个小面包 • 半个生菜 • 4片番茄 • 12根芦笋尖 • 2个煮鸡蛋 • 50克沙拉酱

• 将小面包切开, 涂上沙拉酱。• 把鸡蛋去壳, 对半切开。• 把鸡蛋切片、芦笋尖切成两半, 和番茄、生菜一起夹在面包里就可以食用了。

Mini vegetal con jamón y queso

Salad, Ham and Cheese Rolls

4 ciabatta rolls • 4 slices cooked ham • 4 slices cheese • 2 ripe tomatoes • 4 lettuce leaves • 1 tbsp. rose sauce • Salt

• Wash and slice the tomatoes. • Slice the bread in half and place two slices of tomato, a lettuce leaf, a little rose sauce, a slice of ham and a slice of cheese on top of one half. Cover with the other half of bread.

Mini de crudités, jambon et fromage

4 petites chapatas • 4 tranches de jambon cuit • 4 tranches de fromage • 2 tomates mûres • 4 feuilles de laitue • 1 cuillerée à soupe de sauce rose • Sel

• Laver les tomates et les couper en rondelles. • Couper les chapatas en deux. Disposer deux rondelles de tomate, une feuille de laitue, un peu de sauce rose, une tranche de jambon et une autre de fromage par-dessus. Couvrir avec l'autre moitié du pain.

Brötchen mit Salat, Schinken und Käse

4 Ciabatta-Brötchen • 4 Scheiben Kochschinken • 4 Scheiben Käse • 2 reife Tomaten • 4 Salatblätter • 1 EL Cocktailsauce • Salz

• Die Tomaten waschen und in Scheiben schneiden. • Die Brötchen halbieren und mit Tomatenscheiben, einem Salatblatt, etwas Cocktailsauce, einer Schinken- und einer Käsescheibe belegen. Mit der zweiten Brötchenhälfte bedecken.

Мини овощной с ветчиной и сыром

4 хлебца • ломтика ветчины • 4 ломтика сыра • 2 спелых помидора • 4 листа зеленого салата • 1 ст. ложка розового соуса • Соль

• Вымыть и порезать ломтиками помидоры. • Разрезать хлебцы пополам, выложить на одну часть ломтик помидора, лист зеленого салата, немного розового соуса, ломтик ветчины и ломтик сыра. Прикрыть оставшейся половиной хлебца.

ハムとチーズのベジタブルミニサンド

小型のチャパタパン　4個 • ハム　4枚 • スライスチーズ　4枚 • 完熟トマト　2個 • レタス　4枚 •ローズソース (マヨネーズにケチャップ、オレンジ、ブランデー等を加えたソース) 大さじ1 • 塩

• トマトを洗って輪切りにする。• パンを半分に割って、トマトの輪切り2枚、レタス1枚、ローズソースを少々、ハム1枚、スライスチーズ1枚を片方のパンに載せ、もう片方で閉じる。

火腿奶酪蔬菜面包夹

4片硬皮面包 • 4片熟火腿 • 4片奶酪 • 2个熟番茄 • 4片生菜叶 • 1调羹千岛沙拉酱 • 盐

• 把番茄洗干净后切片。• 把面包对半切开, 在一片上面放两片番茄、一片生菜叶、一点沙拉酱、一片火腿和一片奶酪。盖上另外一半面包。

TARTALETAS
Tartlets
Tartalettes
Törtchen
Волована
タルト
烙饼

Tartaleta de anchoas, huevo cocido y aceitunas negras

Anchovy, Boiled Egg and Black Olive Tartlet

12 savoury tartlets • 8 anchovies in olive oil • 16 black olives • 2 boiled eggs • 2 pickled gherkins • Olive oil

• Slice the anchovies thinly, removing the bones and draining the oil. Put to one side. • Finely dice the boiled eggs and pickled gherkins. Pit the olives and cut them into thin slices. • Pour the anchovies, gherkins, olives and boiled eggs into a bowl. Mix well and splash with a little olive oil. • Fill the tartlets with the mixture and decorate with a piece of black olive on top.

Tartelette d'anchois, œuf dur et olives noires

12 tartelettes salées • 8 anchois à l'huile d'olive • 16 olives noires • 2 œufs durs • 2 cornichons au vinaigre • Huile d'olive

• Hacher les anchois très finement en enlevant les arêtes et en égouttant l'huile. Réserver. • Hacher très finement les œufs durs et les cornichons au vinaigre. Dénoyauter les olives et les couper en lamelles très fines. • Mette les anchois, les cornichons, les olives et les œufs durs dans un bol. Bien mélanger et lier avec un peu d'huile d'olive. • Remplir les tartelettes avec la préparation et décorer en posant un peau d'olive noire par-dessus.

Törtchen mit Sardellen, gekochtem Ei und schwarzen Oliven

12 salzige Törtchen • 8 Sardellen in Olivenöl • 16 schwarze Oliven • 2 gekochte Eier • 2 Essiggurken • Olivenöl

• Die Sardellen entgräten, sehr klein schneiden und das Öl abtropfen lassen. Beiseite stellen. • Die hartgekochten Eier und die Essiggurken sehr fein hacken. Zwölf Oliven entsteinen und in sehr dünne Scheiben schneiden. • Sardellen, Essiggurken, Oliven und gekochte Eier in eine Schüssel geben. Gut mischen und mit einem Schuss Olivenöl binden. • Die Törtchen mit der Mischung füllen und mit 1/4 schwarzen Olive garnieren.

Волован с анчоусом, вареным яйцом и маслинами

12 соленых волованов • 8 анчоусов в оливковом масле • 16 черных маслины • 2 вареных яйца • 2 маринованных огурца • Оливковое масло

• Мелко порезать анчоусы и удалить кости. Отставить в сторону. • Мелко порезать вареные яйца и огурцы. Удалить косточки из маслин и порезать их на тонкие пластины. • В миску выложить анчоусы, огурцы, маслины и яйца. Все хорошо перемешать и полить небольшим количеством оливкового масла. • Заполнить волованы смесью и украсить сверху маслиной.

アンチョビとゆで卵、ブラックオリーブのタルト

タルト（塩味のもの）　12個 • オリーブオイル漬けのアンチョビ　8枚 • ブラックオリーブ　16個 • ゆで卵　2個 • 酢漬けのミニきゅうり　2本 • オリーブオイル

• アンチョビを細かく切る。骨があれば抜いて、油分をよくきる。• ゆで卵ときゅうりのピクルスを細かく刻む。12個のブラックオリーブは種をとって、薄い輪切りにする。• ボールにアンチョビときゅうり、オリーブ、ゆで卵を入れてよく混ぜる。オリーブオイルも少し加える。• タルトに詰めて、それぞれのタルトの上にブラックオリーブを飾る。

鳀鱼鸡蛋黑橄榄烙饼

12个咸烙饼 • 8片橄榄油鳀鱼 • 16颗黑橄榄 • 2个煮鸡蛋 • 2个醋腌小黄瓜 • 橄榄油

• 把鳀鱼去刺，再切碎，沥干油后备用。• 把鸡蛋和小黄瓜切碎。把12颗橄榄去核，切成薄片。• 把鳀鱼、黄瓜、橄榄和煮鸡蛋都倒在一个碗里，加少许橄榄油，搅拌均匀。• 把混合物放在烙饼上，上面再放上一颗黑橄榄做装饰。

Tartaleta de bacalao, pimiento verde y ali-oli

Cod, Green Pepper and Aïoli Sauce Tartlet

4 tartlets • 100 gr. cod • 1 green pepper • ½ onion • 2 tbsp. aïoli sauce • Olive oil

• Julienne the onion and green pepper. Fry in a frying pan over a medium heat with a little oil. When they start to brown add the desalted pre-crumbled cod and leave to cook. • Fill the tartlets with the cod, top with some aïoli sauce and grill in the oven at 180ºC. Serve hot.

Tartelette de morue au poivron vert et à l'aïoli

4 tartelettes • 100 gr. de morue • 1 poivron vert • ½ oignon • 2 cuillerées à soupe d'aïoli • Huile d'olive

• Couper l'oignon et le poivron vert en julienne. Les faire frire à feu moyen dans une poêle avec un peu d'huile. Une fois dorés, ajouter la morue dessalée et émiettée, puis laisser mijoter. • Garnir les tartelettes avec la morue. Mettre un peu d'aïoli par-dessus et faire gratiner au four à 180 °C. Servir chaud.

Törtchen mit Kabeljau, grüner Paprika und Alioli

4 Törtchen • 100 gr. Klippfisch • 1 grüne Paprika • ½ Zwiebel • 2 EL Alioli • Olivenöl

• Die Zwiebel und die grüne Paprika in feine Streifen schneiden. In einer Pfanne mit etwas Öl bei mittlerer Hitze anbraten. Wenn sie Farbe annehmen, den entsalzenen und zerlegten Kabeljau zugeben und garen lassen. • Die Törtchen mit dem Kabeljau füllen, mit etwas Alioli bedecken und im Backofen bei 180 °C gratinieren. Heiß servieren.

Волованы с треской, перцем и соусом алиоли

4 волована • 100 г трески • 1 зеленый перец • ½ луковицы • 2 ст. ложки соуса алиоли • Оливковое масло

• Мелко порезать лук и зеленый перец. Обжарить все на среднем огне и в небольшом количестве масла. Когда овощи поменяют цвет, добавить несоленую измельченную треску и оставить вариться. • Заполнить волованы смесью с треской, полить соусом алиоли и запечь в духовке при 180°C. Подавать горячим.

バカラオとピーマンのアリオリソースがけタルト

タルト　4個 • バカラオ（塩蔵タラ）100 g • ピーマン（緑）1個　• 玉ねぎ半個 • アリオリソース　大さじ2 • オリーブオイル

• 玉ねぎとピーマンを細切りにし、中火にかけたフライパンに油を少しひいて炒める。色よくなってきたら、あらかじめ塩抜きをしてほぐしておいたバカラオを加えて更に炒める。• タルトに詰めて、上からアリオリソースをかけ、180度のオーブンで表面を焼く。　温かいうちにいただく。

青椒鳕鱼烙饼

4个烙饼胚 • 100克鳕鱼 • 1个青椒 • 半个洋葱 • 2调羹蒜油 • 橄榄油

• 把洋葱和青椒切成粒。在锅中倒少量油, 中火炒至变色时加入去盐和切碎的鳕鱼一起烧。• 把鳕鱼盛到各个烙饼胚上, 浇上一点蒜油后放入烤箱用180°C稍烤。 趁热食用。

Tartaleta de txangurro

Spider crab tartlets

4 tartlets • 150 gr. of cooked spider crab meat • 1 leek • 1 onion • 1 carrot • 1 tbsp. of tomato sauce • 1 tsp. of brandy • Olive oil • Salt • Pepper

• Finely chop the vegetables. Fry the leek, onion and carrot and when they begin to brown, add the spider crab, stirring briefly. Season with salt and pepper, flambé with brandy and add the tomato sauce. Bring back to the boil, cook till done and remove from the heat. • Fill the tart cases with the spider crab and serve hot.

Tartalettes d'araignée de mer

4 tartelettes • 150 gr. de chair d'araignée de mer cuite • 1 poireau • 1 carotte • ½ courgette • ½ oignon • 1 cuillérée à soupe de sauce tomate • ½ cuillérée de café de brandy • Huile d'olive • Sel • Poivre

• Émincer les légumes. Dans une poêle avec un peu d'huile d'olive, sauter l'oignon, le poireau et la carotte. Quand ils commencent à dorer, ajouter l'araignée de mer, en remuant; saler et poivrer, la flamber avec le brandy et ajouter la sauce de tomate. Porter à ébullition, laisser jusqu'à ce qu'ils soient cuits et retirer du feu. • Fourrer les tartalettes avec l'araignée de mer et servir chaud.

Seespinnentörtchen

4 Törtchen • 150 gr. gekochtes Seespinnenfleisch • 1 Porreestange • 1 Möhre • ½ Zwiebel • 1 EL Tomatensauce • ½ TL Weinbrand • Olivenöl • Salz • Pfeffer

• Das Gemüse in Scheiben schneiden. Die Zwiebel, den Porree und die Möhre in einer Pfanne mit etwas Öl sautieren. Wenn sie Farbe annehmen, die Seespinne hinzufügen, salzen und pfeffern, mit dem Weinbrand flambieren und die Tomatensauce zugeben. Zum Kochen bringen, gar werden lassen und vom Feuer nehmen. • Die Törtchen mit der Seespinnenzubereitung füllen und heiß servieren.

Волован с морским крабом

4 волована • 150 г мяса вареного морского краба • 1 лук-поррей • 1 морковка • ½ луковицы • 1 ст. ложка томатного соуса • ½ коф. ложки брэнди • Оливковое масло • Соль • Молотый перец

• Порезать овощи пластинами. В сковороде и в небольшом количестве масла обжарить лук, лук-поррей и морковь. Когда овощи поменяют цвет, добавить мясо краба, перевернуть кусочки краба несколько раз. Посолить и поперчить, добавить брэнди и томатный соус. Довести все до кипения и когда будет готово, снять с огня. • Заполнить волованы смесью и подавать горячим.

カニのタルト

タルト　4個 • タラバガニの身（水煮缶）150 g • ポロねぎ　1本 • にんじん　1本 • 玉ねぎ　半個 • トマトソース　大さじ1 • ブランデー　小さじ½ • オリーブオイル • 塩 • こしょう

• 野菜を薄切りにする。フライパンに油を少しひいて、玉ねぎとポロねぎ、にんじんを炒める。色よくなってきたらカニの身を加えひっくり返しながら両面に火を通し、塩こしょうする。ブランデーでフランベし、トマトソースを加える。全体を煮立たせて、火からおろす。 • タルトに詰めて、温かいうちにいただく。

贝肉烙饼

4个烙饼 • 150克熟贝肉 • 1颗大葱 • 1个胡萝卜 • 半个洋葱 • 1调羹番茄酱 • 半小调羹白兰地 • 橄榄油 • 盐 • 胡椒粉

• 把蔬菜洗干净。在锅中放少许油, 放入洋葱、韭葱和胡萝卜。炒至变黄后, 加入贝肉, 拌炒几下后加盐、胡椒粉、白兰地和番茄酱。烧开后继续煮几分钟直到全熟后起锅。• 把菜放在烙饼上, 趁热吃。

Tartaleta de bonito, mejillones y espárrago verde

Bonito, Mussels and Green Asparagus Tartlet

12 thin savoury tartlets • 12 green asparagus tips • 1 slice smoked salmon • ½ kg. mussels • 250 gr. bonito belly • 1 hard-boiled egg • Olive oil • Salt

• Boil lots of water in a saucepan with salt and a pinch of bicarbonate of soda. When the water starts to boil add the asparagus. Boil on a medium heat for 2 minutes. Remove and put to one side. • Wash the mussels and steam open for 2 minutes. Remove, shell and finely chop. Put to one side. • Flake the bonito belly and mix with the mussels and finely-diced salmon. Add the finely-chopped boiled egg. Mix well, season and add a small dash of olive oil. • Fill the tartlets with the mixture and top with an asparagus tip.

Tartelette de bonite, moules et asperges vertes

12 tartelettes salées fines • 12 pointes d'asperges vertes • 1 tranche de saumon fumé • ½ kg. de moules • 250 gr. de ventrèche de bonite • 1 œuf dur • Huile d'olive • Sel

• Porter une casserole remplie d'eau salée et une pincée de bicarbonate à ébullition, et ajouter les asperges. Faire cuire à feu moyen pendant 2 minutes. Retirer et réserver. • Nettoyer les moules et les faire ouvrir à la vapeur pendant 2 minutes. Les retirer, décoquiller et hacher très finement. Réserver. • Émietter la ventrèche de bonite, ajouter les moules et le saumon coupé en petits dés et mélanger. Ajouter l'œuf dur haché très finement. Bien mélanger, assaisonner et ajouter un peu d'huile d'olive. • Remplir les tartelettes avec la préparation et déposer une pointe d'asperge par-dessus.

Törtchen mit Thunfisch, Miesmuscheln und grünem Spargel

12 dünne, salzige Törtchen • 12 grüne Spargelspitzen • 1 Scheibe Räucherlachs • ½ kg. Miesmuscheln • 250 gr. Thunfischbauchfleisch • 1 hartgekochtes Ei • Olivenöl • Salz

• Den Spargel in einen Topf mit reichlich kochendem Salzwasser und einer Prise Bikarbonat geben. Zwei Minuten lang bei mittlerer Hitze kochen lassen. Herausnehmen und beiseite stellen. • Die Miesmuscheln waschen und zwei Minuten lang in Wasserdampf geben, damit sie sich öffnen. Herausnehmen, schälen und fein hacken. Beiseite stellen. • Das Thunfischbauchfleisch zerlegen und mit den Miesmuscheln und dem in sehr kleine Würfel geschnittenen Lachs mischen. Das sehr fein gehackte gekochte Ei hinzufügen. Gut mischen, würzen und einen Schuss Olivenöl zugießen. • Die Törtchen mit der Masse füllen und eine Spargelspitze darauf legen.

Волован с тунцом, мидиями и зеленой спаржей

12 тонких соленых волована • 12 верхушек зеленой спаржи • 1 ломтик копченого лосося • ½ кг мидий • 250 г брюшка тунца • 1 вареное яйцо • Оливковое масло • Соль

• В ковшик залить достаточное количество воды, посолить и добавить щепотку соды. Довести до кипения и добавить верхушки спаржи. Варить на среднем огне в течение 2-х минут. Снять с огня и отставить в сторону. • Промыть мидии и подержать их на 2 минуты, чтобы раковины открылись. Вынуть мясо мидии и мелко порезать. Отставить в сторону. • Мелко порезать брюшко тунца и смешать с мидиями и лососем, порезанным на маленькие кубики. Добавить мелко порезанное вареное яйцо. Все хорошо смешать, добавить немного оливкового масла. • Заполнить волованы смесью и выложить сверху верхушку спаржи.

カツオ、ムール貝、グリーンアスパラガスのタルト

タルト（塩味で薄いもの）12 個 • グリーンアスパラガス（先端部分）12本 • スモークサーモン 1枚 • ムール貝 1/2 kg • カツオのベントレスカ（トロの部分 缶詰で売っている）250 g • ゆで卵 1個 • オリーブオイル • 塩

• 鍋に湯をたっぷり沸かし、塩と重曹少々を加え、沸騰したらアスパラガスを入れる。火を少しおとして2分間茹でる。• ムール貝をきれいにして、2分間蒸気で蒸して貝の口を開ける。貝殻から身を外して、細かく刻む。 • カツオのベントレスカをほぐして、ムール貝と、細かいさいの目に切ったサーモンと混ぜる。ゆで卵もみじん切りにしてこれに加える。よく混ぜて塩で味を調えてオリーブオイルをさっと垂らす。• タルトに詰めて、アスパラガスを上に置く。

金枪鱼淡菜芦笋烙饼

12个薄咸烙饼 • 12根青芦笋 • 1片熏鲑鱼 • 半公斤淡菜 • 250克金枪鱼肉 • 1个煮鸡蛋 • 橄榄油 • 盐

• 锅里放足够的盐水, 加少许小苏打, 当水开时放入芦笋。中火烫2分钟后捞出备用。• 把淡菜洗干净, 蒸两分钟使其把壳张开。去壳后切碎备用。• 把金枪鱼切碎后和淡菜、鲑鱼丁混合。加入切碎的鸡蛋。混合均匀, 加盐和少量橄榄油。• 把做成的鱼馅放在烙饼上, 再放上一根芦笋尖。

Tartaleta de champiñones, ajetes y jamón serrano

Mushroom, Green Garlic and Serrano Ham Tartlets

4 savoury tartlets • 4 cloves green garlic • 1 onion • 250 gr. mushrooms • 150 gr. Serrano ham • 1 tsp. chopped parsley • Olive oil • Salt

• Wash the mushrooms, removing the stalks. Dice finely. Put to one side. • Cut the Serrano ham into small cubes. Put to one side. • Sauté the finely-chopped green garlic and onion in a frying pan with a little oil. Leave to cook for 2 minutes. Add the mushrooms. Fry lightly and, when they start to brown, add the ham, stir well and leave to cook for two minutes. • Fill the tartlets with the mixture. Serve hot.

Tartelette aux champignons, à l'ail tendre et au jambon serrano

4 tartelettes salées • 4 ails tendres • 1 oignon • 250 gr. de champignons • 150 gr. de jambon serrano • 1 cuillerée à café de persil haché • Huile d'olive • Sel

• Nettoyer les champignons et couper les queues. Couper en tout petits dés. Réserver. • Couper le jambon serrano en petits dés. Réserver. • Dans une poêle avec un peu d'huile d'olive, faire sauter l'ail tendre et l'oignon finement émincés. Laisser mijoter pendant 2 minutes. Ajouter les champignons. Les faire revenir et une fois qu'ils commencent à dorer, ajouter le jambon, bien remuer et laisser cuire pendant 2 minutes. • Remplir les tartelettes avec la préparation. Servir chaud.

Törtchen mit Champignons, Ackerknoblauch und Iberischer Schinken

4 salzige Törtchen • 4 Ackerknoblauchstangen • 1 Zwiebel • 250 gr. Champignons • 150 gr. iberischer Schinken • 1 TL gehackte Petersilie • Olivenöl • Salz

• Die Champignons waschen und die Stiele abschneiden. In sehr kleine Würfel schneiden. Beiseite stellen. • Den Serranoschinken würfeln. Beiseite stellen. • Den Ackerknoblauch und die Zwiebel kleinschneiden und in einer Pfanne mit etwas Öl sautieren. Zwei Minuten lang dünsten lassen. Die Champignons dazugeben. Anbraten, bis sie Farbe annehmen, den Schinken hinzufügen, gut umrühren und zwei Minuten lang braten lassen. • Die Törtchen mit der Mischung füllen. Heiß servieren.

Волован с шампиньонами, молодым чесноком и ветчиной Серрано

4 соленых волована • 4 молодых чесночка • 1 луковица • 250 г шампиньонов • 150 г ветчины Серрано • 1 коф. ложка рубленной петрушки • Оливковое масло • Соль

• Помыть и почистить шампиньоны, удалить ножку. Порезать мелкими кусочками. Отставить в сторону. • Порезать ветчину Серрано квадратиками. Отставить в сторону. • В сковороде с небольшим количеством масла обжарить чеснок и мелко порезанный лук. Потушить их около 2-х минут. Добавить шампиньоны. Жарить до тех пор, пока они не поменяют цвет, добавить окорок, перемешать и потушить в течение 2-х минут. • Заполнить волованы подготовленной смесью. Подавать горячим.

マッシュルームとにんにくの芽、生ハムのタルト

タルト（塩味のもの）4個 • にんにくの芽　4本 • 玉ねぎ　1個 • マッシュルーム　250 g • ハモンセラーノ　150 g • パセリのみじん切り　大さじ1 • オリーブオイル • 塩

• マッシュルームの石突きをとってきれいにする。細かいさいの目に切る。 • 生ハムもさいの目に切る。•フライパンに油をひいてにんにくの芽、玉ねぎを炒める。2分間火を通してからマッシュルームを加える。色よく炒まってきたら生ハムを加え、よく混ぜて更に2分間加熱する。• タルトに詰める。温かいうちにいただく。

蘑菇嫩蒜火腿烙饼

4个咸烙饼 • 4粒嫩大蒜 • 1个洋葱 • 250克蘑菇 • 150克伊比利亚生火腿 • 1小调羹洋香菜 • 橄榄油 • 盐

• 把蘑菇洗干净，去蒂。切成小块备用。• 把火腿切成小块备用。• 在锅中放少许油，把大蒜和切碎的洋葱放入一起炒。两分钟后加入蘑菇一起炒，至开始变色时加入火腿，搅拌均匀，继续炒2分钟。• 把混合物放在烙饼上，趁热食用。

Tartaleta de champiñones, langostinos y queso manchego

Mushroom, King Prawn and Manchego Cheese Tartlet

4 tartlets • 4 king prawns • 50 gr. mushrooms • 75 gr. Manchego cheese • 75 ml. Txakolí wine • 75 ml. cream • 15 gr. butter • 1 clove of garlic • Virgin olive oil • Salt

• Wash the mushrooms and remove the stalks. Chop finely and put to one side. • Peel the king prawns and cut into small slices. Put to one side. • Sauté the mushrooms, seasoned to taste, and garlic in butter in a frying pan over a medium heat. When they start to brown add the Txakolí wine and bring to the boil. When the liquid has almost evaporated add the cream and, while stirring, the king prawns. Leave to boil for a couple of minutes. • Pour the filling into the tartlets, grate the Manchego Cheese on top and grill in the oven until the cheese turns crisp and golden. Serve hot.

Tartelette de champignons, crevettes et fromage Manchego

4 tartelettes • 4 grosses crevettes • 50 gr. de champignons • 75 gr. de fromage Manchego • 75 ml. de Chacolí • 75 ml. de crème au lait • 15 gr. de beurre • 1 gousse d'ail • Huile d'olive vierge • Sel

• Nettoyer les champignons et couper les queues. Hacher finement et réserver. • Décortiquer les crevettes et les couper en tout petits morceaux. Réserver. • Faire sauter les champignons assaisonnés et l'ail dans le beurre, dans une poêle à feu moyen. Une fois dorés, ajouter le Chacolí et porter à ébullition. Une fois le liquide quasiment évaporé, verser la crème au lait et ajouter les crevettes en remuant. Laisser mijoter quelques minutes. • Remplir les tartelettes avec la farce, râper le fromage Manchego par-dessus et les faire gratiner au four jusqu'à ce que le fromage soit bien doré et croustillant. Servir chaud.

Törtchen mit Champignons, Langustinen und Manchego

4 Törtchen • 4 Langustinen • 50 gr. Champignons • 75 gr. Manchego-Käse • 75 ml. Txakolí • 75 ml. Rahm • 15 gr. Butter • 1 Knoblauchzehe • Natives Olivenöl • Salz

• Die Champignons waschen und die Stiele abschneiden. Fein hacken und beiseite stellen. • Die Langustinen schälen und in sehr kleine Stücke schneiden. Beiseite stellen. • Die nach Geschmack gewürzten Champignons, den Knoblauch und die Butter in einer Pfanne bei mittlerer Hitze sautieren. Wenn sie angebräunt sind, den Txakolí (baskischer Wein) zugießen und zum Kochen bringen. Wenn die Flüssigkeit fast verdampft ist, den Rahm und danach unter ständigem Rühren die Langustinen zugeben. Zwei Minuten lang kochen lassen. • Die Füllung in die Törtchen geben, Manchego darüberreiben und im Backofen gratinieren, bis der Käse goldbraun und knusprig ist. Heiß servieren.

Волованы с шампиньонами, тигровыми креветками и ламанчским сыром

4 волована • 4 гигантских креветки • 50 г шампиньонов • 75 г ламанчского сыра • 75 мл вина Чаколи • 75 мл сливок • 15 г сливочного масла • 1 зубчик чеснока • Оливковое масло • Соль

• Промыть шампиньоны и удалить ножки. Мелко порезать и отставить в сторону. • Очистить креветки и мелко порезать. Отставить в сторону. • В сковороду выложить сливочное масло и поджарить шампиньоны и чеснок на среднем огне, посолив по вкусу. Когда они приобретут золотистый цвет, вылить сливки и, постоянно помешивая, добавить креветки. Поварить пару минут. • Заполнить волованы приготовленной смесью и посыпать сверху тертым ламанчским сыром. Запечь в духовке гриль до золотистой, хрустящей корочки. • Подавать горячим.

マッシュルームとエビ、マンチェゴチーズのタルト

タルト　4個 • 車エビ　4尾 • マッシュルーム　50 g • マンチェゴチーズ　75 g • チャコリワイン　75 ml • 生クリーム　75 ml • バター　15 g • にんにく　1かけ • バージンオリーブオイル • 塩

• マッシュルームの石突きをとってきれいにし、みじん切りにする。• エビの殻をむいて小さく切る。• フライパンを中火にかけ、マッシュルームとにんにくを塩を適当に振りながらバターで炒める。焼き色がついてきたらチャコリを入れて煮立たせる。水分がほとんどなくなったら生クリームを加え、かき混ぜながらエビも加える。2分ほどそのまま煮る。• タルトに詰めて、マンチェゴチーズをおろして上からかけ、オーブンに入れて、チーズに焦げ目がつきカリッとするまで焼く。 温かいうちにいただく。

蘑菇虾奶酪烙饼

4个烙饼 • 4只对虾 • 50克蘑菇 • 75克曼查勾奶酪 • 75毫升酸葡萄汽酒 • 75毫升奶油 • 15克黄油 • 1瓣大蒜 • 橄榄油 • 盐

• 把蘑菇洗干净, 去蒂。切碎备用。• 把对虾去壳, 切粒备用。• 锅里放油, 用中火炒蘑菇, 根据口味加盐、蒜和黄油。当变色后加入葡萄汽酒, 烧开。当收汁后加入奶油和虾, 继续翻炒几分钟。• 把准备好的材料放在烙饼上, 上面撒上奶酪粉, 放入烤箱烤至奶酪变色, 发出咯 吱声即可。 趁热食用。

Tartaleta de ensaladilla rusa

Russian Salad Tartlet

4 tartlets • Russian salad • 2 cherry tomatoes • ½ carrot

• Prepare the salad according to the recipe for Russian salad. (>295)• Fill the tartlets with the salad and garnish with half a cherry tomato and a little grated carrot.

Tartelette de salade russe

4 tartelettes • Salade russe • 2 tomates cerises • ½ carotte

• Préparer la salade russe comme indiqué dans la recette *Salade russe*. (>296) • Garnir les tartelettes avec la salade russe. Mettre une demi tomate cerise et un peu de carotte râpée par-dessus.

Törtchen mit Kartoffelsalat

4 Törtchen • Kartoffelsalat • 2 Cherrytomaten • ½ Möhre

• Den Kartoffelsalat nach dem Rezept *Tellerchen mit Kartoffelsalat* zubereiten. (>296) • Die Törtchen mit dem Kartoffelsalat füllen und mit einer halben Cherrytomate und geriebener Möhre bedecken.

Волован с русским салатом

4 волована • Русский салат • 2 помидора черри • ½ морковки

• Приготовить салат по рецепту Тарелочка с русским салатом. (>296) • Заполнить волованы салатом, выложить сверку половинку помидора черри и немного тертой моркови.

ロシア風サラダのタルト

タルト　4個 • ロシア風サラダ • チェリートマト　2個 • にんじん　½ 本

•「ロシア風サラダ(Platillo de ensaladilla rusa) (>296)」のレシピの項に従ってロシア風サラダを作る。• タルトに詰めて、上にチェリートマトを半分に切ったものと、おろしたにんじんを少々飾る。

俄式沙拉烙饼

4个烙饼胚 • 俄式沙拉 • 2个樱桃番茄 • 半根胡萝卜

• 根据前面俄式沙拉的做法制作沙拉。(>296) • 把沙拉分配到各个烙饼胚上，摆上半个小番茄和一点胡萝卜丝。

Galleta crujiente de verduras con foie caramelizado

Crunchy Vegetable Biscuit with Caramelised Foie Gras

4 pre-prepared sheets of shortcrust pastry • 400 gr. foie grasv1 aubergine • 1 green pepper • 1 cardoon • 4 white asparagus tips • 1 onion • 300 gr. brown sugar • Olive oil • Salt • Coarse salt

• Peel the cardoon, onion and aubergine and wash and de-seed the green pepper. • Sauté the finely-chopped lightly-seasoned vegetables in a frying pan with hot oil. Put to one side. • Caramelise the foie gras with the brown sugar. Melt with a cook's blowtorch. • Place the vegetables on top of the pastry cut-outs, adding an asparagus tip and the caramelised foie gras. Oven-bake the pastry for 5 minutes at 180ºC. Season the foie gras before serving with a pinch of coarse salt. Serve hot.

Galette croustillante de légumes au foie gras caramélisé

4 pâtes feuilletées cuites et étalées • 400 gr. de foie gras • 1 aubergine • 1 poivron vert • 1 cardon • 4 pointes d'asperges blanches • 1 oignon • 300 gr. de sucre roux • Huile d'olive • Sel • Gros sel

• Éplucher le cardon, l'oignon, l'aubergine, puis nettoyer et épépiner le poivron vert. • Pocher les légumes hachés finement dans une poêle avec de l'huile chaude et assaisonner légèrement. Réserver. • Caraméliser le foie gras avec de la cassonade. La faire fondre à l'aide d'un chalumeau. • Disposer les légumes sur chaque pâte feuilletée, en posant une pointe d'asperge et le foie caramélisé par-dessus. Mettre les pâtes feuilletées au four pendant 5 minutes à 180 ºC. Avant de servir, assaisonner le foie avec une pincée de gros sel. Servir chaud.

Knusprige Gemüsepastete mit karamellisierter Foie gras

4 vorgebackene, gepresste Blätterteigpasteten • 400 gr. Foie gras • 1 Aubergine • 1 grüne Paprika • 1 Karde • 4 weiße Spargelspitzen • 1 Zwiebel • 300 gr. brauner Zucker • Olivenöl • Salz • Grobes Salz

• Die Karde, die Zwiebel und die Aubergine schälen und die grüne Paprika waschen und entkernen. • Das fein gehackte und leicht gewürzte Gemüse in einer Pfanne mit heißem Öl anbraten. Beiseite stellen. • Die Foie gras mit dem braunen Zucker mit einem Brenner karamellisieren. • Das Gemüse in die Pasteten füllen und eine Spargelspitze und die karamellisierte Foie gras darauf legen. Die Pasteten 5 Minuten lang bei 180 ºC backen. Die Foie gras vor dem Servieren mit einer Prise grobem Salz würzen. Heiß servieren.

Хрустящее печенье из овощей и карамелезированного фуа гра

4 слойки • 400 г фуа гра • 1 баклажан • 1 зеленый перец • 1 кардон (испанкий артишок) • 4 верхушки белой спаржи • 1 луковица • 300 г коричневого сахара • Оливковое масло • Соль • Крупная соль

• Очистить кардон, лук и баклажан. Очистить зеленый перец и удалить семечки. • В сковороде в горячем масле обжарить мелко порезанные овощи, слегка посолить. Отставить в сторону. • Карамелизировать фуа гра при помощи коричневого сахара. Растопить с помощью кухонного газового обжигателя. • Выложить овощи поверх каждой слойки. Сверху выложить верхушку спаржи и карамелизированное фуа гра. Запечь в духовке при 180ºC в течение 5-и минут. Перед тем как подавать, слегка посолить фуа гра крупной солью. Подавать горячим.

フォアグラのカラメリーゼと野菜のサクサクパイ

パイ生地（市販のもの）4枚 • フォアグラ　400 g • 茄子　1個 • ピーマン（緑）　1個 • カルドン　1個 • ホワイトアスパラガス（先端部分）4本 • 玉ねぎ　1個 • 黒砂糖　300 g • オリーブオイル • 塩 • 大粒の塩

• カルドン、玉ねぎ、茄子の皮をむき、ピーマンは洗って種をとる。• フライパンに油を熱し、細かく切った野菜を炒め、軽く塩を振る。• バーナーを用い、黒砂糖でフォアグラをカラメリーゼ（飴がけ）する。• パイ生地に野菜の炒め合わせを載せ、アスパラガスとフォアグラのカラメリーゼをその上に置く。180度のオーブンで5分間焼く。食べる直前に大粒塩を一つまみフォアグラの上に散らす。　温かいうちにいただく。

蔬菜鹅肝酱脆饼

4张脆饼 • 400克鹅肝酱 • 1个茄子 • 1个青椒 • 1个刺菜蓟 • 4根芦笋尖 • 1个洋葱 • 300克红糖 • 橄榄油 • 盐 • 粗盐

• 把刺菜蓟、洋葱和茄子削皮，把青椒洗干净去籽。蔬菜都切碎。• 热锅加油，放入蔬菜，加少量盐，炒熟备用。• 把红糖加热融化，与鹅肝酱搅拌均匀。• 把蔬菜放在脆饼上，再放上芦笋尖和甜鹅肝酱。把脆饼于180° C 烤箱中烤5分钟。取出后撒上粗盐。 趁热食用。

Tartaleta de setas con jamón ibérico

Mushroom and Iberian Ham Tartlet

4 tartlets • 100 gr. seasonal mushrooms • 50 gr. Iberian ham, finely diced • ½ clove of garlic, chopped • 1 tsp. chopped parsley • Virgin olive oil • Salt

• Wash the mushrooms, slice and season. • Sauté over a high heat in a frying pan with plenty of olive oil for a few minutes until they start to brown. Put to one side. • Fry the garlic and ham in a frying pan on a medium heat and, when they start to brown, add the mushrooms, mix well and add salt. • Fill the tartlets with the seasonal mushrooms and ham. Serve at once, sprinkling with chopped parsley.

Tartelette de champignons au jambon ibérique

4 tartelettes • 100 gr. de champignons de saison • 50 gr. de jambon ibérique coupé en petits dés • ½ gousse d'ail émincée • 1 cuillerée à café de persil haché • Huile d'olive vierge • Sel

• Nettoyer les champignons, les couper en lamelles et assaisonner. • Dans une poêle avec beaucoup d'huile d'olive très chaude, faire sauter les champignons à feu vif, jusqu'à ce qu'ils soient dorés. Réserver. • Faire revenir l'ail et le jambon dans une poêle à feu moyen jusqu'à ce qu'ils soient dorés. Puis ajouter les champignons, bien mélanger et saler si nécessaire. • Remplir les tartelettes avec les champignons de saison et le jambon. Servir immédiatement, en saupoudrant de persil haché.

Törtchen mit Pilzen und iberischem Schinken

4 Törtchen • 100 gr. Pilze der Saison • 50 gr. gewürfelter iberischer Schinken • ½ gehackte Knoblauchzehe • 1 TL gehackte Petersilie • Natives Olivenöl • Salz

• Die Pilze waschen, in Scheiben schneiden und würzen. • Die Pilze einige Minuten lang in einer Pfanne mit reichlich Olivenöl bei großer Hitze sautieren, bis sie Farbe annehmen. Beiseite stellen. • Knoblauch und Schinken bei mittlerer Hitze in einer Pfanne anbraten, und sobald sie Farbe annehmen, die Pilze dazugeben, gut mischen und mit Salz abschmecken. • Die Törtchen mit den Pilzen der Saison und dem Schinken füllen. Sofort die gehackte Petersilie darüberstreuen und servieren.

Волован с грибами и ветчиной Иберико

4 волована • 100 г грибов • 50 г ветчины Иберико, порезанной маленькими кубиками • ½ зубчика чеснока, мелко порезать • 1 коф. ложка мелко порубленной петрушки • Оливковое масло • Соль

• Вымыть грибы, порезать на пластины и посолить. • На сильном огне и в большом количестве масла поджаривать грибы в течение нескольких минут, до тех пор пока они не начнут золотиться. Отставить в сторону. • В сковороде обжарить чеснок и ветчину Иберико на среднем огне, когда они поменяют цвет, добавить грибы, перемешать и проверить количество соли. • Заполнить волованы приготовленной смесью. Посыпать петрушкой и немедленно подавать.

茸とハモンイベリコのタルト

タルト　4個 • 季節の茸　100 g • ハモンイベリコ（さいの目切り）50 g • にんにくのみじん切り　半かけ分 • パセリのみじん切り　小さじ1 • バージンオリーブオイル • 塩

• 茸をきれいにして薄切りにする。塩を振る。• フライパンを強火にかけてオリーブオイルを多めにひいて熱し茸に焼き色がつくまで炒める。• にんにくと生ハムを中火にかけたフライパンで炒め、色づいてきたら茸を加え、よく混ぜて塩で味を調える。• タルトに詰め、パセリのみじん切りを上から散らして出来立てをいただく。

蘑菇火腿烙饼

4个烙饼 • 100克西班牙蘑菇 • 50克生火腿丁 • 半瓣大蒜末 • 1小调羹洋香菜末 • 橄榄油 • 盐

• 把蘑菇洗干净, 切成片, 加盐。• 往热锅里放足量的橄榄油, 再放蘑菇炒几分钟, 至稍变色后备用。• 中火炒大蒜末和火腿, 当开始变色时加入蘑菇, 搅拌均匀后加盐。• 把炒好的蘑菇和火腿放在烙饼上, 撒上洋香菜末后热食。

Tartaleta de roquefort y champiñones al horno

Oven-Baked Mushroom and Roquefort Tartlet

4 tartlets • 150 gr. Roquefort cheese • 250 gr. mushrooms • 50 gr. butter • 1 tbsp. single cream • ½ lemon • Salt • Pepper

• Wash the mushrooms, removing the stalks, slice, season and sprinkle with lemon juice. Sauté over a low heat with the butter. • Fill the tartlets with a little cheese mixed with the cream, cover with the mushrooms and grill in the oven. Serve hot.

Tartelette gratinée au roquefort et aux champignons

4 tartelettes • 150 gr. de roquefort • 250 gr. de champignons • 50 gr. de beurre • 1 cuillerée à soupe de crème fraîche liquide • ½ citron • Sel • Poivre

• Laver les champignons, enlever les pieds, les couper en lamelles, assaisonner et arroser de jus de citron. • Les faire sauter à feu doux avec le beurre. Servir chaud.

Törtchen mit Roquefort und Champignons aus dem Ofen

4 Törtchen • 150 gr. Roquefort • 250 gr. Champignons • 50 gr. Butter • 1 EL Sahne • ½ Zitrone • Salz • Pfeffer

• Die Champignons putzen, entstielen, in Scheiben schneiden und mit Zitronensaft beträufeln. In Butter bei schwacher Hitze sautieren. • Den Käse mit der Sahne vermischen, die Törtchen damit füllen, mit Champignons bedecken und im Backofen gratinieren. Heiß servieren.

Волован с сыром Рокфор и шампиньонами

4 волована • 150 г сыра Рокфор • 250 г шампиньонов • 50 г сливочного масла • 1 ст. ложка жидких сливок • ½ лимона • Соль • Молотый перец

• Вымыть шампиньоны, удалить ножку и порезать ломтиками, посолить и поперчить, полить лимонным соком. Обжарить на медленном огне в сливочном масле. • Заполнить волованы небольшим количеством сыра, смешанного со сливками, выложить шампиньоны и запечь в духовке. Подавать горячим.

ロックフォールチーズとマッシュルームのタルト

タルト　4個 • ロックフォールチーズ　150 g • マッシュルーム　250 g • バター　50 g • 生クリーム　大さじ1 • レモン　半個 • 塩 • こしょう

•マッシュルームは石突きをとって薄切りにし、塩こしょうしてレモン汁を振る。バターで弱火で炒める。 •ロックフォールチーズと生クリームを混ぜたものをタルトに詰め、上からマッシュルームで覆い、オーブンで表面を焼く。温かいうちにいただく。

蓝奶酪蘑菇烙饼

4个烙饼胚 • 150克法国罗克福特蓝奶酪 • 250克蘑菇 • 50克黄油 • 1调羹液体奶油 • 半个柠檬 • 盐 • 胡椒

• 把蘑菇洗干净, 去蒂, 切薄片, 加盐和胡椒, 滴上柠檬汁。和黄油一起小火炒。• 在烙饼胚上放少许奶酪和奶油, 盛上蘑菇后一起放入烤箱烤。 趁热食用。

Tartaleta de gambas

Shrimp Tartlet

4 tartlets • 50 gr. small shrimps • 5 tbsp. mayonnaise • 3 tbsp. ketchup • Perrins sauce

• Peel the raw shrimps and mix in a bowl with the mayonnaise, ketchup and a dash of Perrins sauce. • Fill the tartlets with the mixture and bake in the oven at a high temperature for 10 minutes or until browned. Serve hot.

Tartelette aux crevettes

4 tartelettes • 50 gr. de petites crevettes • 5 cuillerées à soupe de mayonnaise • 3 cuillerées à soupe de ketchup • Sauce Perrins

• Décortiquer les crevettes crues et les mélanger dans un bol avec la mayonnaise, le ketchup et un filet de sauce Perrins. • Garnir les tartelettes avec la préparation et les mettre au four à haute température pendant 10 minutes ou jusqu'à ce qu'elles soient dorées. Servir chaud.

Garnelentörtchen

4 Törtchen • 50 gr. kleine Garnelen • 5 EL Mayonnaise • 3 EL Ketchup • Worcestersauce

• Die rohen Garnelen schälen und in einer Schüssel mit der Mayonnaise, dem Ketchup und einem Schuss Worcestersauce mischen. • Die Törtchen mit der Mischung füllen und im Backofen bei starker Hitze zehn Minuten lang (oder bis sie anbräunen) backen. Heiß servieren.

Волован с креветками

4 волована • 50 г мелких креветок • 5 ст. ложек майонеза • 3 ст. ложки кетчупа • Ворчестерский соус

• Очистить сырые креветки и смешать с майонезом, кетчупом и несколькими каплями Ворчестерского соуса. • Заполнить волованы приготовленной смесью и запекать в духовке при высокой температуре в течение 10-и минут, до золотистого цвета. Подавать горячим.

エビのタルト

タルト　4個 • 小エビ　50 g • マヨネーズ　大さじ5 • ケチャップ　大さじ3 • リーペリンソース

• 生のエビの殻をむいて、ボールでマヨネーズ、ケチャップ、リーペリンソース少々と混ぜる。• タルトに詰めて、強火のオーブンで10分間、こんがりするまで焼く。 温かいうちにいただく。

虾仁烙饼

4个烙饼胚 • 50克虾 • 5调羹沙拉酱 • 3调羹番茄酱 • 伯林辣酱

• 虾去壳后置碗中, 加沙拉酱、番茄酱和一点伯林辣酱拌匀。• 把混合物盛到各个烙饼胚上, 烤10分钟, 到色焦黄。趁热食用。

Tartaleta de salmón con aguacate de eneldo

Salmon Tartlet with Avocado and Dill

4 tartlets • 350 gr. fresh salmon • 2 avocados • 2 small gherkins • 1 ripe tomato • 1 onion • 1 tbsp. capers • 1 boiled egg • 2 tbsp. lemon juice • 1 tbsp. soy sauce • 1 tsp. dill • Salt • Virgin olive oil

• Mix the salmon sliced into small pieces in a bowl with ½ chopped onion, the capers, the boiled egg grated, the finely-sliced gherkins, a spoonful of lemon juice and soy sauce. Season and add a dash of oil. Marinate in the fridge for 3 hours. • Peel the avocados, remove the stone, mash the flesh and mix with the finely-chopped and de-seeded tomato, ½ very finely-chopped onion and 1 spoonful of lemon juice. Fill the base of the tartlet with the mashed avocado mixture and then the salmon that we have marinated. • Sprinkle a little dill over the top.

Tartelette de saumon et d'avocat à l'aneth

4 tartelettes • 350 gr. de saumon frais • 2 avocats • 2 petits cornichons • 1 tomate mûre • 1 oignon • 1 cuillerée à soupe de câpres • 1 œuf dur • 2 cuillerées à soupe de jus de citron • 1 cuillerée à soupe de sauce soja • 1 cuillerée à café d'aneth • Sel • Huile d'olive vierge

• Dans un bol, mélanger le saumon finement coupé, ½ oignon haché, les câpres, l'œuf râpé, les cornichons coupés en fines rondelles, une cuillerée de jus de citron et la sauce soja. Assaisonner et arroser d'un peu d'huile. Laisser macérer au réfrigérateur pendant 3 heures. • Peler les avocats, enlever le noyau, les écraser et mélanger avec la tomate finement hachée et égrainée, le ½ oignon finement émincé et une cuillerée de jus de citron. • Garnir la base de la tartelette avec la crème d'avocat et mettre le saumon macéré par-dessus. Saupoudrer d'un peu d'aneth.

Törtchen mit Lachs und Avocado an Dill

4 Törtchen • 350 gr. frischer Lachs • 2 Avocados • 2 kleine Gewürzgurken • 1 reife Totmate • 1 Zwiebel • 1 EL Kapern • 1 gekochtes Ei • 2 EL Zitronensaf • 1 EL Sojasauce • 1 TL Dill • Salz • Natives Olivenöl

• Den in kleine Stücke geschnittenen Lachs, eine halbe gehackte Zwiebel, die Kapern, das geriebene Ei, die in Scheiben geschnittenen Gewürzgurken, einen Löffel Zitronensaft und die Sojasauce in einer Schüssel mischen. Würzen und mit etwas Öl beträufeln. Drei Stunden lang im Kühlschrank ziehen lassen. • Die Avocados schälen, entsteinen, zerquetschen und mit der fein gehackten, entkernten Tomate, einer halben sehr fein gehackten Zwiebel und einem Löffel Zitronensaft vermischen. • Die Törtchen mit der Avocadocreme füllen und den marinierten Lachs darauf legen. Mit etwas Dill bestreuen.

Волованы из лосося и авокадо с укропом

4 волована • 350 г свежего лосося • 2 авокадо • 2 маленьких соленых огурчика • 1 спелый помидор • 1 луковица • 1 ст. ложка каперсов • 1 вареное яйцо • 2 ст. ложки лимонного сока • 1 ст. ложка соевого соуса • 1 коф. ложка укропа • Соль • Оливковое масло

• В миске смешать лосось, порезанный маленькими кусочками, мелко порезанный лук, каперсы, тертое яйцо, огурцы, порезанные кружочками, одну ложку лимонного сока и соевый соус. Посолить и полить небольшим количеством масла. Оставить в холодильнике на 3 часа. • Очистить авокадо, вынуть кость, смешать мякоть авокадо с мелко порезанными помидорами без семечек, мелко порезанным луком и одной ложкой лимонного сока. • Выложить на дно волована смесь с авокадо и сверху выложить смесь с лососем. Посыпать укропом.

サーモンとアボガドのタルト

タルト　4個 • 生サケ　350 g • アボガド　2個 • ミニきゅうりのピクルス　2本 • 完熟トマト　1個 • 玉ねぎ　1個 • ケーパー　大さじ1 • ゆで卵　1個 • レモン汁　大さじ2 • しょうゆ　大さじ1 • ディル　小さじ1 • 塩 • バージンオリーブオイル

• ボールで、小さく切ったサーモン、みじん切りの玉ねぎ半個分、ケーパー、おろしたゆで卵、ミニきゅうりを薄切りにしたもの、レモン汁大さじ1、しょうゆを混ぜる。塩を振ってオリーブオイルを少々入れる。冷蔵庫に3時間置く。 • アボガドの皮をむいて種をとり、つぶして、種をとってみじん切りにしたトマトと、みじん切りにした玉ねぎ半個分、レモン汁大さじ1とあわせる。• タルトに、まずアボガドの混ぜ合わせのほうを入れ、それからサーモンを入れる。上からディルを少し散らす。

鳄梨鲑鱼烙饼

4个烙饼胚 • 350克鲜鲑鱼 • 2个鳄梨 • 2个腌小黄瓜 • 1个熟番茄 • 1个洋葱 • 1调羹刺山柑 • 1个煮鸡蛋 • 2调羹柠檬汁 • 1调羹酱油 • 1调羹莳萝 • 盐 • 橄榄油

• 把鲑鱼切成小块, 和半个洋葱末、刺山柑、鸡蛋碎、小黄瓜、柠檬汁及酱油一起倒入一个大碗里, 加盐和少许油搅匀。置冰箱里3个小时。• 鳄梨削皮, 去核, 切碎, 和去籽的番茄块、洋葱一起拌匀, 浇上一调羹柠檬汁。• 把糊状混合物盛到各个烙饼胚上, 然后摆上一块鲑鱼, 撒上莳萝。

CAZUELITAS
Stews
Ramequins
Schmortöpfchen
Кастрюльки
カスエリータ (小鍋)
砂锅

Cazuelita de albóndigas de carne

Meatballs

250 gr. minced pork • 250 gr. minced beef • 2 cloves garlic • 2 tbsp. breadcrumbs • 1 tbsp. chopped parsley • 2 eggs • ½ glass milk • 2 tbsp. flour • Salt • Pepper • Olive oil • *For the sauce:* 2 carrots • 2 onions • 2 potatoes • 125 gr. peas • 2 cloves garlic • 6 dl. beef stock • 1 dl. white wine

• Mix the meat, bread, beaten eggs, garlic very finely chopped, parsley and milk in a bowl. Season. • Marinate for 30 minutes. Shape the meatballs, roll them in flour and fry lightly with a little oil in a frying pan. Put to one side. • Lightly fry the finely-chopped onion and sliced carrots in a frying pan. Once browned, add two finely-chopped garlic cloves and the wine. When it reduces, add the stock and boil for 15 minutes. Remove from heat and pass through a chinois. • Fry the potatoes in small cubes. • Put the sauce, meatballs and potatoes in a clay casserole dish and heat at a low temperature for a couple of minutes. Serve in individual bowls.

Boulettes de viande

250 gr. de viande de porc hachée • 250 gr. de viande de bœuf hachée • 2 gousses d'ail • 2 cuillerées à soupe de panure • 1 cuillerée à soupe de persil haché • 2 œufs • ½ verre de lait • 2 cuillerées à soupe de farine • Sel • Poivre • Huile d'olive • *Pour la sauce:* 2 carottes • 2 oignons • 2 pommes de terre • 125 gr. de petits pois • 2 gousses d'ail • 6 dl. de bouillon de viande • 1 dl. de vin blanc

• Dans un petit saladier, mélanger la viande, le pain, les œufs battus, l'ail finement émincé, le persil et le lait. Assaisonner. Laisser mijoter pendant 30 minutes. Former les boulettes, les passer dans la farine et les faire frire légèrement dans une poêle avec un peu d'huile d'olive. Réserver. • Faire revenir l'oignon finement émincé et les carottes coupées en lamelles dans une poêle. Une fois le tout doré, ajouter l'ail émincé et le vin. Faire réduire, ajouter le bouillon et laisser mijoter pendant 15 minutes. Ôter du feu et passer au chinois. • Faire frire les pommes de terre coupées en petits dés. • Dans une casserole en terre cuite, réunir la sauce, les boulettes, les pommes de terre, puis faire chauffer quelques minutes à feu doux. Servir dans des ramequins individuels.

Schmortöpfchen mit Fleischbällchen

250 gr. Schweinegehacktes • 250 gr. Rindergehacktes • 2 Knoblauchzehen • 2 EL Paniermehl • 1 EL gehackte Petersilie • 2 Eier • ½ Glas Milch • 2 EL Mehl • Salz • Pfeffer • Olivenöl • *Für die Sauce:* 2 Möhren • 2 Zwiebeln • 2 Kartoffeln • 125 gr. Erbsen • 2 Knoblauchzehen • 600 ml Fleischbrühe • 100 ml Weißwein

• Fleisch, Paniermehl, geschlagene Eier, fein gehackten Knoblauch, Petersilie und Milch in einer Schüssel vermischen. 30 Minuten lang ziehen lassen. Die Fleischbällchen formen, in Mehl wälzen und in einer Pfanne mit wenig Öl leicht braten. Beiseite stellen. • Die fein gehackten Zwiebeln und die in Scheiben geschnittenen Möhren in einer Pfanne anbraten. Sobald sie angebräunt sind, die fein gehackten Knoblauchzehen und den Wein hinzugeben. Wenn es etwas einkocht ist, die Fleischbrühe zugeben und 15 Minuten lang kochen lassen. Vom Feuer nehmen und durch ein Passiertuch streichen. • Die in kleine Würfel geschnittenen Kartoffeln braten. • Die Sauce, die Fleischbällchen und die Kartoffeln in eine feuerfeste Tonschale geben und zwei Minuten bei schwacher Hitze erwärmen. In Einzelschalen servieren.

Кастрюлька с мясными фрикадельками

250 г свиного фарша • 250 г говяжьего фарша • 2 зубчика чеснока • 2 ст. ложки хлебной крошки • 1 ст. ложка мелко порезанной петрушки • 2 яйца • ½ стакана молока • 2 ст. ложки муки • Соль • Молотый перец • Оливковое масло • Для соуса: 2 морковки • 2 луковицы • 2 картофелины • 125 г зеленого горошка • зубчика чеснока • 6 дл мясного бульона • 1 дл белого сухого вина

• Смешать оба фарша, хлебную крошку, взбитые яйца, мелко порезанный чеснок, петрушку и молоко. Посолить и поперчить. Оставить на 30 мин. Сформировать фрикадельки, обвалять в муке и слегка обжарить в небольшом количестве масла. Отставить в сторону. • В сковороде обжарить мелко порезанный лук и морковь, порезанную тонкими ломтиками. Когда все приобретет золотистый цвет, добавить два мелко порезанных зубчика чеснока и вино. Когда количество жидкости уменьшится вдвое, добавить бульон и варить в течение 15-и минут. Снять с огня и процедить. • Порезать картофель на маленькие ломтики и обжарить. • В глиняную кастрюльку выложить немного соуса, фрикадельки, картофель и залить оставшимся соусом. Поварить на медленном огне несколько минут. Подавать в индивидуальных кокотницах.

ミートボール

豚ひき肉　250 g　• 牛ひき肉　250 g　• にんにく　2かけ • パン粉　大さじ2 • パセリのみじん切り　大さじ1 • 卵　2個 • 牛乳　½ カップ • 小麦粉　大さじ2 • 塩 • こしょう • オリーブオイル • ソースの材料：にんじん　2本 • 玉ねぎ　2個 • じゃがいも　2個 • グリーンピース　125 g • にんにく　2かけ • 肉ブイヨン　6dl • 白ワイン　1dl

•ボールにひき肉、パン粉、溶き卵、みじん切りにしたにんにく、パセリ、牛乳を入れて混ぜる。塩こしょうして30分間寝かせる。丸めて小麦粉をはたき、フライパンに油を少し入れて軽く焼き揚げる。•フライパンで、みじん切りにした玉ねぎと薄切りにしたにんじんを炒める。焼き色がついてきたらみじん切りにしたにんにくと白ワインを加える。ワインが少し煮詰まったら肉ブイヨンを入れて15分間煮る。火からおろして濾す。•じゃがいもを小さくさいころ状に切り、揚げる。•カスエラ（調理してそのまま食卓に出せるタイプの平たい土鍋）にソース、ミートボール、じゃがいもを入れ、弱火で2分間ほど温める。カスエリータ（カスエラの一人分用のもの）に分け入れて供する。

肉丸子砂锅

250克猪肉末 • 250克牛肉末 • 2瓣大蒜 • 2调羹面包屑 • 1调羹洋香菜末 • 2个鸡蛋 • 半杯牛奶 • 2调羹面粉 • 盐 • 胡椒粉 • 橄榄油 • 酱料配料 2个胡萝卜 • 2个洋葱 • 2个土豆 • 125克豌豆 • 2瓣大蒜 • 600毫升肉汤 • 100毫升白葡萄酒

• 把肉末、面包屑、打散的鸡蛋、蒜蓉、洋香菜和牛奶倒入一个大盆中, 加点盐搅拌30分钟。搓出丸子的形状, 沾取面粉后在油中少炸。备用。• 把洋葱粒、胡萝卜薄片放入锅中用油炒, 当他们变得金黄时加入切碎的两瓣大蒜和葡萄酒。葡萄酒收汁后加入肉汤, 继续煮15分钟。捞出, 用漏勺过滤。• 把土豆切成小块炸熟。• 在砂锅中放入制作好的酱汁、肉丸、土豆, 再浇上一层酱汁, 小火加热几分钟。按份装在小盘中食用。

Cazuelita de almejas a la marinera

Clams Marinière

1½ kg. Clams • 1 onion • 2 cloves garlic, chopped • 1 dl. tomato sauce • 1 dl. brandy • 1 dl. sherry • 1 bay leaf • 1 tbsp. sweet paprika • 1 tbsp. chopped parsley • Olive oil • Salt

• Finely chop the onion, garlic and bay leaf. Fry lightly in a frying pan with a little olive oil. When they start to brown add the clams, sprinkle with the paprika and flambé with the brandy. Leave for a few seconds and then add the tomato sauce and sherry. Leave on a medium heat until the sauce reduces and the clams open. • Put the clams in individual bowls and serve them hot, sprinkling the chopped parsley on top.

Palourdes marinière

1,5 kg. de palourdes • 1 oignon • 2 gousses d'ail hachées • 1 dl. de sauce tomate • 1 dl. de brandy • 1 dl. de xérès • 1 feuille de laurier • 1 cuillerée à soupe de paprika doux • 1 cuillerée à soupe de persil haché • Huile d'olive • Sel

• Hacher finement l'ail, l'oignon et le laurier. Faire dorer le tout dans une poêle avec un peu d'huile d'olive. Ajouter ensuite les palourdes, saupoudrer de paprika, puis les faire flamber avec le brandy. Laisser mijoter quelques secondes. Ajouter la sauce tomate et le xérès. Laisser cuire doucement jusqu'à ce que la sauce réduise et que les palourdes s'ouvrent. • Disposer les palourdes dans des ramequins individuels et servir bien chaud, en saupoudrant de persil haché.

Schmortöpfchen Venusmuscheln nach Seemannsart

1 ½ kg. Venusmuscheln • 1 Zwiebel • 2 gehackte Knoblauchzehen • 100 ml Tomatensauce • 100 ml Weinbrand • 100 ml Sherry • 1 Lorbeerblatt • 1 EL süßer Paprika • 1 EL gehackte Petersilie • Olivenöl • Salz

• Die Zwiebel, den Knoblauch und das Lorbeerblatt fein hacken. Alles in einer Pfanne mit etwas Olivenöl anbraten. Wenn es Farbe annimmt, die Venusmuscheln hinzufügen, Paprika darüberstreuen und mit dem Weinbrand flambieren. Nach ein paar Sekunden die Tomatensauce und den Sherry dazugeben. Bei mittlerer Hitze kochen lassen, bis die Sauce eingekocht ist und die Muscheln sich öffnen. • Die Muscheln in kleine Tonschalen füllen, mit gehackter Petersilie bestreuen und sehr heiß servieren.

Кастрюлька из клемов по-морскому

1,5 кг клемов • 1 луковица • 2 зубчика чеснока • дл томатного соуса • 1 дл брэнди • 1 дл Хереса • 1 лавровый лист • 1 ст. ложка сладкой паприки • 1 ст. ложка мелко порезанной петрушки • Оливковое масло • Соль

• Мелко порезать лук, чеснок и лавровый лист. Поджарить все в небольшом количестве оливкового масла. Когда лук и чеснок поменяют цвет, добавить клемов, посыпать паприкой и вылить брэнди, через несколько секунд добавить томатный соус и Херес. Оставить на медленном огне до того момента, пока количество соуса не уменьшится вдвое и не откроются клемы. • Выложить в индивидуальные кокотницы и подавать горячим, посыпав петрушкой.

漁師風アサリ

アサリ　1 ½ kg • 玉ねぎ　1個 • にんにくのみじん切り　2かけ •トマトソース　1 dl • ブランデー　1 dl • シェリー酒　1 dl • ローレル　1枚 • パプリカ（甘口）　大さじ1 • パセリのみじん切り　大さじ1 • オリーブオイル • 塩

•玉ねぎとにんにくをみじん切りにしローレルも刻む。オリーブオイルを少しひいたフライパンで炒め、色づいてきたらアサリを入れる。パプリカを振り入れて、ブランデーでフランベし、数秒してからトマトソースとシェリーを加える。ソースが少し煮詰まってアサリが開くまで中火にかける。•カスエリータ（1人分用の小さな土鍋）に分けて、上からパセリを散らして熱々でいただく。

蛤蜊海鲜煲

1.5公斤蛤蜊 • 1个洋葱 • 2瓣大蒜 • 100毫升番茄酱 • 100毫升白兰地 • 100毫升雪利酒 • 1张月桂树叶 • 1调羹甜辣椒粉 • 1调羹洋香菜末 • 橄榄油 • 盐

• 把洋葱、蒜和月桂树叶剁碎, 然后一起放少量橄榄油中炒。当刚变色时加入蛤蜊, 撒上辣椒粉, 倒入白兰地。炒过一小会加入番茄酱和雪利酒。中火煮到汤浓稠, 蛤蜊展开既可。• 把蛤蜊放入小煲中, 撒上洋香菜末趁热食用。

Cazuelita de angulas al ajillo al estilo El Litri

"El Litri" Garlic Eels

400 gr. fresh eels • 1 chilli • 1 clove garlic • Olive oil

• Lightly fry the chilli and garlic in a clay casserole dish with a little oil. Before it browns add the eels and stir. Serve hot.

Civelles à l'ail façon « El Litri »

400 gr. de civelles fraîches • 1 piment • 1 gousse d'ail • Huile d'olive

• Faire revenir l'ail et le piment dans une casserole en terre cuite avec un peu d'huile. Avant qu'ils ne dorent, ajouter les civelles et les faire revenir en les retournant. Servir chaud.

Schmortopf „El Litri" mit Glasaalen in Knoblauchöl

400 gr. frische Glasaale • 1 Peperoni • 1 Knoblauchzehe • Olivenöl

• Die Peperoni und den Knoblauch in einem feuerfesten Tontopf mit etwas Öl anbraten. Bevor sie anbräunen, die Glasaale zugeben und gut umrühren. Heiß servieren.

Кастрюлька с молодым угрем и чесноком в стиле Эль Литри

400 г свежих молодых угрей • 1 стручковый перец • 1 зубчик чеснока • Оливковое масло

• В глиняной кастрюльке разогреть немного масла и обжарить стручковый перец и чеснок. Прежде чем они станут золотистыми, добавить угрей, перевернуть два раза. Подавать горячим.

エル・リトリ風ウナギの稚魚のにんにくオイル煮

ウナギの稚魚　400 g　• 唐辛子　1本 • にんにく　1かけ • オリーブオイル

•カスエラ (調理してそのまま食卓に出せるタイプの平たい土鍋) にオリーブオイルを少しひいてにんにく、唐辛子を弱火で炒める。焦げないうちにウナギの稚魚を入れ混ぜる。温かいうちにいただく。

里特力式蒜香鳗苗砂锅

400克新鲜鳗苗 • 1个小尖椒 • 1瓣大蒜 • 橄榄油

• 在锅中放少量油, 稍炒小尖椒和大蒜。当变黄时倒入小鳗鱼, 翻锅拌匀。趁热食用。

Cazuelita de bacalao al ajo arriero

Cod *Ajoarriero*

½ kg. cod with skin, crumbled • 200 gr. onions • 100 gr. green peppers • 1 *choricero* pepper • 1 piquillo pepper • ½ chilli • 3 cloves garlic • Olive oil

• Heat a little oil in a clay casserole dish. Fry the finely-chopped onion, garlic and chilli. Before they brown add the green and *choricero* peppers chopped into thin strips. Leave for a few minutes and then add the cod and skin, stir the dish until the jelly melts, add a little oil, leave on a low heat and add the chopped piquillo pepper. Leave to cook for one hour. Serve hot.

Morue *ajoarriero*

½ kg. de morue émiettée avec sa peau • 200 gr. d'oignon • 100 gr. de poivron vert • 1 piment *choricero* • 1 poivron de Piquillo • ½ piment • 3 gousses d'ail • Huile d'olive

• Faire chauffer un peu d'huile dans une casserole en terre cuite. Faire revenir l'oignon, l'ail finement émincé et le piment à feu doux. Lorsqu'ils commencent à dorer, ajouter le poivron vert et le piment *choricero* coupés en fines lanières. Laisser mijoter quelques minutes, ajouter la morue et la peau, puis remuer la casserole pour que la gélatine se détache. Verser un peu d'huile, laisser mijoter à feu doux et ajouter le poivron de Piquillo haché. Laisser cuire pendant une heure. Servir chaud.

Schmortöpfchen mit Kabeljau und *Ajo arriero*

½ kg. zerlegter Kabeljau mit Haut • 200 gr. Zwiebeln • 100 gr. grüne Paprika • 1 Choricero Paprika • 1 Piquillo-Paprika • ½ Peperoni • 3 Knoblauchzehen • Olivenöl

• Etwas Öl in einem feuerfesten Tontopf erhitzen. Die Zwiebeln, die sehr fein gehackten Knoblauchzehen und die Peperoni bei schwacher Hitze anbraten. Bevor sie anbräunen, die grüne Paprika und die Choricero-Paprika in Streifen schneiden und hinzugeben. Einige Minuten braten lassen, den Kabeljau und die Haut hinzufügen, den Tontopf hin und her bewegen, damit die Gelatine sich löst, etwas Öl zugeben, bei schwacher Hitze braten lassen und die gehackte Piquillo-Paprika hinzufügen. Eine Stunde lang kochen lassen. Heiß servieren.

Кастрюлька с треской и чесноком

½ кг крошки трески с кожей • 200 г лука • 100 г зеленого перца 1 красный перец • 1 перец пикильо • ½ стручкового перца • 3 зубчика чеснока • ливковое масло

• В глиняной кастрюльке разогреть немного масла. Слегка обжарить на медленном огне мелко порезанные лук и чеснок, добавить стручковый перец. До того, как лук и чеснок станут золотистыми, добавить зеленый и красный перцы, порезанные тонкой соломкой. Пожарить несколько минут и добавить треску, встряхивать кастрюльку, для того, чтобы лучше выделялся желатин, добавить немного масла. Варить на медленном огне и добавить мелко порезанный перец пикильо. Варить все в течение одного часа. Подавать горячим.

タラのにんにく煮込み

バカラオ（塩蔵タラ）をほぐしたものとその皮 ½ kg •玉ねぎ 200 g •ピーマン 100 g •チョリセロピーマン 1個 •ピキージョピーマン 1個 •唐辛子 ½ 本 •にんにく 3かけ •オリーブオイル

•カスエラ（調理してそのまま食卓に出せるタイプの平たい土鍋）でオリーブオイルを熱する。みじん切りにした玉ねぎとにんにく、唐辛子を弱火で炒める。茶色く色が変わらないうちに細切りにした緑ピーマンとチョリセロピーマン（赤ピーマンの一種）を加える。数分してからバカラオを皮と一緒に入れる。カスエラをゆすってゼラチン質が溶け出すようにする。オリーブオイルを少々加えて弱火にかけながら、細かく刻んだピキージョピーマンを加える。そのまま1時間煮る。温かいうちにいただく。

蒜香鳕鱼锅

1斤鳕鱼, 连皮一起捣碎 • 200克洋葱 • 100克青椒 • 1个甜辣椒 • 1个红辣椒 •半个小尖辣椒 • 3瓣大蒜 • 橄榄油

• 在锅中放入少许油, 加热。把洋葱、切碎的大蒜和小尖辣椒放入炒。在它们变成金黄色前倒入切丝的青椒和红辣椒。几分钟后倒入鳕鱼和鱼皮, 翻锅拌匀, 加少许油和红辣椒粒, 小火煮一个小时。 热食。

Cazuelita de bacalao con cebolla y patatas

Cod with Potatoes and Onions

4 slices desalted cod • 2 potatoes • 2 onions • 2 cloves garlic • 100 gr. grated cheese • 6 tbsp. flour • 200 gr. fried tomato sauce • 50 gr. butter • Olive oil • Salt • Pepper

• Peel the potatoes and cut into thin slices. Lay them on a baking tray with the finely-chopped onion and garlic on top. Season and sprinkle with a little oil. Bake in the oven at 180 ºC until the potatoes are soft. Put to one side. • Prepare béchamel sauce in a saucepan with the flour, butter and milk. • Brown the cod in a frying pan over a low heat with a little olive oil. • Pour a tomato sauce base into four individual bowls, topping with some potatoes and the cod. Cover with the béchamel sauce and sprinkle the grated cheese over the top. Grill and serve hot.

Morue aux oignons et aux pommes de terre

4 filets de morue dessalée • 2 pommes de terre • 2 oignons • 2 gousses d'ail • 100 gr. de fromage râpé • 6 cuillerées à soupe de farine • 200 gr. de sauce tomate • 50 gr. de beurre • Huile d'olive • Sel • Poivre

• Éplucher les pommes de terre et les couper en fines lamelles. Les répartir dans un plat à four, puis disposer l'ail et l'oignon finement émincés par-dessus. Assaisonner et arroser d'un filet d'huile d'olive. Mettre au four à 180 ºC jusqu'à ce que les pommes de terre deviennent tendres. Réserver. • Dans une casserole, préparer une béchamel avec la farine, le beurre et le lait. • Faire dorer la morue à feu doux dans une poêle avec un peu d'huile d'olive. • Dans quatre ramequins individuels, mettre une couche de sauce tomate, quelques pommes de terre, puis la morue. Verser la béchamel par-dessus et saupoudrer de fromage. Faire gratiner et servir chaud.

Schmortöpfchen Kabeljau mit Zwiebeln und Kartoffeln

4 entsalzene Klippfischfilets • 2 Kartoffeln • 2 Zwiebeln • 2 Knoblauchzehen • 100 gr. geriebener Käse • 6 EL Mehl • 200 gr. Tomatensauce • 50 gr. Butter • Olivenöl • Salz • Pfeffer

• Die Kartoffeln schälen und in dünne Scheiben schneiden. Die Kartoffeln in einer Auflaufform verteilen und die Zwiebeln und den Knoblauch sehr fein gehackt darübergeben. Salzen, pfeffern und etwas Olivenöl darübergießen. Bei 180 ºC backen, bis die Kartoffeln weich sind. Beiseite stellen. • Mit dem Mehl, der Butter und der Milch in einem Topf eine Béchamelsauce zubereiten. • Den Kabeljau in einer Pfanne mit etwas Olivenöl bei kleiner Hitze braten. • Eine Schicht Tomatensauce in vier kleine feuerfeste Tonschalen geben und die Kartoffeln und den Kabeljau darauf legen. Mit der Béchamelsauce bedecken und den Käse darüberstreuen. Gratinieren und heiß servieren.

Кастрюлька с треской, луком и картофелем

4 спинки несоленой трески • 2 картофелины • 2 луковицы • 2 зубчика чеснока • 100 г тертого сыра • 6 ст. ложек муки • 200 г томатной пасты • 50 г сливочного масла • Оливковое масло • Соль • Молотый перец

• Почистить картофель и порезать на тонкие пластины. Выложить ломтики картофеля в форму для духовки, выложить сверху мелко порезанные лук и чеснок. Посолить и попречить, полить оливковым маслом. Выпекать до мягкости картофеля при температуре 180ºC. Отставить в сторону. • Приготовить соус бешамель из муки, сливочного масла и молока. • В сковороде с небольшим количеством оливкового масла поджарить треску на небольшом огне. • В четыре индивидуальные кокотницы выложить на дно немного томатной пасты, несколько ломтиков картофеля и кусочек трески. Залить все соусом бешамель и посыпать тертым сыром. Быстро запечь в духовке и подавать горячим.

じゃがいもと玉ねぎを添えたバカラオの小鍋仕立て

• 塩抜きしたバカラオの切り身（塩蔵タラ）4切れ • じゃがいも　2個 • 玉ねぎ　2個 • にんにく　2かけ • おろしたチーズ　100 g • 小麦粉　大さじ6 •トマテフリート（トマトとオリーブオイルのソース）200 g • バター　50 g • オリーブオイル • 塩 • こしょう

•じゃがいもの皮をむき、薄く切る。耐熱皿にじゃがいもを敷きつめ、みじん切りにした玉ねぎとにんにくを上に載せる。塩こしょうし、オリーブオイルを少し回しかける。180度のオーブンにじゃがいもが柔らかくなるまで入れる。•鍋に小麦粉、バター、牛乳を入れベシャメルソースを作る。•フライパンにオリーブオイルを少しひいて、弱火でバカラオを焼く。•カスエリータ（一人分用の平たい土鍋）を4つ用意し、トマテフリートを底に敷き、その上にじゃがいもを数枚とバカラオを入れ、ベシャメルソースを上からかけて最後におろしたチーズをかけ、オーブンで表面を焼いて温かいうちにいただく。

鳕鱼洋葱土豆砂锅

4片浸淡的咸鳕鱼 • 2个土豆 • 2个洋葱 • 2瓣大蒜 • 100克奶酪末 • 6调羹面粉 • 200克番茄酱 • 50克黄油 • 橄榄油 • 盐 • 胡椒

• 把土豆削皮后切成薄片，放在烤箱盘上，撒上切成粒的洋葱丁和大蒜末。加盐和胡椒，洒上少许橄榄油。放入烤箱用180° C温度烤到土豆熟软。备用。
• 另外在一个小锅里用面粉、黄油和牛奶调制白沙弥酱。• 在锅中加少量橄榄油，微火把鳕鱼烤到焦黄。• 在分四个小碗中分别在底部倒入番茄酱，然后上面放几片土豆和一片鳕鱼。加入白沙弥• 酱，撒上奶酪末。在烤箱中烤热食用。

Cazuelita de cardos con almejas y gambas

Cardoons with Clams and Prawns

1 kg. cardoon • 150 gr. prawns • 150 gr. Clams • 2 dl. fish stock • ½ l. fresh milk • ½ l. water • 2 cloves garlic • ½ onion julienne • 1 tsp. paprika • 1 tsp. Amontillado vinegar • ½ glas of Moriles wine • Olive oil • Salt

• Wash the cardoon and chop each one into ten-centimetre slices. Boil the milk and water in a saucepan, add the cardoon and leave to cook over a low heat for approximately one hour. When they are soft, drain and put to one side. • Fry the finely-chopped garlic in a frying pan. When it is done add the onion, fry well and then add the clams and prawns. Pour in the vinegar and the paprika, fry again and add the cardoon. Cover with the fish stock, season to taste and leave to cook for ten minutes. Serve hot in individual bowls.

Cardons aux palourdes et aux crevettes

1 kg. de cardons • 150 gr. de crevettes • 150 gr. de palourdes • 2 dl. de bouillon de poisson • ½ l. de lait frais • ½ l. d'eau • 2 gousses d'ail • ½ oignon coupé en julienne • 1 cuillerée à café de paprika • 1 cuillerée à café de vinaigre Amontillado • ½ verre de vin de Moriles • Huile d'olive • Sel

• Nettoyer les cardons et les couper en morceaux de dix centimètres. Faire bouillir le lait et l'eau dans une casserole, ajouter les cardons et laisser cuire à feu doux pendant environ une heure. Une fois tendres, les égoutter et réserver. • Faire frire l'ail émincé dans une poêle. Une fois fait, ajouter l'oignon, faire revenir, puis mettre les palourdes et les crevettes. Verser le vinaigre et le paprika, faire revenir à nouveau, puis ajouter les cardons. Verser le bouillon de poisson, assaisonner au goût et laisser mijoter pendant dix minutes. • Servir chaud dans des ramequins individuels.

Schmortöpfchen Karden mit Venusmuscheln und Garnelen

1 kg. Karden • 150 gr. Garnelen • 150 gr. Venusmuscheln • 200 ml. Fischbrühe • ½ l. Frischmilch • ½ l. Wasser • 2 Knoblauchzehen • ½ Zwiebel, in Feine Streifen geschnitten • 1 TL Paprika • 1 TL Sherry-Essig • ½ glass Moriles Wein • Olivenöl • Salz

• Die Karden waschen und in zehn Zentimeter lange Stücke schneiden. Milch und Wasser in einem Topf zum Kochen bringen, die Karden hinzufügen und etwa eine Stunde lang bei mittlerer Hitze kochen lassen. Wenn sie weich sind, abtropfen lassen und beiseite stellen. • Den sehr dünn geschnittenen Knoblauch in einer Pfanne anbraten. Die Zwiebel zugeben, gut dünsten, und dann die Venusmuscheln und die Garnelen hinzufügen. Essig und Paprika dazugeben, erneut dünsten lassen und die Karden hinzufügen. Mit Fischbrühe bedecken, nach Geschmack würzen und zehn Minuten kochen lassen. Heiß in kleinen Tonschalen servieren.

Кастрюлька из кардона с клемами и креветками

1 кг кардона (испанского артишока) • 150 г креветок • 150 г клемов • 2 дл рыбного бульона • ½ л свежего молока • ½ л воды • 2 зубчика чеснока • ½ мелко порезанной луковицы • 1 коф. ложка паприки • 1 коф. ложка винного уксуса • Оливковое масло • Соль

• Очистить кардон и порезать его на кусочки длиной в 10 см каждый. Вскипятить молоко вместе с водой и добавить кардон, варить на медленном огне в течение одного часа. Когда кардон станет мягким, вынуть, сцедить лишнюю жидкость и отставить в сторону. • В сковороде поджарить мелко порезанный чеснок. Когда чеснок поджарится, добавить лук, поджарить его и затем добавить клемов и креветки. Вылить в сковороду уксус и высыпать паприку, поджарить все и добавить кардон. Залить рыбным бульоном, посолить по вкусу и оставить на огне в течение десяти минут. • Подавать горячим в индивидуальных кокотницах.

カルドン、アサリ、小エビの小鍋仕立て

カルドン 1 kg •小エビ 150 g •アサリ 150 g •魚ブイヨン 2 dl •牛乳 ½ l •水 ½ l •にんにく 2かけ •玉ねぎ（千切り）半個 •パプリカ 小さじ1 •アモンティリャードビネガー 小さじ1 •オリーブオイル •塩

•カルドンを洗って10センチずつに切る。鍋に牛乳と水を入れて沸騰したらカルドンを入れ、弱火で約1時間煮る。柔らかくなったら湯からあげる。•フライパンで薄切りにしたにんにくを炒める。炒まったら玉ねぎを加えて更によく炒め、アサリとエビを入れる。ビネガーとパプリカも加えて炒め続け、カルドンを入れる。魚ブイヨンを入れて好みで味を調え10分間煮る。•カスエリータ（1人分用の小さな土鍋）に入れて温かいうちにいただく。

刺菜蓟虾蛤蜊煲

1公斤刺菜蓟 • 150克虾 • 150克蛤蜊 • 200毫升鱼汤 • 500毫升鲜奶 • 500毫升水 • 2瓣大蒜 •半个切碎的洋葱 • 1小调羹辣椒粉 • 1小调羹西班牙雪利酒醋 •橄榄油 •盐

• 把刺菜蓟洗干净并切成每段十厘米左右。用长柄锅把牛奶和水烧开, 加入刺菜蓟, 慢火烧约一小时。当它烧软后沥出备用。• 把蒜瓣切碎, 用油煎。煎好后加入洋葱一起炒。再放入蛤蜊和虾, 加醋和辣椒粉后继续炒, 并加入刺菜蓟。倒入鱼汤, 加适量盐后煮十分钟。• 倒入小煲中趁热食用。

Cazuelita de chorizo al vino

Chorizo in Red Wine

Bread • 400 gr. semi-cured chorizo • ½ l. dry red wine • 1 bay leaf • ½ clove of garlic • Olive oil

• Finely chop the garlic and sauté it in a little olive oil. • Put the chorizo in a casserole dish with the garlic, wine and bay leaf. Cover the dish and leave to cook on a medium heat for 15 to 20 minutes. Save half of the wine in another container. • Cut the chorizo into small slices, mix with the rest of the wine and leave to cook until the alcohol evaporates. • Serve in individual bowls with slices of bread.

Chorizo au vin rouge

Pain • 400 gr. de chorizo mi-sec • ½ l. de vin rouge sec • 1 feuille de laurier • ½ gousse d'ail • Huile d'olive

• Hacher l'ail finement et le pocher avec un peu d'huile d'olive. • Mettre le chorizo, l'ail, la feuille de laurier et la moitié du vin dans une casserole. Les cuire tout doucement, à couvert, 15 à 20 minutes. Conserver l'autre moitié du vin dans un récipient. • Couper le chorizo en petits morceaux, le mélanger au vin restant et laisser cuire le temps que l'alcool s'évapore. • Servir dans des ramequins individuels, avec quelques tranches de pain.

Schmortöpfchen *Chorizo* mit Wein

Brot • 400 gr. halbtrockene *Chorizo* • ½ l. trockener Rotwein • 1 Lorbeerblatt • ½ Knoblauchzehe • Olivenöl

• Den Knoblauch sehr fein schneiden und in etwas Olivenöl anbraten. • Die *Chorizo* zusammen mit dem Knoblauch, dem Wein und dem Lorbeerblatt in eine Kasserolle geben. Bei mittlerer Hitze im geschlossenen Topf 15 bis 20 Minuten lang kochen lassen. Die Hälfte des Weins in einem anderen Gefäß aufbewahren. • Die *Chorizo* in kleine Stücke schneiden, mit dem übrigen Wein mischen und einige Sekunden lang kochen lassen, bis der Alkohol verdampft ist. • In Einzelschalen mit einigen Scheiben Brot servieren.

Кастрюлька с чоризо в вине

Хлеб • 400 г чоризо (колбаса с паприкой) • ½ л красного сухого вина • 1 лавровый лист • ½ зубчика чеснока • Оливковое масло

• Порезать чеснок на тонкие кусочки и слегка обжарить в небольшом количестве оливкового масла. • Поместить чоризо в кастрюльку с чесноком, добавить половину порции вина и лавровый лист. Закрыть кастрюлю и тушить все в течение 15-и до 20-и минут. • Порезать чоризо на маленькие кусочи, смешать его с оставшимся вином и варить до тех пор, пока не испарится алкоголь. • Подавать в индивидуальных кокотницах с кусочками хлеба.

チョリソのワイン煮

パン •チョリソ（半熟成のもの）400 g •赤ワイン（ドライなタイプ）½ l •ローレル 1枚 •にんにく 半かけ •オリーブオイル

•にんにくを薄く切り、少量のオリーブオイルでゆっくりと炒める。•チョリソ、にんにく、ワイン、ローレルをカスエラ（土鍋）に入れて蓋をし、中火に15分から20分かける。赤ワイン半量は他の容器にとっておく。•チョリソを小さく切ってから、余ったワインを足して数秒沸騰させアルコール分を飛ばす。•カスエリータ（1人分用の小さな土鍋）に分けて、パンを添えて出す。

酒香腊肠煲

面包 • 400克半干腊肠 • 半升干红葡萄酒 • 1张月桂树叶 • 半瓣大蒜 • 橄榄油

• 把大蒜切碎, 加少量橄榄炒。• 将腊肠、蒜、葡萄酒和月桂树叶放在锅中加盖中火煮15到20分钟。把另一半葡萄酒倒在另外一个锅里。• 把腊肠切成小段, 放入装有红酒的锅中, 一起煮一小会, 让酒精挥发。• 按份盛入煲中, 跟数片面包。

Cazuelita de fideuá de rape

Monkfish *Fideuà*

250 gr. fine noodles • 500 gr. monkfish bones • 1 leek • 10 cloves garlic • 1 bunch parsley • 1 l. water • 2 tbsp. aïoli sauce • Olive oil • Salt

• Cover the monkfish, the parsley and the leek chopped into small slices with the water in a casserole dish. Cook for 30 minutes, season and strain. Keep the stock. • Brown the garlic cloves whole on a medium heat in a frying pan with a little oil. Add the noodles and toast lightly. Fry lightly with the stock and leave to cook for 8 minutes on a medium heat. Remove and toast in the oven for a couple of minutes to curl the ends. Serve hot in individual bowls with a little aïoli sauce.

Fideuà de lotte

250 gr. de vermicelles fins • 500 gr. d'os de lotte • 1 poireau • 10 gousses d'ail • 1 bouquet de persil • 1 l. d'eau • 2 cuillerées à soupe d'aïoli • Huile d'olive • Sel

• Mettre la lotte, le poireau coupé en petits morceaux et le persil dans une casserole. Recouvrir d'eau. Laisser cuire pendant 30 minutes, assaisonner et passer au chinois. Réserver le bouillon. • Faire dorer les gousses d'ail entières à feu moyen dans une poêle avec un peu d'huile d'olive. Ajouter les vermicelles et les faire griller légèrement. Faire revenir avec le bouillon et laisser cuire pendant 8 minutes à feu moyen. Retirer et faire griller au four pendant quelques minutes pour que les pointes des vermicelles se relèvent. • Servir chaud dans des ramequins individuels avec un peu d'aïoli.

Schmortöpfchen *Fideuà* mit Seeteufel

250 gr. dünne Nudeln • 500 gr. Seeteufelknochen • 1 Porreestange • 10 Knoblauchzehen • 1 Bund Petersilie • 1 l. Wasser • 2 EL Alioli • Olivenöl • Saltz

• Den Seeteufel, den kleingeschnittenen Porree und die Petersilie in einem Topf mit Wasser bedecken. 30 Minuten lang kochen, würzen und in ein Sieb abgießen. Die Brühe aufbewahren. • Die ganzen Knoblauchzehen in einer Pfanne mit etwas Öl bei mittlerer Hitze anbraten. Die Nudeln hinzugeben und leicht anrösten. Mit der Brühe auffüllen und 8 Minuten lang bei mittlerer Hitze kochen lassen. Herausnehmen und zwei Minuten lang im Backofen rösten, damit die Nudelenden sich etwas krümmen. • Heiß mit etwas Alioli in kleinen Tonschalen servieren.

Кастрюлька с фидеуа из морского черта

200 г тонкой лапши • 500 г костей морского черта • 1 лук-поррей • 10 зубчиков чеснока • 1 пучок петрушки • 1 л воды • 2 ст. ложки соуса алиоли • Оливковое масло • Соль

• В кастрюлю выложить морского черта, лук-поррей, порезанный на маленькие кусочки и петрушку, залить все водой, чтобы покрывала. Варить в течение 30-и минут, посолить и процедить. Отставить бульон в сторону. • В сковороде с небольшим количеством масла обжарить целиком зубчики чеснока на среднем огне. Добавить лапшу и слегка обжарить. Добавить бульон и варить в течение 8-и минут на среднем огне. Снять с огня и поместить на пару минут в духовку. • Подавать горячим в индивидуальных кокотницах в сопровождении соуса алиоли.

アンコウのフィデウア

フィデオ（ショートパスタ）250 g •アンコウの骨　500 g •ポロねぎ　1本 •にんにく　10かけ　•パセリ　1枝 •水　1 l •アリオリソース　大さじ２ •オリーブオイル •塩

•鍋にアンコウ、適当な長さに切ったポロねぎ、パセリを入れ、かぶるぐらいの水を入れる。30分煮て、塩を振って濾す。スープを取っておく。•フライパンに油を少しひいて、中火でにんにくを切らずにまるごと炒める。フィデオを加え軽く炒める。とっておいたスープを入れ中火で８分間煮る。火からおろしてオーブンで２分間焼く。　•カスエリータ（一人用の小さな土鍋）に入れて、アリオリソースをちょっと添えて出す。

鮟鱇细面

250克意大利细面 • 500克鮟鱇骨 • 1棵大葱 • 10瓣大蒜 • 1束洋香菜 • 1升水 • 2调羹蒜油 • 橄榄油 • 盐

• 把鮟鱇、大葱切成小段, 和洋香菜一起放入锅中, 加水, 盖上锅盖。煮30分钟, 加盐, 沥出汤汁并保存备用。• 在锅中加少许油, 中火把大蒜炝黄。倒入细面微炒一会后倒入汤汁, 中火煮8分钟。关火, 继续焖几分钟。• 按份装在小盘中, 加一点蒜油食用。

Cazuelita de gambas al ajillo

Garlic prawns

16 big prawns • 2 cloves garlic • ½ green chilli • 1 tbsp. chopped parsley • ½ tsp. lemon juice • Olive oil• Rock salt

• Clean and shell the prawns. In a frying pan with olive oil gently fry the cloves garlic finelly chopped and the green chilli. When this begin to brown, add the big prawns, sprinkle over with top the lemon juice, season and cook till done. Finally, sprinkle over with the chooped parsley. Serve hot.

Plat de gambas à l'ail

16 gambas • 2 gousses d'ail • ½ piment • 1 cuillérée à soupe de persil haché • ½ cuillérée de café de juice de citron • Huile d'olive • Gros sel

• Laver et peler les gambas. Dans une poêle avec huile d'olive faire revenir l'ail tout bien émincé et le piment. Quand ils commencent à dorer, ajouter les gambas, verser le juice de criton dessus, assaisonner et laisser jusqu'à ce qu'ils soient cuits. Tout suite, saupoudrer le persil haché. Servir chaudes.

Garnelen mit Knoblauchöl in Tonschale

16 große Garnelen2 Knoblauchzehen • ½ Peperoni • 1 EL gehackte Petersilie • ½ TL • Zitronensaft • Olivenöl • Grobes Salz

• Die Garnelen waschen und schälen, ohne den Kopf zu entfernen. Die in sehr dünne Scheiben geschnittenen Knoblauchzehen und die Peperoni in einer Pfanne mit Olivenöl sautieren. Wenn sie Farbe annehmen, die Garnelen zugeben, den Zitronensaft darüber verteilen, würzen und garen. Anschließend die gehackte Petersilie darüberstreuen. Heiß servieren.

Кастрюлька с креветками и чесноком

16 больших креветок • 2 зубчика чеснока • ½ стручкового перца • 1 ст. ложка мелко порезанной петрушки • ½ коф. ложка лимонного сока • Оливковое масло • Крупная соль

• Промыть и очистить креветки, оставив голову. • В сковороде с небольшим количеством масла обжарить чеснок, порезанный на очень тонкие кусочки, и стручковый перец. Когда они поменяют цвет, добавить креветки, облить их лимонным соком, посолить и довести до готовности. Посыпать петрушкой. Подавать горячим.

小エビのにんにくオイル煮

小エビ (やや大きめのもの) 16 尾 •にんにく 2かけ •唐辛子 ½ 本 •パセリのみじん切り 大さじ1 •レモン汁 小さじ½ •オリーブオイル •大粒の塩

•エビを洗って頭を残して殻をむく。 •フライパンにオリーブオイルをひいて極薄切りにしたにんにくと唐辛子を入れ、色づいたらエビを加えて上からレモン汁をかける。塩を振って、火が通ったら上からパセリを散らす。 •温かいうちにいただく。

蒜香鲜虾煲

16只大虾 • 2瓣大蒜 • 半个小尖椒 • 1调羹洋香菜末 • 半小调羹柠檬汁 • 橄榄油 • 粗盐

• 把虾洗干净, 去壳, 留头。• 把大蒜和青椒切成丁, 放入橄榄油, 稍炒。颜色稍变后倒入虾, 洒上柠檬汁, 加盐, 继续炒, 直到虾烧熟。然后撒上洋香菜末。趁热食用。

Cazuelita de garbanzos con butifarra negra

Chickpeas with Black Butifarra

350 gr. cooked chickpeas • 150 gr. black butifarra • 15 gr. pine nuts • ½ onion • 1 clove of garlic • 2 tbsp. fresh chopped parsley • Virgin olive oil • Salt • Pepper

• Fry the butifarra in a frying pan with a little oil until it is well done. Remove, slice very finely and put to one side. • Over a low heat, sauté the onion in a clay casserole dish with a little oil. Once soft, add the finely-chopped garlic clove, chopped parsley and pine nuts. Stir. • Add the black butifarra and the cooked chickpeas, season to taste, leave to cook on a medium heat for a couple of minutes, stirring all the while, and then remove. • Serve hot in small individual bowls, splashing the chickpeas with a dash of virgin olive oil.

Pois chiches à la *butifarra* noire

350 gr. de pois chiches cuits • 150 gr. de *butifarra* noire • 15 gr. de pignons • ½ oignon • 1 gousse d'ail • 2 cuillerées à soupe de persil frais haché • Huile d'olive vierge • Sel • Poivre

• Faire frire la *butifarra* dans une poêle avec un peu d'huile jusqu'à ce qu'elle soit bien cuite. Retirer la *butifarra*, hacher très fin et réserver. • Dans une casserole en terre cuite avec un peu d'huile d'olive, faire dorer l'oignon à feu doux. Ajouter ensuite l'ail et le persil finement coupés, ainsi que les pignons. Remuer. • Incorporer la *butifarra* et les pois chiches cuits, assaisonner au goût et laisser mijoter quelques minutes à feu moyen tout en remuant, puis retirer. • Servir chaud dans des ramequins individuels en versant un filet d'huile d'olive sur les pois chiches.

Kichererbsen mit schwarzer *Butifarra* in Tonschale

350 gr. gekochte Kichererbsen • 150 gr. schwarze Butifarra • 15 gr. Pinienkerne • ½ Zwiebel • 1 Knoblauchzehe • 2 EL frische gehackte Petersilie • Natives Olivenöl • Salz • Pfeffer

• Die Butifarra (katalanische Wurst) in einer Pfanne mit etwas Öl braten, bis sie gar ist. Die Butifarra herausnehmen, fein hacken und beiseite stellen. • Die Zwiebel in einem Tontopf mit etwas Öl auf kleiner Flamme sautieren. Wenn sie weich ist, die fein gehackte Knoblauchzehe, die gehackte Petersilie und die Pinienkerne hinzufügen. Umrühren. • Die schwarze Butifarra und die gekochten Kichererbsen zugeben, nach Geschmack salzen und pfeffern, zwei Minuten bei mittlerer Hitze unter ständigem Rühren kochen lassen und vom Feuer nehmen. • Heiß auf Einzeltellern servieren und etwas natives Olivenöl über die Kichererbsen gießen.

Кастрюлька с турецким горохом и черной бутифаррой

350 г вареного турецкого гороха • 150 г черной бутифарры (пикантная каталанская колбаса)• 15 г кедровых орешков • ½ луковицы • 1 зубчик чеснока • 2 ст. ложки мелко порезанной петрушки • Оливковое масло • Соль • Молотый перец

• Поджарить колбасу в небольшом количестве масла. Вынуть из сковороды, мелко порезать и отставить в сторону. • В глиняной кастрюльке с небольшим количеством масла обжарить лук на медленном огне. Когда лук станет мягким, добавить мелко порезанный чеснок, пертушку и кедровые орехи. Перемешать. • Добавить колбасу и турецкий горох, добавить соль и перец по вкусу. Варить еще минуты две на среднем огне, постоянно помешивая. Снять с огня. • Подавать горячим в индивидуальных тарелочках, поливая турецкий горох оливковым маслом.

ひよこ豆とブティファラ・ネグラの小鍋仕立て

ひよこ豆 (煮たもの) 350 g • ブティファラ・ネグラ (血入りソーセージ) 150 g • 松の実 15 g • 玉ねぎ 半個 • にんにく 1かけ • パセリのみじん切り 大さじ2 • バージンオリーブオイル • 塩 • こしょう

•フライパンに油を少しひいてブティファラをよく焼く。火からおろして細かく刻む。•カスエラ (土鍋) に油を少し入れて玉ねぎを弱火で炒める。しんなりとしたらみじん切りにしたにんにくを加え、パセリのみじん切りと松の実も入れてかき混ぜる。•ブティファラとひよこ豆を加えて味を調え、かき混ぜる手を休めずに中火で2分ほどおき、火からおろす。•1人用の皿に分け入れてバージンオリーブオイルをさっと垂らし、温かいうちにいただく。

鹰嘴豆黑腊肠砂锅

350克熟鹰嘴豆 • 150克黑腊肠 • 15克松子 • 半个洋葱 • 1瓣大蒜 • 两调羹洋香菜末 • 橄榄油 • 盐 • 胡椒粉

• 在锅中放入少量油, 把腊肠炸熟。捞出后切碎备用。• 在砂锅中放一点油, 小火煎洋葱。当它变软时加入蒜茸, 洋香菜末和松子。炒匀。• 加入腊肠粒和鹰嘴豆, 加点盐调味, 中火烧几分钟, 并不停翻动。• 按份装入小盘子里, 撒上鹰嘴豆加点橄榄油, 趁热食用。

Cazuelita de huevos con setas

Eggs and Wild Mushrooms

4 eggs • ½ kg. mushrooms • ½ onion • 1 clove of garlic • ½ dl. beef stock • 1 tsp. chopped parsley • Olive oil • Salt • Pepper

• Wash and slice the mushrooms and put to one side. • Chop the garlic and onion finely and fry lightly in a frying pan with a little olive oil. When they start to brown add the mushrooms and fry lightly for a minute. Add the beef stock and leave the mushrooms to cook for a few minutes, season and sprinkle with the parsley. • Arrange the sautéed mushrooms in individual bowls and break an egg on top, season and put in the oven until the whites have cooked. Serve at once.

Œufs aux champignons

4 œufs • ½ kg. de champignons • ½ oignon • 1 gousse d'ail • ½ dl. de bouillon de viande • 1 cuillerée à café de persil haché • Huile d'olive • Sel • Poivre

• Nettoyer et couper les champignons en lamelles, puis réserver. • Hacher finement l'ail et l'oignon, puis les faire revenir dans une poêle avec un peu d'huile d'olive. Une fois qu'ils commencent à dorer, ajouter les champignons et laisser mijoter une minute. Verser le bouillon de viande, faire revenir le tout quelques minutes. Poivrer, saler et saupoudrer de persil. • Répartir le sauté de champignons dans des ramequins individuels, mettre un œuf par-dessus, assaisonner et laisser au four jusqu'à ce que les œufs prennent. Servir immédiatement.

Eier mit Pilzen in Tonschale

4 Eier • ½ kg. Pilze • ½ Zwiebel • 1 Knoblauchzehe • 50 ml. Fleischbrühe • 1 TL gehackte Petersilie • Olivenöl • Salz • Pfeffer

• Die Pilze waschen, in Scheiben schneiden und beiseite stellen. • Knoblauch und Zwiebel fein hacken und in einer Pfanne mit etwas Olivenöl anbraten. Wenn sie Farbe annehmen, die Pilze zugeben und eine Minute lang dünsten. Die Fleischbrühe hinzugeben, die Pilze einige Minuten garen lassen, salzen, pfeffern und mit Petersilie bestreuen. • Die Pilzzubereitung in vier kleine feuerfeste Tonschalen füllen, ein Ei darübergeben, würzen und in den Backofen stellen, bis die Eiweiße stocken. Sofort servieren.

Кастрюлька с яйцами и грибами

4 яйца • 0,5 кг грибов • ½ луковица • 1 зубчик чеснока • ½ дл мясного бульона • 1 коф. ложка мелко порезанной петрушки • Оливковое масло • Соль • Молотый перец

• Промыть и почистить грибы, порезать на тонкие пластинки и отставить в сторону. • Мелко порезать чеснок и лук, поджарить в небольшом количестве масла. Когда лук станет золотистым, добавить грибы и обжаривать еще минуту. Вылить мясной бульон, поварить несколько минут, посолить и поперчить, посыпать петрушкой. • В индивидуальные кокотницы выложить содержимое сковороды, вылить сверху яйцо, посолить и поставить кокотницы в духовку. Выпекать до тех пор, пока не побелеют белки яиц. Немедленно подавать.

卵と茸の小鍋仕立て

卵 4個 • 茸 ½ kg • 玉ねぎ 半個 •にんにく 1かけ • 肉ブイヨン ½ dl • パセリのみじん切り 小さじ1 • オリーブオイル • 塩 • こしょう

•茸をきれいにして薄く切る。•にんにくと玉ねぎをみじん切りにして、オリーブオイルを少しひいたフライパンで炒める。色づいたら茸を加えて更に1分炒める。肉のブイヨンを加えて茸に火が通るまで数分おいて、塩こしょうしパセリを散らす。•1人分用の小さな土鍋 (カスエリータと呼ぶ) に分けて、卵を上に割りいれ、好みで塩こしょうし、白身が固まるまでオーブンに入れる。 作り立てでいただく。

蘑菇鸡蛋煲

4个鸡蛋 • 0.5公斤西班牙蘑菇 • 半个洋葱 • 1瓣大蒜 • 50毫升肉汤 • 1小调羹洋香菜末 • 橄榄油 • 盐 • 胡椒粉

• 把蘑菇洗干净, 切成薄片备用。• 把蒜和洋葱切碎, 加少许橄榄炒。待变色后加入蘑菇继续焖一分钟。倒入肉汤再煮几分钟直到蘑菇熟, 加盐和胡椒粉, 撒上洋香菜。• 食用时将蘑菇连汤按份置小瓷碗里, 每碗打入一个鸡蛋, 加盐后放入烤箱烤至鸡蛋凝结。马上食用。

Cazuelita de huevos marinera al estilo Casa Bigote

Casa Bigote Egg Marinière

8 eggs • 16 small peeled king prawns • 350 gr. sliced monkfish • 200 gr. clams au naturel • 1 onion • 1 potato • 4 cloves garlic • 1 bay leaf • 1 tsp. chopped parsley • 1 pinch of nutmeg • ½ l. fish stock • 1½ l. olive oil • Salt

• Fry the finely-chopped onion, finely-chopped garlic cloves, parsley and bay leaves. Add the king prawns, monkfish and clams. Leave for a few seconds and then add the fish stock, the nutmeg, and the potato, roughly mashed. Let the stock thicken slightly. Leave to cook for approximately ten minutes. Put to one side. • Place the mixture in individual clay casserole dishes, add two eggs to each one and four king prawns around the edges. • Put in the oven until the eggs have cooked, approximately five minutes. Serve at once.

Œufs marinière façon Casa Bigote

8 œufs • 16 grosses crevettes décortiquées • 350 gr. de lotte coupée en dés • 200 gr. de palourdes au naturel • 1 oignon • 1 pomme de terre • 4 gousses d'ail • 1 feuille de laurier • 1 cuillerée à café de persil haché • 1 pincée de noix de muscade • ½ l. de bouillon de poisson • 1,5 l. d'huile d'olive • Sel

• Faire revenir à la poêle l'oignon et l'ail finement émincés, le persil et le laurier. Ajouter les crevettes, la lotte et les palourdes. Laisser quelques secondes, puis ajouter le bouillon de poisson, la noix de muscade et la pomme de terre en purée. Attendre que le bouillon s'épaississe un peu. Laisser mijoter dix minutes environ. Réserver. • Mettre la préparation dans des ramequins individuels en terre cuite, ajouter deux œufs dans chacun d'eux et disposer quatre crevettes autour. • Mettre au four jusqu'à ce que les œufs prennent, pendant cinq minutes environ. Servir immédiatement.

Schmortöpfchen „Casa Bigote" mit Seemannseiern

8 Eier • 16 kleine, geschälte Langustinen • 350 gr. Seeteufelstücke • 200 gr. Venusmuscheln nature • 1 Zwiebel • 1 Kartoffel • 4 Knoblauchzehen • 1 Lorbeerblatt • 1 TL gehackte Petersilie • 1 Prise Muskatnuss • ½ l. Fischbrühe • 1 ½ l. Olivenöl • Salz

• Die fein gehackte Zwiebel, die sehr klein geschnittenen Knoblauchzehen, die Petersilie und das Lorbeerblatt anbraten. Langustinen, Seeteufel und Venusmuscheln dazugeben. Nach ein paar Sekunden die Fischbrühe, die Muskatnuss und die zerquetschte Kartoffel hinzufügen. Die Brühe etwas eindicken lassen. Etwa zehn Minuten kochen lassen. Beiseite stellen. • Die Zubereitung in vier kleine feuerfeste Tonschalen füllen, je zwei Eier in die Mitte und vier Langustinen darum herum legen. • In den Backofen stellen, bis die Eier nach etwa fünf Minuten stocken. Sofort servieren.

Кастрюлька с яйцами по-морскому в стиле Каса Биготе

8 яиц • 16 небольших очищенных креветок • 350 г рыбы морской черт, порезанной на куски • 200 г клемов в собственном соку • 1 луковица • 1 картофелина • 4 зубчика чеснока • 1 лавровый лист • 1 коф. ложка мелко порезанной петрушки • 1 щепотка молотого мускатного ореха • ½ л рыбного бульона • 1,5 л оливкового масла • Соль

• Мелко порезать лук, зубчики чеснока, петрушку и обжарить, добавив лавровый лист. Добавить креветки, куски рыбы и клемов. Через несколько секунд добавить рыбный бульон, мускатный орех и размятый картофель. Тушить до тех пор, пока бульон слегка не загустеет. Тушить еще минут десять. Снять с огня.
• Разложить содержимое сковороды по индивидуальным глиняным кокотницам, добавить в каждую кокотницу по два яйца и выложить вокруг по четыре креветки.
• Поставить кокотницы в духовку и запекать около пяти минут. Подавать немедленно.

カサ・ビゴテ（ひげの家）風海鮮卵

卵　8個 • 車エビ（小さめで殻をむいたもの）16 尾 • アンコウ（ぶつ切りにしたもの）350 g • アサリ　200 g • 玉ねぎ　1個 • じゃがいも　1個 • にんにく　4かけ • ローレル　1枚 • パセリのみじん切り　小さじ1 • ナツメグ　1つまみ • 魚ブイヨン　½ l • オリーブオイル　1 ½ l • 塩

•玉ねぎはみじん切りにし、にんにくは薄切りにして、パセリとローレルと一緒に炒める。エビとアンコウ、アサリを加えて数秒待ってから、魚ブイヨンとナツメグ、つぶしたじゃがいもを入れる。スープが少しもったりとするまで約10分ほど煮る。•1人分用の小さな土鍋（カスエリータと呼ぶ）に入れて、各鍋に卵を2つずつ、それを囲むようにエビを4尾ずつ入れる。•卵が固まるまで約5分間オーブンに入れる。•作り立てでいただく。

毕哥式海鲜蛋花汤

8个鸡蛋 • 16只小对虾仁 • 350克鮟鱇切成块 • 200克蛤蜊 • 1个洋葱 • 1个土豆 • 1小调羹洋香菜末 • 1撮肉豆蔻粉粉 • 0. 5升鱼汤 • 1. 5升橄榄油 • 盐

• 把洋葱和蒜切碎，和洋香菜、月桂树叶一起熬。加入对虾、鮟鱇和蛤蜊。放置几秒后加入鱼汤、肉豆蔻粉粉和切片的土豆。当鱼汤稍浓后再后煮十分钟。备用。• 食用时将准备好的汤分装在小瓷碗里，每碗打入两个鸡蛋，边上围四只虾。• 放入烤箱大概五分钟，待鸡蛋凝结后便可取出。马上食用。

Cazuelita de mejillones en escabeche

Mussels in Escabèche

1.5 kg. mussels • 1 onion • 1 garlic bulb • 1 tbsp. paprika • 1 tsp. peppercorns • 8 bay leaves • 1 dl. water • 2 dl. vinegar • Olive oil • Salt

• Peel and julienne the onion. • Wash the mussels. Put in a large casserole dish with lots of boiling water over a high heat. Once they are open remove from heat. Put to one side. • Fry the onion, peppercorns, bay leaves and quartered garlic lightly in a clay casserole dish with oil. When the onion is soft, add the paprika, water, vinegar, season to taste and leave on a medium heat for five minutes. Add the mussels and when it comes to the boil remove from heat. • Once the escabèche has cooled, put in the fridge for one day. • Serve in individual bowls at room temperature. A quarter of a garlic bulb and two bay leaves should be placed in the centre of each one.

Moules en escabèche

1,5 kg. de moules • 1 oignon • 1 tête d'ail • 1 cuillerée à soupe de paprika • 1 cuillerée à café de poivre en grains • 8 feuilles de laurier • 1 dl. d'eau • 2 dl. de vinaigre • Huile d'olive • Sel

• Éplucher et couper l'oignon en julienne. • Nettoyer les moules. Les blanchir dans une grande casserole à l'eau bouillante. Les retirer dès qu'elles s'entrouvrent. Réserver. • Dans une casserole en terre cuite, faire revenir l'oignon, le poivre en grains, le laurier et l'ail coupé en quartiers. Une fois que l'oignon est tendre, ajouter le paprika, l'eau, le vinaigre, assaisonner au goût et laisser mijoter pendant cinq minutes à feu moyen. Ajouter les moules et lorsque l'eau arrive à ébullition, ôter du feu. • Une fois l'escabèche refroidie, laisser au réfrigérateur pendant 24 heures. • Servir dans des ramequins individuels à température ambiante. Placer un quart de tête d'ail et deux feuilles de laurier au centre de chaque ramequin.

Schmortöpfchen mit eingelegten Miesmuscheln

1,5 kg. Miesmuscheln • 1 Zwiebel • 1 Knoblauchknolle • 1 EL Paprika • 1 TL Pfefferkörner • 8 Lorbeerblätter • 100 ml. Wasser • 200 ml. Essig • Olivenöl • Salz

• Die Zwiebel schälen und in Feine Streifen schneiden. • Die Miesmuscheln waschen. In einen großen Topf mit reichlich kochendem Wasser auf großer Flamme geben. Wenn sie sich öffnen, vom Feuer nehmen. Beiseite stellen. • Die Zwiebel, die Pfefferkörner, die Lorbeerblätter und die geviertelte Knoblauchknolle in einem Tontopf anbraten. Sobald die Zwiebel weich ist, Paprika, Wasser und Essig hinzufügen, nach Geschmack würzen und fünf Minuten bei mittlerer Hitze kochen lassen. Die Miesmuscheln dazugeben, aufkochen lassen und vom Feuer nehmen. • Nachdem die Marinade abgekühlt ist, einen Tag im Kühlschrank stehen lassen. • Bei Zimmertemperatur in kleinen Tonschalen servieren. In die Mitte jeder Schale eine viertel Knoblauchknolle und zwei Lorbeerblätter geben.

Кастрюлька с мидиями в маринаде

1,5 кг мидий • 1 луковица • 1 головка чеснока • 1 ст. ложка паприки • 1 коф. ложка перца горошек • 8 лавровых листов • 1 дл воды • 2 дл уксуса • Оливковое масло • Соль

• Почистить и мелко порезать лук. • Почистить мидии. Выложить их в большую кастрюлю с достаточным количеством кипящей ключом воды. Когда мидии откроются, снять с огня и отставить в сторону. • В глиняннную кастрюльку налить масла и поджарить лук, чеснок, разрезанный на 4 части, перец горошек и лавровый лист. Когда лук станет мягким, добавить паприку, воду и уксус, посолить по вкусу и варить на среднем огне в течение пяти минут. Добавить мидии и, когда жидкость закипит, снять с огня. • Когда маринад остынет, поставить кастрюлю в холодильник на один день. • Подавать при комнатной температуре в индивидуальных кокотницах. В каждую кокотницу выложить по четверти головки чеснока и по два лавровых листа.

ムール貝のエスカベーチェ

ムール貝　1.5 kg • 玉ねぎ　1個 • にんにく　1かけ • パプリカ　大さじ1 • 粒こしょう　小さじ1 • ローレル　8枚 • 水　1 dl • 酢　2 dl • オリーブオイル • 塩

•玉ねぎの皮をむいて千切りにする。 •ムール貝を洗う。大きな鍋にたっぷり湯を沸かし、強火で沸騰させているところに貝を入れる。貝が開いたら火からおろす。•カスエラ（土鍋）に油をひいて、玉ねぎ、粒こしょう、ローレル、4つに切ったにんにくを炒める。玉ねぎがしんなりとしたら、パプリカ、水、酢を加え、好みで味を調えて、5分間中火にかける。ムール貝を加えて、煮立ったら火からおろす。•冷めてから冷蔵庫に入れ1日置く。•カスエリータ（1人分用の小さな土鍋）に入れて、常温で供する。それぞれの鍋の真ん中に4つ切りにしたにんにく1片とローレル2枚を飾る。

淡菜煲

1. 5公斤淡菜 • 1个洋葱 • 1个大蒜头 • 1调羹辣椒粉 • 1小调羹胡椒颗粒 • 8片月桂树叶 • 100毫升水 • 200毫升醋 • 橄榄油 • 盐

• 把洋葱剥皮，切成小粒。• 把淡菜洗干净后放入一大锅烧开的水中煮。当贝壳都展开后关火，备用。• 在一个砂锅中放入少许油、洋葱、胡椒粒、月桂树叶和切好的大蒜一起煎炒。当洋葱焖软时可加入适量辣椒粉、水、醋和盐，用中火煮五分钟。加入淡菜，当水开时关火。• 淡菜连汁冷却后放入冰箱中一天。• 食用直接放入小碟中。每个碟子中央可放一点大蒜和两片月桂树叶。

Cazuelita de rabo de toro

Bull's Tail Stew

2 kg. bull's tail • 1 tomato • 350 gr. fresh peas • 1½ kg. spring onions • ¾ kg. carrots • 5 cloves garlic • ½ dl. Moriles oloroso sherry • 3 saffron stigmas • Olive oil • Salt • Ground pepper

• Peel the onions and fry them in a frying pan with 1½dl olive oil. When they are done remove from heat and put to one side. • Wash and peel the carrots, chopped into thin slices. • Wash the fat from the joints of the bull's tails and put to one side. • Put the tails, fried onion, peeled and quartered tomato, garlic, saffron, carrots, peas, and the oil that we used to fry the onions in a large pressure cooker with no lid. Season to taste. • Fry everything for fifteen minutes. Add the oloroso sherry, cover the pressure cooker and leave to cook for fifteen minutes on a medium heat. Once cooked, remove from heat and leave to stand for at least two hours. • Serve in individual bowls, heated over a low heat for five minutes.

Ragoût de queue de taureau

2 kg. de queue de taureau • 1 tomate • 350 gr. de petits pois frais • 1,5 kg. d'oignons mûrs • ¾ kg. de carottes • 5 gousses d'ail • ½ dl. d'Oloroso de Moriles • 3 brins de safran • Huile d'olive • Sel • Poivre moulu

• Éplucher les oignons et les faire revenir dans une poêle avec 1,5 dl. d'huile d'olive. Une fois dorés, les retirer et réserver. • Laver et éplucher les carottes, puis les couper en fines rondelles. • Nettoyer les queues de taureau au niveaux des articulations pour enlever la graisse et réserver. • Dans une cocotte-minute non couverte, mettre les queues, l'oignon frit, la tomate pelée coupée en quartiers, les gousses d'ail, le safran, les carottes, les petits pois et l'huile utilisée pour faire frire les oignons. Assaisonner au goût. • Laisser mijoter le tout pendant quinze minutes. Ajouter l'Oloroso, fermer la cocotte et laisser cuire pendant quinze minutes à feu moyen. Une fois prêt, ôter du feu et laisser reposer pendant au moins deux heures. • Servir dans des ramequins individuels, en les faisant réchauffer à feu doux pendant cinq minutes.

Schmortöpfchen mit Stierschwanz

2 kg. Stierschwanz • 1 Tomate • 350 gr. frische Erbsen • 1 ½ kg. Frühlingszwiebeln • ¾ kg. Möhren • 5 Knoblauchzehen • 50 ml. Oloroso aus Moriles • 3 Safranfäden • Olivenöl • Salz • Gemahlener Pfeffer

• Die Zwiebeln schälen und in einer Pfanne mit 150 ml. Olivenöl anbraten. Wenn sie gar sind, herausnehmen und beiseite stellen. • Die Möhren waschen, schälen und in dünne Scheiben schneiden. • Das Fett an den Gelenken der Stierschwänze entfernen und die Schwänze beiseite stellen. • Die Schwänze, die gebratene Zwiebel, die geschälte, geviertelte Tomate, die Knoblauchzehen, den Safran, die Möhren, die Erbsen und das Bratöl in einen großen Schnellkochtopf geben. Noch nicht schließen. Nach Geschmack salzen und pfeffern. • Alles fünfzehn Minuten lang dünsten. Den Oloroso hinzufügen, den Topf schließen und fünfzehn Minuten bei mittlerer Hitze kochen lassen. Wenn es fertig ist, vom Feuer nehmen und mindestens zwei Stunden ruhen lassen. • In kleinen feuerfesten Tonschalen fünfzehn Minuten lang langsam erhitzen und servieren.

Кастрюлька с бычьми хвостами

2 кг бычьих хвостов • 1 помидор • 350 г свежего зеленого горошка • 1,5 кг лука • ¾ кг моркови • 5 зубчиков чеснока • ½ дл пахучего вина Морилес • 3 ниточки шафрана • Оливковое масло • Соль • Молотый перец

• Очистить лук и слегка потушить его в 1,5 дл оливкового масла. Когда лук готов, снять с огня и отставить в сторону. • Помыть и почистить морковь, порезать тонкими кружочками. • С мяса удалить жир и отставить в сторону. • Выложить мясо бычьих хвостов в большую скороварку и, не закручивая крышки, добавить лук, очищенный и разрезанный на четыре части помидор, чеснок, шафран, морковь, горошек и масло, в котором готовился лук. Посолить и поперчить по вкусу. • Обжаривать все вместе в течение 15-и минут. Добавить вино, закрутить крышку скороварки и тушить все в течение 15-и минут на среднем огне. Когда будет готово, снять с огня и оставить настояться в течение двух часов как минимум. • Подавать в индивидуальных кокотницах, предварительно подогрев на медленном огне в течение пяти минут.

牛テールの煮込み

雄牛テール　2 kg • トマト　1個 • グリーンピース（新鮮なもの）350 g • 古玉ねぎ　1 ½ kg • にんじん　¾ kg • にんにく　5かけ • シェリー酒モリレスのオロロソ　½ dl • サフラン　3本 • オリーブオイル • 塩 • 挽きこしょう

•玉ねぎをむいて、1 ½ dlのオリーブオイルをひいたフライパンで炒める。•にんじんを洗って皮をむき、薄めの輪切りにする。•テールの脂を取り除く。•大きな圧力鍋に、テール、炒めた玉ねぎ、皮をむいて4つ切にしたトマト、にんにく、サフラン、にんじん、グリーンピース、玉ねぎを炒めるのに使ったオリーブオイルを入れ、好みで塩こしょうする。蓋はしない。•15分間材料に火が通るように炒め合わせてから、オロロソを加えて圧力鍋の蓋をし、15分間中火にかける。火からおろして少なくとも2時間は寝かせる。•1人分用の小さな土鍋（調理してその鍋のまま食卓に出すタイプの平鍋をカスエラと言い、その小型のものをカスエリータと呼ぶ）に分けて、食べる直前に5分間弱火で温める。

牛尾砂锅

2公斤牛尾 • 1个番茄 • 350克新鲜青豆 • 1. 5公斤腌洋葱 • 750克胡萝卜 • 5瓣大蒜 • 50毫升西班牙莫里乐干葡萄酒 • 3丝藏红花 • 橄榄油 • 盐 • 胡椒粉

• 把洋葱去皮，用50毫升橄榄油炒。洋葱完全烧熟后拿出，备用。• 把胡萝卜洗干净，去皮，切成薄片。• 把牛尾上的油脂洗干净，备用。• 番茄去皮，切成四块• 把牛尾、洋葱、番茄、大蒜、藏红花、胡萝卜、青豆，加适量盐和用洋葱炝过的橄榄油一起不加盖烧十五分钟。• 移入高压锅中。加入干葡萄酒，盖上锅盖后中火煮十五分钟。煮好后把成品取出，静置至少两小时。• 用时按份取出，放置小沙锅中小火加热五分钟即可。

Cazuelita de tomates fritos con huevo

Fried Tomatos with Egg

4 eggs • 2 red tomatoes • 3 dl. yoghurt • 2 spring onions • 1 tbsp. breadcrumbs • 1 tbsp. flour • ½ tsp. paprika • ½ tsp. basil • Salt • Olive oil

• Wash and halve the tomatoes. • Fry the tomatoes on both sides over a low heat with a little olive oil in a frying pan. Remove and keep the oil. • Place the tomatoes on a baking tray. Season and sprinkle with the breadcrumbs and the spring onion, very finely chopped. • Brown the flour in the frying pan that we put aside earlier, add the paprika, basil and yoghurt. Stir until a thick sauce forms. Put to one side. • Put half a slice of tomato in an individual casserole dish and break an egg over it. Bake in the oven at 200°C until the white cooks, covering the dish with a sheet of foil. • Serve hot with a little sauce on top of the egg.

Tomates frites aux œufs

4 œufs • 2 tomates rouges • 3 dl. de yaourt • 2 cébettes • 1 cuillerée à soupe de panure • 1 cuillerée à soupe de farine • ½ cuillère à café de paprika • ½ cuillère à café de basilic • Sel • Huile d'olive

• Laver les tomates et les couper en deux. • Les faire dorer à feu doux, des deux côtés, dans une poêle avec un peu d'huile d'olive. Ôter du feu et réserver la poêle avec l'huile. • Mettre les tomates dans un plat à four. Assaisonner et saupoudrer de panure et de cébette finement hachée. • Faire dorer la farine dans la poêle réservée, ajouter le paprika, le basilic et le yaourt. Remuer jusqu'à obtenir une sauce épaisse. Réserver. • Dans un ramequin individuel, mettre une moitié de tomate et casser un œuf par-dessus. Mettre le ramequin au four à 200 °C en le recouvrant avec du papier aluminium jusqu'à ce que le blanc d'œuf prenne. • Servir chaud en versant un peu de sauce sur l'œuf.

Gebratene Tomaten mit Ei in Tonschale

4 Eier • 2 rote Tomaten • 300 ml. Joghurt • 2 Frühlingszwiebeln • 1 EL Paniermehl • 1 EL Mehl • ½ TL Paprika • ½ TL Basilikum • Salz • Olivenöl

• Die Tomaten waschen und halbieren. • Die Tomaten von beiden Seiten in einer Pfanne mit etwas Olivenöl braten. Herausnehmen und die Pfanne mit dem Öl beiseite stellen. • Die Tomaten in eine Auflaufform legen. Würzen und mit dem Paniermehl und der sehr fein gehackten Frühlingszwiebel bestreuen. • In der vorher benutzten Pfanne das Mehl bräunen, Paprika, Basilikum und Joghurt zugeben. Umrühren, bis eine dicke Sauce entsteht. Beiseite stellen. • Je eine halbe Tomate in eine kleine feuerfeste Tonschale legen und ein Ei darüber schlagen. Die Schalen mit Alufolie bedecken und bei 200 °C im Backofen backen, bis das Eiweiß stockt. • Heiß mit etwas Sauce über dem Ei servieren.

Кастрюлька с жареными помидорами и яйцом

4 яйца • 2 красных помидора • 3 дл йогурта • 2 маленькие молодые луковицы • 1 ст. ложка хлебной крошки • 1 ст. ложка муки • ½ коф. ложки паприки • ½ коф. ложки базилика • Соль • Оливковое масло

• Вымыть помидоры и разрезать их пополам. • В сковороде с небольшим количеством масла и на слабом огне обжарить помидоры с обеих сторон до золотистого цвета. Снять с огня и отставить в сторону, сохранить масло, в котором жарились помидоры. • Выложить помидоры в форму для духовки. Посолить, присыпать хлебной крошкой и мелко порезанным молодым луком. • В сковороде с маслом, которое осталось от жарки помидоров, поджарить муку до золотистого цвета, добавить паприку, базилик и йогурт. Перемешивать до образования густого соуса. Отставить в сторону. • В индивидуальную кокотницу выложить половину помидора, разбить яйцо. Прикрыть аллюминевой фольгой и выпекать при 200°С до того момента, как побелеет белок. • Подавать горячим, полив небольшим количеством соуса.

焼きトマトと卵の小鍋仕立て

卵　4個 • トマト　2個 • ヨーグルト　3 dl　• 玉ねぎ　2個 • パン粉　大さじ1　• 小麦粉　大さじ1　• パプリカ　小さじ½ • バジル　小さじ½　• 塩　• オリーブオイル

•トマトを洗って半分に切る。•フライパンにオリーブオイルを少しひいて弱火でトマトの両面を焼く。フライパンから取り出して、使ったフライパンはオイルごととっておく。　•トマトを耐熱皿に入れる。塩を振ってパン粉とみじん切りにした玉ねぎを上から振りかける。•トマトを焼くのに使ったフライパンで、小麦粉を炒める。パプリカとバジル、ヨーグルトも加える。トロッとしたソースになるまでよくかき混ぜる。•カスエリータ（一人分用の平たい土鍋）にトマトの半分を入れ、その上に卵を割り入れ、アルミ箔で覆って、200度のオーブンで白身の部分が白く固まるまで焼く。　•卵の上にソースを少しかけて温かいうちにいただく。

番汁鸡蛋砂锅

4个鸡蛋 • 2个红番茄 • 300毫升酸奶 • 2个小洋葱 • 1调羹面包屑 • 1调羹面粉 • 半小调羹辣椒 • 半小调羹罗勒 • 盐 • 橄榄油

• 把番茄洗干净, 切成两半。• 在锅里放小许橄榄油, 小火把番茄烤成焦黄色。起锅备用。• 把番茄放在一个烤箱用盘中, 加盐, 撒上面包屑和洋葱粒。• 把面粉、辣椒、罗勒和酸奶一起放入锅中煮。搅拌成稠酱。备用。• 在单份的小碗里放一片番茄, 打一个鸡蛋在上面, 用锡纸盖好后在200°C温度下烤到蛋白凝结。 • 趁热在鸡蛋上浇上制作好的酱即可。

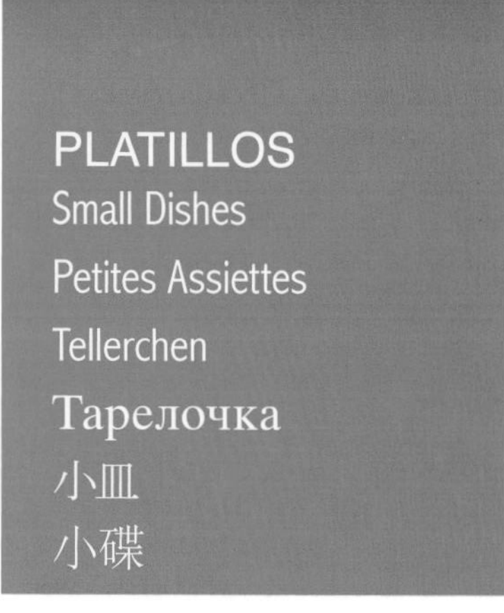

Patatas rellenas de caviar

Potatoes Stuffed with Caviar

8 small round potatoes • 500 ml. fish stock • 125 gr. caviar • 75 gr. sour cream • 25 gr. butter

• Peel the potatoes and slice a little off the bottom so that they can stand up. Remove the centre with an apple corer without reaching the bottom. Smooth out the edges with a knife. • Spread butter around the bottom of a saucepan, put the potatoes in and cover with the fish stock. Bring to the boil and leave over a medium heat for 25 minutes or until the potatoes have softened. • Drain the potatoes and fill them with the caviar. • Close the potatoes with a little sour cream and some caviar on top.

Pommes de terre farcies au caviar

8 petites pommes de terre rondes • 500 ml. de bouillon de poisson • 125 gr. de caviar • 75 gr. de crème aigre • 25 gr. de beurre

• Éplucher les pommes de terre et couper légèrement la base pour qu'elles tiennent droites. À l'aide d'un évidoir à pommes, vider le milieu sans toucher la base. Arrondir les bords à l'aide d'un couteau. • Étaler le beurre au fond d'une casserole, mettre les pommes de terre et verser le bouillon de poisson. Porter à ébullition, puis laisser bouillir à feu moyen pendant 25 minutes, jusqu'à ce que les pommes de terre deviennent tendres. • Les égoutter puis les farcir de caviar. Couvrir les pommes de terre avec un peu de crème aigre. Déposer un peu de caviar par-dessus.

Kartoffeln, gefüllt mit Kaviar

8 kleine, runde Kartoffeln • 500 ml. Fischbrühe • 125 gr. Kaviar • 75 gr. saure Sahne • 25 gr. Butter

• Die Kartoffeln schälen und an der Unterseite geradeschneiden, sodass sie stehen bleiben. In der Mitte mit einem Apfelausstecher aushöhlen, ohne den Boden zu beschädigen. Die Ränder mit einem Messer abrunden. • Eine Kasserolle mit Butter ausstreichen, die Kartoffeln hineinstellen und mit der Fischbrühe bedecken. Zum Kochen bringen und bei mittlerer Hitze 25 Minuten lang (oder bis die Kartoffeln weich sind) kochen lassen. • Die Kartoffeln abtropfen lassen und mit dem Kaviar füllen. Die Kartoffeln mit etwas saurer Sahne und einigen Kaviarkügelchen verschließen.

Картофель, фаршированный икрой

8 маленьких круглых картофелин • 500 мл рыбного бульона • 125 г икры • 75 г сметаны • 25 г сливочного масла

• Очистить картофель и чуть срезать основание, для того, чтобы картофелину можно было поставить. С помощью специальной ложечки вынуть середину картофелины, немного не доходя до основания. Округлить бока картофелины. • Намазать дно кастрюли сливочным маслом, поставить картофелины и залить их рыбным бульоном. Довести до кипения и оставить кипеть на среднем огне в течение 25-и минут, либо - до готовности картофеля. • Слить жидкость и заполнить картофель икрой. Закрыть каждую картофелину небольшим количеством сметаны, выложив поверх несколько икринок.

じゃがいものキャビア詰め

じゃがいも（丸くて小さいもの）8個 • 魚ブイヨン　500 ml • キャビア　125 g • サワークリーム　75 g • バター　25 g

•じゃがいもの皮をむき、底になる部分を少し切ってきちんと立つようにする。りんごのくり抜き器を使って中をくり抜く。この時、底に達してしまわないように気をつける。包丁を使って面取りする。•鍋の底にバターを塗って、じゃがいもを置き、魚ブイヨンを入れる。一度煮立ったら中火で25分間、じゃがいもが柔らかくなるまで煮続ける。•じゃがいもの水気をきってキャビアを詰める。少量のサワークリームをかけ、キャビアを少し飾る。

鱼子酱馅土豆

8个小圆土豆 • 500毫升鱼汤 • 125克鱼子酱 • 75克酸奶油 • 25克黄油

• 把土豆削皮，把底部稍削一块，让它能够立稳。用刀把中间挖空，不要戳到底部。把四壁削光滑。• 在平底锅的底部涂上黄油，把土豆放入，倒入鱼汤。烧开后改用中火继续烧25分钟直到土豆熟软。• 捞出土豆，馅入鱼子酱，用少许酸奶油和鱼子酱封口。

Platillo de anchoas al vino blanco

Anchovies in White Wine

16 fresh anchovies • 2 cloves garlic • 3 leaves parsley • 1 chilli • 1 wineglass white wine • 1 cup fish stock • Olive oil

• Brown the sliced garlic cloves and chilli in a clay casserole dish on a medium heat. Before they brown, add the anchovies. Fry on a medium heat until they are done. • Add the white wine, maintain the heat, and leave until it reduces. Stir occasionally. Add the fish stock, bring to the boil and leave to cook for three minutes. Put the anchovies on a serving dish. • Fry the parsley leaves in a frying pan with lots of hot oil, making sure they don't burn. Remove from heat and drain on kitchen towel. • Serve the anchovies at once with the fried parsley on top.

Anchois au vin blanc

16 anchois frais • 2 gousses d'ail • 3 feuilles de persil • 1 piment • 1 verre de vin blanc • 1 verre de bouillon de poisson • Huile d'olive

• Dans une casserole en terre cuite, à feu moyen, faire dorer l'ail émincé et le piment. Lorsqu'ils commencent à dorer, ajouter les anchois. Faire revenir à feu moyen jusqu'à ce que le tout soit cuit. • Ajouter le vin blanc, maintenir le feu et faire réduire. Remuer un peu la casserole de temps en temps. Ajouter le bouillon de poisson, porter à ébullition et laisser mijoter pendant trois minutes. Mettre les anchois dans un plat. • Dans une poêle avec beaucoup d'huile d'olive très chaude, faire frire les feuilles de persil, en évitant qu'elles ne brûlent. Ôter du feu et égoutter sur un papier absorbant. • Servir les anchois immédiatement, parsemés de persil frit.

Anchovis in Weißwein

16 frische Anchovis • 2 Knoblauchzehen • 3 Petersilienblätter • 1 Peperoni • 1 Glas Weißwein • 1 Glas Fischbrühe • Olivenöl

• Die in Scheiben geschnittenen Knoblauchzehen und die Peperoni in einem Tontopf anbräunen. Bevor sie goldbraun werden, die Anchovis hinzugeben. Bei mittlerer Hitze braten, bis sie gar sind. • Den Weißwein hinzufügen und auf dem Feuer lassen, bis der Wein einkocht. Ab und zu umrühren. Die Fischbrühe zugießen, aufkochen und drei Minuten lang kochen lassen. Die Anchovis in eine Schüssel geben. • Die Petersilienblätter in einer Pfanne mit reichlich heißem Öl braten und dabei darauf achten, dass sie nicht anbrennen. Vom Feuer nehmen und auf Küchenpapier abtropfen lassen. • Die gebratene Petersilie auf die Anchovis geben und sofort servieren.

Тарелочка с анчоусами в белом вине

16 свежих анчоусов • 2 зубчика чеснока • 3 веточки петрушки • 1 стручковый перец • 1 бокал белого вина • 1 стакан рыбного бульона • Оливковое масло

• В глинянной кастрюльке пожарить чеснок и стручковый перец до золотистого цвета. Не дожидаясь, пока чеснок и стручковый перец дойдут до золотистого цвета, добавить анчоусы. Жарить на среднем огне до готовности рыбы. • Добавить белое вино, варить, до тех пор, пока жидкость не уменьшится в объеме. Время от времени следует поворачивать кастрюлю. Добавить рыбный бульон, довести до кипения и варить три минуты. Выложить анчоусы в тарелку. • В сковороде с достаточным количеством горячего масла поджарить листья петрушки. Снять с огня и выложить на кухонную бумагу. • Немедленно подавать, выложив жаренную петрушку поверх анчоуса.

アンチョビの白ワイン煮

アンチョビ　16尾 • にんにく　2かけ • パセリ　3葉 • 唐辛子　1個 • 白ワイン　1杯 • 魚ブイヨン　1カップ • オリーブオイル

•カスエラ (調理してそのまま食卓に出せる平たい土鍋) を中火にかけて、薄切りにしたにんにくと唐辛子を炒める。色がつく前にアンチョビも入れる。中火でよく火が通るまで炒め続ける。•白ワインを加えて、ワインが煮詰まるまで時々全体を混ぜながら火はそのままにしておく。魚ブイヨンを加えて3分間煮立たせる。アンチョビを皿に取る。•フライパンに油をたっぷり入れて熱し、パセリの葉を焦がさないように気をつけながら揚げる。キッチンペーパーで油分をきる。•アンチョビにパセリの葉を添えて出来立てをいただく。

白葡萄酒鳀鱼

16条新鲜鳀鱼 • 2瓣大蒜 • 3片洋香菜叶 • 1个小尖辣椒 • 1杯白葡萄酒 • 1杯鱼汤 • 橄榄油

• 用砂锅先在中火上把切片的大蒜和辣椒炒成焦黄色。再加入鳀鱼。把它们用中火煎熟。• 加入葡萄酒, 继续加热, 直到葡萄酒收水。时不时翻动砂锅。倒入鱼汤, 烧开后继续煮三分钟。起锅后盛入盘中。• 用足够的热油炸洋香菜叶, 尽量避免炸焦。关火后捞出, 放在吸油纸上。• 把洋香菜放摆鳀鱼上即可食用。

Platillo de berenjenas rellenas

Stuffed Aubergines

2 aubergines • ½ courgette • ½ red pepper • 1 tomato • ½ onion • 1 clove garlic • 1 tbsp. parsley • 1 tbsp. breadcrumbs or grated cheese • Coarse salt • Virgin olive oil

• Wash the aubergines and halve them lengthways. Put on a baking tray and sprinkle with oil. Season with coarse salt. Bake at a high temperature for half an hour. Extract the flesh and set aside. • Wash and chop the vegetables into thin slices. Season and fry in a frying pan over a low heat with a dash of oil. • Mix the vegetables with the aubergine flesh and fill the aubergine skins. Sprinkle with the breadcrumbs or grated cheese and the parsley. Grill in the oven for a couple of minutes. Serve hot.

Aubergines farcies

2 aubergines • ½ courgette • ½ poivron rouge • 1 tomate • ½ oignon • 1 gousse d'ail • 1 cuillerée à soupe de persil • 1 cuillerée à soupe de panure ou de fromage râpé • Gros sel • Huile d'olive vierge

• Laver les aubergines et les couper en deux dans le sens de la longueur. Les déposer sur un plat à four et les arroser d'huile d'olive. Assaisonner avec du gros sel. Mettre au four pendant une demi heure à haute température. Vider la chair des aubergines et réserver. • Laver et couper les légumes en petits morceaux. Assaisonner et faire revenir le tout dans une poêle avec un peu d'huile à feu doux. • Mélanger les légumes et la chair d'aubergine. Farcir les aubergines. Saupoudrer de panure ou de fromage râpé puis de persil. Faire gratiner au four pendant quelques minutes. Servir chaud.

Tellerchen mit gefüllten Auberginen

2 Auberginen • ½ Zucchini • ½ rote Paprika • 1 Tomate • ½ Zwiebel • 1 Knoblauchzehe • 1 EL Petersilie • 1 EL Paniermehl oder geriebener Käse • Grobes Salz • Natives Olivenöl

• Die Auberginen waschen und längs halbieren. In eine Auflaufform legen und mit Öl beträufeln. Mit grobem Salz würzen. Eine halbe Stunde lang bei großer Hitze im Backofen backen. Die Auberginen aushöhlen und das Fleisch aufbewahren. • Das Gemüse waschen und in kleine Stücke schneiden. Würzen und in einer Pfanne mit einem Schuss Öl bei schwacher Hitze anbraten. • Das Gemüse mit dem Auberginenfleisch mischen und die Auberginen damit füllen. Mit dem Paniermehl oder dem geriebenen Käse und der Petersilie bestreuen. Zwei Minuten lang im Backofen gratinieren. Heiß servieren.

Тарелочка с фаршированными баклажанами

2 баклажана • ½ кабачка • ½ красного перца • 1 помидор • ½ луковицы • 1 зубчик чеснока • 1 ст. ложка петрушки • 1 ст. ложка хлебной крошки или тертого сыра • Крупная соль • Оливковое масло

• Помыть баклажаны и разрезать вдоль пополам. Выложить в форму для духовки и полить оливковым маслом. Посолить. Выпекать в течение получаса при высокой температуре. Вынуть мякоть из баклажанов и отставить в сторону. • Вымыть овощи и мелко порезать. Посолить и слегка обжарить на медленном огне в небольшом количестве масла. • Смешать овощи с мякотью баклажана и нафаршировать баклажаны. Посыпать хлебной крошкой или тертым сыром и петрушкой. Запечь в духовке в течение нескольких минут. Подавать горячим.

茄子の野菜詰め

茄子　2個 • ズッキーニ　½ 本 • ピーマン（赤）½個 • トマト　1個 • 玉ねぎ　½ 個 • にんにく　1かけ • パセリ　大さじ1 • パン粉あるいはおろしたチーズ　大さじ1 • 大粒の塩 • バージンオリーブオイル

•茄子を洗って縦に半分に切る。耐熱皿に入れてオリーブオイルをかけ、塩を振る。30分間強火のオーブンで焼く。くり抜いて、中身はとっておく。•その他の野菜を適当に小さく切る。塩を振って、弱火のフライパンでオリーブオイルをさっと垂らして炒める。•炒めた野菜にくり抜いた茄子の中身を混ぜて、茄子に詰める。上からパン粉あるいはおろしチーズをかけて、パセリのみじん切りを散らし、2分間オーブンで表面を焼く。　温かいうちにいただく。

夹心茄子

2个茄子 • 半个青瓜 • 半个红辣椒 • 1个番茄 • 半个洋葱 • 1瓣大蒜 • 1调羹洋香菜末 • 1调羹面包屑或奶酪屑 • 粗盐 • 橄榄油

• 茄子洗净, 横向对半切开。置烤箱用托盘上, 浇上油。加盐, 大火烤半个小时。然后把中间挖空, 备用。• 把蔬菜洗干净后切成小段。加盐, 锅放少许加油, 用小火炒。• 把蔬菜和挖出的茄子肉拌匀后馅入茄子里。撒上洋香菜和面包屑或奶酪屑。烤几分钟。热食。

Platillo de boquerones al ajillo

Anchovies with Garlic

8 anchovies • 1 tbsp. chopped garlic • 1 tbsp. chopped parsley • ½ dried green chili tip • Olive oil • Rock salt

• Clean well the anchovies, remove backbone and head. Season with rock salt and place to one side. • Heat the oil in a frying pan and add the chopped garlic and green chili tip. When they begin to brown, add the anchovies. When done, sprinkle the chopped parsley over them and serve immediately.

Petit plat d'anchois frais à l'ail

8 anchois frais • 1 cuillérée à soupe d'ail haché • 1 cuillérée à soupe de persil haché • ½ piment sec • Huile d'olive • Gros sel

• Laver bien les anchois frais en leur enlevant l'arête centrale et la tête. Les assaisonner avec gros sel et les réserver. • Dans une poêle mettre de l'huile à chauffer, ajouter l'ail haché et le piment. Quand ils commencent à dorer, ajouter les anchois frais. Les laisser cuire, saupoudrer sur ils le persil et les servir tout de suite.

Portion Anchovis auf Knoblauch

8 Anchovis • 1 EL gehackter Knoblauch • 1 EL gehackte Petersilie • ½ Spitze trockene Pfefferschote • Olivenöl • Grobes Salz

• Die Anchovis reinigen, die Mittelgräte und den Kopf entfernen, salzen mit grobes salz und bei Seite stellen. • In einer Pfanne Öl erhitzen, den gehackten Knoblauch und die Pfefferschote zugeben. Wenn alles etwas Farbe annimmt, die Anchovis hinzu fügen, garen, mit Petersilie bestreuen und sofort servieren.

Тарелочка анчоусов в чесноке

8 анчоусов • 1 ст. ложка мелко порезанного чеснока • 1 ст. ложка мелко порезанной петрушки • ¼ сушеного стручкового перца • Оливковое масло • Крупная соль

• Очистить анчоусы, удалить кости и голову. Посолить крупной солью и отставить в сторону. • Подогреть масло и пожарить чеснок и стручковый перец. Когда они поменяют цвет, добавить анчоусы. Довести до готовности и посыпать петрушкой. Немедленно подавать.

カタクチイワシのにんにくオイル煮

カタクチイワシ　8 尾 • にんにくのみじん切り　大さじ1 • パセリのみじん切り　大さじ1 • 唐辛子（ドライ）　¼ 本 • オリーブオイル • 大粒の塩

•カタクチイワシの頭と骨をとってきれいに洗い、塩をしておく。•フライパンに油を熱し、にんにくのみじん切りと唐辛子を入れる。色づいてきたらイワシを入れ火を通す。パセリを上から散らして出来立てをいただく。

炸蒜酱鳀鱼

8条,鳀鱼 • 1调羹蒜茸• 1调羹洋香菜末• ¼个小尖辣椒干•橄榄油•粗盐

• 把鳀鱼洗干净, 去掉中央主刺和头。用粗盐腌好备用。• 在锅中把油先烧热, 倒入蒜茸和尖椒。它们开始变色的时候加入鳀鱼。等烧熟之后撒上洋香菜末。即食。

Platillo de boquerones en vinagre

White Anchovies in Vinegar

1 kg. white anchovies • 2 cloves garlic • 1 dl. vinegar • 1 dl. virgin olive oil • 1 tbsp. chopped parsley • Salt

• Wash the anchovies in very cold water. Leave them in fillets, removing the bones. Dry, season and place on a serving dish. Cover with the vinegar and leave in a cold place for 3 hours. • After 3 hours drain well and put on another serving dish with the virgin olive oil and sliced garlic. • Serve cold with a sprinkling of chopped parsley.

Anchois au vinaigre

1 kg. d'anchois • 2 gousses d'ail • 1 dl. de vinaigre • 1 dl. d'huile d'olive vierge • 1 cuillerée à soupe de persil haché • Sel

• Nettoyer les anchois à l'eau très froide. Relever les filets, en enlevant les arêtes. Les égoutter, assaisonner et les disposer sur un plat. Les recouvrir de vinaigre et réserver au frais pendant 3 heures. • Une fois ce temps écoulé, bien les égoutter, puis les mettre dans un autre plat avec l'huile d'olive vierge et l'ail émincé. • Servir froid, en saupoudrant de persil haché.

Sardellen in Essig

1 kg. Sardellen • 2 Knoblauchzehen • 100 ml. Essig • 100 ml. natives Olivenöl • 1 EL gehackte Petersilie • Salz

• Die Sardellen in sehr kaltem Wasser waschen. Filetieren und entgräten. Trocknen, würzen und in eine Schüssel legen. Mit Essig bedecken und drei Stunden lang an einem kalten Ort ziehen lassen. • Anschließend gut abtropfen lassen und in eine andere Schüssel mit dem Olivenöl und den in Scheiben geschnittenen Knoblauchzehen legen. • Mit gehackter Petersilie bestreuen und kalt servieren.

Тарелочка с анчоусом в уксусе

1 кг анчоусов • 2 зубчика чеснока • 1 дл винного уксуса • 1 дл оливкового масла • 1 ст. ложка мелко порезанной петрушки • Соль

• Почистить анчоусы в очень холодной воде. Отделить филе, удалить кости. Обсушить филе, посолить и выложить в тарелку. Залить уксусом и оставить на 3 часа в холодном месте. • По прошествии этого времени хорошо слить жидкость и выложить в другую емкость с оливковым маслом и тонкими ломтиками чеснока. • Подавать холодными, посыпав петрушкой.

カタクチイワシの酢漬け

カタクチイワシ　1 kg • にんにく　2かけ　•酢　1 dl • バージンオリーブオイル　1 dl • パセリのみじん切り　大さじ1 • 塩

•カタクチイワシを冷水につけて骨をとって洗う。よく水気をとって塩を振り、バットに並べる。酢をかけて涼しい所に3時間置く。•水分をよくとって、皿に並べ、バージンオリーブオイルと薄切りにしたにんにくを入れる。•上からパセリのみじん切りを散らして冷たくしていただく。

醋腌鳀鱼

1公斤鳀鱼 • 2瓣大蒜 • 100毫升醋 • 100毫升橄榄油 • 1调羹洋香菜末 • 盐

• 用凉水把鳀鱼洗干净, 去骨取两片鱼肉。沥干后加盐, 放在碗里, 加醋放在阴凉处泡3个小时。 • 之后把它们捞出, 放到另一个碗里, 加橄榄油和大蒜片。 • 撒上洋香菜后凉食。

Platillo de calamares rellenos

Stuffed Squid

8 small squid • 350 gr. mussels • 2 boiled eggs • 2 onions • 1 green pepper • 1 clove of garlic • 3 tbsp. fried tomato sauce • 1 tsp. chopped parsley • 200 ml. white wine • Virgin olive oil • Salt • Pepper

• Peel and finely chop the eggs. Put to one side. • Cook the mussels in a covered casserole dish with half of the wine and water half-covering the mussels. When they open remove from the heat, keeping the stock to one side, remove from the shells and chop the meat into small pieces. Put to one side. • Lightly fry one chopped onion and the finely-chopped pepper in a frying pan with a little oil. Once they are done, add the mussels and eggs, add salt and put to one side. • Wash the squid and fill them with the mixture. Hold the opening shut with a cocktail stick, season and sauté in a frying pan on a high heat with a little oil. When they start to turn brown remove and put to one side. • Sauté the other onion and the finely-chopped garlic in a frying pan at medium heat, when they are done add the tomato, white wine, mussel stock and squid. Stir and leave to boil on a medium heat for a few minutes. Add salt and remove from heat. • Serve in individual bowls, pouring a little sauce over the squid.

Calmars farcis

8 petits calmars • 350 gr. de moules • 2 œufs durs • 2 oignons • 1 poivron vert • 1 gousse d'ail • 3 cuillerées à soupe de sauce tomate • 1 cuillerée à café de persil haché • 200 ml. de vin blanc • Huile d'olive vierge • Sel • Poivre

• Écaler les œufs et les couper très finement. Réserver. • Faire cuire les moules dans une casserole, à couvert, avec la moitié du vin et de l'eau couvrant la moitié du volume des moules. Retirer les moules dès qu'elles s'entrouvrent et conserver le jus. Les décoquiller et hacher finement la chair. Réserver. • Faire revenir l'oignon haché et le poivron finement coupé dans une poêle avec un peu d'huile. Une fois dorés, ajouter les moules et les œufs, saler si nécessaire et réserver. • Nettoyer les calmars et les farcir avec la préparation. Les fermer aux deux bouts avec des bâtonnets, assaisonner et les faire sauter à feu vif dans une poêle avec un peu d'huile. Une fois dorés, les retirer et réserver. • Faire revenir un oignon et l'ail finement émincés dans une poêle, à feu doux, puis ajouter la tomate, le vin blanc, le jus des moules et les calmars. Remuer et laisser bouillir, à feu doux, pendant quelques minutes. Saler si nécessaire et retirer. • Servir dans des ramequins individuels en versant un filet de sauce sur les calmars.

Gefüllte Kalmare

8 kleine Kalmare • 350 gr. Miesmuscheln • 2 gekochte Eier • 2 Zwiebeln • 1 grüne Paprika • 1 Knoblauchzehe • 3 EL Tomatensauce • 1 TL gehackte Petersilie • 200 ml. Weißwein • Natives Olivenöl • Salz • Pfeffer

• Die Eier schälen und sehr klein schneiden. Beiseite stellen. • Die Miesmuscheln in einem geschlossenen Topf mit der Hälfte des Weins und soviel Wasser kochen, dass die Hälfte der Muscheln in Flüssigkeit liegen. Wenn die Miesmuscheln sich öffnen, vom Feuer nehmen, die Brühe aufbewahren, die Schalen entfernen und das Muschelfleisch in kleine Stücke schneiden. Beiseite stellen. • Eine gehackte Zwiebel und die sehr klein geschnittene Paprika in einer Pfanne mit etwas Öl anbraten. Wenn sie angebräunt sind, die Miesmuscheln und die Eier dazugeben, mit Salz abschmecken und beiseite stellen. • Die Kalmare waschen und mit der Mischung füllen. Die Öffnung mit einem Zahnstocher verschließen, salzen, pfeffern und in einer Pfanne mit etwas Öl bei großer Hitze sautieren. Wenn sie angebräunt sind, herausnehmen und beiseite stellen. • Die andere Zwiebel und den sehr fein gehackten Knoblauch in einer Pfanne bei kleiner Hitze anbraten und dann die Tomatensauce, den Weißwein, die Miesmuschelbrühe und die Kalmare hinzugeben. Umrühren und bei kleiner Hitze einige Minuten lang kochen lassen. Mit Salz abschmecken und vom Feuer nehmen. • In kleinen Tonschalen servieren und etwas Sauce über die Kalmare geben.

Тарелочка фаршированных кальмаров

8 небольших кальмаров • 350 г мидий • 2 вареных яйца • 2 луковицы • 1 зеленый перец • 1 зубчик чеснока • 3 ст. ложки томатной пасты • 1 коф. ложка мелко порубленной петрушки • 200 мл белого вина • Оливковое масло • Соль • Молотый перец

• Очистить яйца и мелко порезать. Отставить в сторону. • В закрытой кастрюле сварить мидии с половиной порции вина и водой, которая покрывает мидии до половины. Когда мидии откроются, снять кастрюлю с огня и сохранить жидкость, в которой они варились. Вынуть мясо мидий и мелко порезать. Отставить в сторону. • В небольшом количестве масла обжарить мелко порезанную луковицу и маленькие кусочки перца. Когда будут обжарены овощи, добавить мидии и яйца. Если необходимо, посолить. Отставить в сторону. • Почистить кальмары и заполнить их подготовленной смесью. Заколоть отверстие деревянной палочкой, посолить и поперчить. Обжарить на сковороде с небольшим количеством масла и на сильном огне. Когда кальмары приобретут золотистый цвет, снять с огня и отставить в сторону. • На медленном огне обжарить мелко порезанные лук и чеснок, когда будет готово, добавить томатную пасту, оставшуюся часть белого вина, жидкость от варки мидий и фаршированные кальмары. Помешивая, дать медленно покипеть в течение нескольких минут. Если требуется, добавить соли. Снять с огня. • Подавать в индивидуальных кокотницах, выливая немного соуса на каждый кальмар.

イカのムール貝詰め

ヤリイカ（小さいもの）8杯 • ムール貝　350 g • ゆで卵　2個 • 玉ねぎ　2個 • ピーマン（緑）　1個 • にんにく　1かけ • トマテフリート（トマトとオリーブオイルのソース）大さじ3 • パセリのみじん切り　小さじ1 • 白ワイン　200 ml • バージンオリーブオイル • 塩 • こしょう

•卵の殻をむいて薄切りにする。•鍋に蓋をしてムール貝を茹でる。この際、材料にある半量のワインに水を足して、ムール貝全体の約半分ぐらいまでがかくれるような量の水で茹でる。貝が開いたら火からおろし、貝の身を貝殻からはずして細かく刻む。茹でるのに使った湯はとっておく。•フライパンに油を少しひいて玉ねぎのみじん切りと薄く切ったピーマンを炒める。火が通ったらムール貝と卵を加え塩で味を調える。•これをきれいにしたイカに詰める。楊枝で口を閉じて、塩こしょうし、強火にかけたフライパンに油を少しひいて焼く。こんがりと焼けたら火からおろす。•フライパンを弱火にかけ、玉ねぎ1個をみじん切りにしてやはりみじん切りにしたにんにくと炒める。よく炒まったらトマテフリートと白ワイン、ムール貝を茹でるのに使った水、イカを加える。よく混ぜて弱火で数分煮立てる。塩で味を調えて火からおろす。•カスエリータ（一人分用の平たい土鍋）に分け入れる。

镶馅鱿鱼

8个鱿鱼仔 • 350克淡菜 • 2个煮鸡蛋 • 2个洋葱 • 1个青椒 • 1瓣大蒜 • 3调羹番茄酱 • 1/小调羹洋香菜末 • 200毫升白葡萄酒 • 橄榄油 • 盐 • 胡椒粉

• 鸡蛋去壳, 切碎后备用。• 把淡菜放在锅里, 加100毫升葡萄酒后加水, 让水淹没淡菜的一半, 加盖煮。当淡菜壳张开后可以关火, 保留汤汁, 把去壳的淡菜切碎。备用。• 把洋葱、辣椒切碎后放在少许橄榄油中炒。同时加入淡菜和鸡蛋, 加盐后出锅备用。

把鱿鱼洗干净, 灌入备好的馅, 用牙签把口封好。再上锅加少许油在大火上。放入鱿鱼, 加盐和胡椒粉, 炒到颜色变金黄起锅备用。• 在油锅里用小火炝洋葱末和蒜末。加入番茄酱、另100毫升葡萄酒、煮淡菜的汤汁和鱿鱼。在小火上烧几分钟, 不停翻动。加盐后盛出。• 食用时按份盛在小盘里, 淋上少许汤汁即可。

Platillo de cogollos a la mediterránea

Lettuce hearts a la mediterránea

1 Tudela lettuce heart • 4 anchovy fillets • 4 tbsp. vinaigrette dressing • *For vinaigrette dressing:* 1 green pepper • ½ red pepper • 1 onion • 2 whites of hard-boiled eggs • ½ tsp of vinegar of sidra • Olive oil • Salt

• How to prepare vinaigrette dressing. Clean and finely chop the onion. Clean and finely chop peppers and hard-boiled egg whites. Cover all with oil, season and add a few drops of vinegar of sidra. Mix all the ingredients together in a bowl. • How to prepare the lettuce hearts: Clean the Tudela lettuce Herat and cut into tour. Place them on a plate, lay an anchova fillet on each one and dressing over them with the vinaigrette. Serve cold.

Petit plat de coeurs de laitue a la mediterránee

1 coeur de laitue • 4 filets d'anchois • 4 cuillérées à soupe de vinaigrette • *Pour la vinaigrette:* 1 poivron vert • ½ poivron rouge • 1 oignon • 2 blancs d'oeufs durs • ½ cuillérée à café de vinaigre de sidra • Huile d'olive • Sel

• Pour la vinaigrette: Laver et émincer l'oignon. Nettoyer et émінces les poivrons et les blancs d'oeufs durs. Couvrir d'huile, assaisonner et ajouter le vinaigre de sidra. Dans un récipient mélanger tous les ingrédients. • Pour preparer le petit plat: Nettoyer le coeur de laitue et le couper en quatre. Les disponer sur une assiette, placer un filet d'anchois et assaisonner avec la vinaigrette. Servir bien froid.

Portion Cogollos (Salatherzen) a la mediterránea

1 Salatherz • 4 Anchovisfilets • 4 EL Vinagrette • *Vinagrette:* 1 grüne Paprika • ½ rote Paprika • 1 Zwiebel • 2 hart gekochte Eier (Eiweiß) • ½ TL Trofpen Essig • Olivenöl • Salz

• Vinaigrette kochen: Zwiebeln säuben und fein hacken. Paprika säuben und Ei fei hacken. Mit Öl bedecken, salzen un ein para Trofpen Essig hinzu fügen. In einem Gefäß warden alle Zutaten gut vermischt • Portion Salatherzen kochen: Das salatherz säuberns und vierteln. Auf einen Teller setzen, auf jedes Viertel ein Anchovisfilet geben und Vinagrette darüber traüfeln. Heiß servieren.

Тарелочка с сердцевиной салата в средиземноморском стиле

1 сердцевина кочанного салата • 4 филе анчоусов • 4 ст. ложки соуса винигрет • Для соуса винигрет: 1 зеленый перец • ½ красного перца • 1 луковица • 2 белка от вареных яиц • ½ коф. ложка яблочного уксуса • Оливковое масло • Соль

• Для соуса винигрет Помыть и мелко порезать лук. Помыть и порезать перцы и белки очень мелко.Залить все маслом, посолить и добавить несколько капель уксуса. В миске смешать все ингредиенты. • Для приготовления тарелочек: Вымыть сердцевину салата и разрезать на четыре части. Выложить салат в тарелку, сверху выложить филе анчоуса и полить соусом винигрет. Подавать холодным.

地中海風レタス

トゥデラ産若レタス　1個 • アンチョビ　4枚 • ビナグレット　大さじ4 • ビナグレット：ピーマン（緑）　1個 • ピーマン（赤）　半個 • 玉ねぎ　1個 • ゆで卵の白身　2個分 • シードルビネガー　小さじ½ • オリーブオイル • 塩

• ビナグレットの作り方 玉ねぎを洗ってみじん切りにする。 洗ったピーマンと卵もみじん切りにする。 オイルをかけ、塩を振ってビネガーも加える。 材料すべてをよく混ぜ合わせる。• 作り方：レタスを洗って4つに切る。 レタスを皿に盛り付けて、1切れにつきアンチョビ1枚を上に載せる。ビナグレットを適当にかける。 冷やしていただく。

地中海式小生菜心

1个度特拉产的小生菜心 • 4片罐装鳀鱼 • 4调羹醋酱 • 制作醋酱: 1个青椒 • 半个甜辣椒 • 1个洋葱 • 2个煮鸡蛋白 • 半小调羹苹果汽酒 • 橄榄油 • 盐

• 制作醋酱的方法: 把洋葱洗干净, 切碎。 把辣椒和蛋白切碎。 在混合物上淋橄榄油, 加盐和几滴醋。 在一个容器里把所有材料搅拌均匀。• 小菜的制作: 把菜心洗干净后切成四分。把它们放在盘子里, 上面各放上一片鳀鱼, 浇上醋酱。冷食。

Platillo de ensaladilla rusa

Russian Salad

125 gr. tuna in oil • 2 boiled eggs • 2 potatoes • 1 red pepper • 1 carrot • 50 gr. cooked peas • 4 tbsp. mayonnaise • ½ lemon • Salt

• Boil the potatoes in their skins, peel and cut into small cubes. • Peel and boil the carrot. Cut into small slices. • Mix the potatoes, finely-chopped eggs, carrot, the red pepper cut into small cubes and the peas. Season. Add the drained and crumbled tuna, some drops of lemon and the mayonnaise. Mix well and shape. Serve cold.

Salade russe

125 gr. de thon à l'huile • 2 œufs durs • 2 pommes de terre • 1 poivron rouge • 1 carotte • 50 gr. de petits pois cuits • 4 cuillerées à soupe de mayonnaise • ½ citron • Sel

• Faire cuire les pommes de terre avec la peau, les éplucher, puis les couper en petits dés. • Éplucher la carotte et la faire bouillir. La couper en petits dés. • Mélanger les pommes de terre, les œufs finement coupés, la carotte, le poivron rouge coupé en petits dés et les petits pois. Assaisonner. Ajouter le thon égoutté et émietté, quelques gouttes de citron et la mayonnaise. Bien mélanger et dresser en dôme. Servir froid.

Tellerchen mit Kartoffelsalat

125 gr. Thunfisch in Öl • 2 gekochte Eier • 2 Kartoffeln • 1 rote Paprika • 1 Möhre • 50 gr. gekochte Erbsen • 4 EL Mayonnaise • ½ Zitrone • Salz

• Die Kartoffeln mit Schale kochen, schälen und in kleine Würfel schneiden. Die Möhre schälen und kochen. In kleine Würfel schneiden. • Die Kartoffeln, die kleingeschnittenen Eier, die Möhre, die in kleine Würfel geschnittene rote Paprika und die Erbsen vermischen. Würzen. Den abgetropften und zerlegten Thunfisch, einige Tropfen Zitronensaft und die Mayonnaise hinzufügen. Gut mischen und formen. Kalt servieren.

Тарелочка с русским салатом

125 г тунца в масле • 2 вареных яйца • 2 картофелины • 1 красный перец • 1 морковка • 50 г зеленого горошка • 4 ст. ложки майонеза • ½ лимона • Соль

• Сварить картофель в мундире, очистить и порезать маленькими кубиками. Очистить морковь и сварить ее. Порезать маленькими кубиками. • Смешать картофель, мелко порезанные яйца, морковь, мелко порезанный красный перец и горошек. Посолить. Добавить измельченный тунец, несколько капель лимонного сока и майонез. Все хорошо перемешать и придать форму. Подавать холодным.

ロシア風サラダ

ツナ　125 g • ゆで卵　2個 • じゃがいも　2個 • ピーマン（赤）1個 • にんじん　1本 • グリーンピース（茹でたもの）50 g • マヨネーズ　大さじ4 • レモン　半個 • 塩

• 皮のついたままじゃがいもを茹で、皮をむいてさいの目に切る。• にんじんの皮をむいて茹でる。小さいさいの目に切る。じゃがいも、薄く切ったゆで卵、にんじん、やはりさいの目に切ったピーマン、グリーンピースを混ぜて、塩を振る。油分をきってよくほぐしたツナを加え、レモン汁数滴とマヨネーズを入れる。すべてよく混ぜて全体の形を整える。冷たく冷やしていただく。

俄式沙拉

125克橄榄油金枪鱼 • 2个煮鸡蛋 • 2个土 • 1个红辣椒 • 1个胡萝卜 • 50克熟豌豆 • 4调羹沙拉酱 • 半个柠檬 • 盐

• 把土豆连皮煮熟，削皮后切成小块。• 把胡萝卜削皮后煮熟，切成小块。• 把土豆、切成小块的煮鸡蛋、胡萝卜、红辣椒和豌豆混匀。加盐。• 金枪鱼去油捣碎，加入蔬菜中，滴入柠檬汁，加入沙拉酱。拌匀。 冷食。

Platillo de foie al Pedro Ximénez

Duck Liver in Pedro Ximénez Sherry

300 gr. fresh duck liver • 225 ml. Pedro Ximénez sherry • Coarse salt

• Boil the sweet sherry on a high heat until it foams. Reduce until it acquires a thick consistency. Put to one side. • Cut the duck liver into thin slices. Fry the slices in a frying pan over a medium heat, on both sides. When they have browned remove and serve, pouring over the sherry sauce and a pinch of coarse salt.

Foie au Pedro Ximénez

300 gr. de foie de canard frais • 225 ml. de xérès Pedro Ximénez • Gros sel

• Faire chauffer le xérès à feu vif jusqu'à ce qu'il arrive à ébullition. Faire réduire jusqu'à obtenir une bonne consistance. Réserver. • Couper le foie de canard en fines tranches. Dans une poêle, faire frire les tranches de foie à feu moyen, des deux côtés. Une fois dorées, les retirer et servir en versant par-dessus la sauce au xérès et une pincée de gros sel.

Foie gras an Pedro Ximénez

300 gr. frische Entenleber • 225 ml. Pedro-Ximénez-Sherry • Grobes Salz

• Den süßen Sherry bei großer Hitze kochen, bis Schaum entsteht. Einkochen lassen, bis er dickflüssig wird. Beiseite stellen. • Die Entenleber in dünne Scheiben schneiden. Die Entenleberscheiben in einer Pfanne bei mittlerer Hitze von beiden Seiten braten. Wenn sie angebräunt sind, vom Feuer nehmen, mit Sherrysauce übergießen, eine Prise grobes Salz daraufgeben und servieren.

Тарелочка с фуа гра в вине Педро Хименез

300 г свежей печени утки • 225 мл Хереса Педро Хименез • Крупная соль

• Сварить на медленном огне сладкий Херес до того, как появится пена. Поварить до загустения. Отставить в сторону. • Порезать печень на тонкие ломтики. Быстро обажарить ломтики печени на среднем огне с обеих сторон. Довести печень до золотистого цвета, выложить на тарелочку, полив сверху соусом из Хереса и присыпав щепоткой крупной соли.

フォアグラのペドロヒメネス風味

カモの肝臓（生）300 g • シェリー酒ペドロヒメネス　225 ml • 大粒の塩

• シェリー酒を強火にかけて、泡が立ったら濃縮したソース状になるまで煮詰める。カモの肝臓を薄く切り、中火にかけたフライパンで両面を焼く。こんがりと焼けたら上にシェリー酒のソースをかけ塩を数粒散らす。

甜雪利鸭肝

300克鲜鸭肝 • 225毫升甜雪利葡萄酒 • 粗盐

• 用大火烧甜雪利葡萄酒, 烧开, 收汁变浓后备用。• 把鸭肝切成薄片。放在锅中用中火把两面煎至金黄, 淋上准备好的葡萄酒, 撒上粗盐。

Platillo de alcauciles (alcachofas) del Bar Juanito

Bar Juanito artichokes

2 ½ kg. of artichokes • 2 medium-sized onions • 4 cloves of garlic • 1 tbsp. of wheat flour • 1 bunch of parsley • 2 tbsp. of white wine • Juice of 2 lemons • Salt • Olive oil

• Cut the stalks from the artichokes and remove the outer leaves, until only the white leaves are remaining. Put them in a large saucepan with water and the lemon juice to prevent them from darkening. • In a casserole dish with a little oil, glaze the finely-chopped onion at a medium heat and add the garlic and parsley chopped into tiny pieces. Stir with a wooden spoon, add the flour and stir again to prevent lumps from forming. When the flour has browned, add the artichokes and lightly fry. Cover with water, add the wine and when boiling lower the heat. Leave to cook on a low heat for 1 hour. Add water if the sauce reduces. Season half way through cooking. • Serve immediately when the artichokes are tender and the sauce has thickened.

Artichauts façon Bar Juanito

2,5 kg. d'artichauts • 2 oignons moyens • 4 gousses d'ail • 1 cuillerée à soupe de farine de blé • 1 botte de persil • 2 cuillerées à soupe de vin blanc • Jus de 2 citrons • Sel • Huile d'olive

• Couper la queue des artichauts et retirer les feuilles extérieures pour ne laisser que les feuilles blanches. Les mettre dans une grande casserole avec de l'eau et le jus de citron pour qu'elles ne noircissent. • Faire blanchir l'oignon émincé dans une casserole à feu moyen avec un peu d'huile, puis ajouter l'ail et le persil finement émincés. Remuer à l'aide d'une cuillère en bois, ajouter la farine et mélanger à nouveau en évitant la formation de grumeaux. Une fois la farine grillée, ajouter les artichauts et laisser mijoter. Recouvrir avec de l'eau et incorporer le vin. Baisser le feu lorsque le tout commence à bouillir. Laisser cuire à feu doux pendant 1 heure. Ajouter un peu d'eau si la sauce réduit. Assaisonner à la moitié de la cuisson. • Servir dès que les artichauts deviennent tendres et que la sauce s'épaissit.

Artischockenteller nach Art der Bar Juanito

2 ½ kg. Artischocken • 2 mittelgroße Zwiebeln • 4 Knoblauchzehen • 1 EL Weizenmehl • 1 Bund Petersilie • 2 EL Weißwein • Saft von 2 Zitronen • Salz • Olivenöl

• Die Artischocken entstielen und die äußeren Blätter entfernen, bis nur noch die weißen Blätter übrig sind. In einen großen Topf mit Wasser und Zitronensaft geben, damit sie nicht schwarz werden. • Die fein gehackte Zwiebel in einem Topf mit etwas Öl bei mittlerer Hitze glasig dünsten und den Knoblauch und die Petersilie sehr klein geschnitten zugeben. Mit einem Holzlöffel umrühren, das Mehl hinzufügen und erneut umrühren, damit keine Klumpen entstehen. Wenn das Mehl angebräunt ist, die Artischocken hinein geben und anbraten. Mit Wasser bedecken, den Wein zugießen, und sobald das Ganze aufkocht, die Hitze kleiner stellen. Bei schwacher Hitze eine Stunde lang kochen lassen. Wasser hinzugeben, falls die Sauce einkocht. Nach der halben Garzeit würzen. • Servieren, sobald die Artischocken weich sind und die Sauce eingedickt ist.

Тарелочка с артишоками от Бар Хуанито

2,5 кг артишоков • 2 средних луковицы • 4 зубчика чеснока • 1 ст. ложка пшеничной муки • 1 пучок петрушки • 2 ст. ложки белого вина • Сок 2-х лимонов • Соль • Оливковое масло

• У артишоков отрезать стебель у и удалить внешние листья, оставив только листья белого цвета. Выложить их в большой ковш с лимонным соком, для того, что бы не потемнели. • В кастрюле с небольшим количеством масла слегка поджарить мелко порезанный лук и выложить порубленный чеснок и петрушку. Перемешать деревянной ложкой, добавить муки и продолжать помешивать что бы не образовывалось комков. Когда мука обжариться, добавить артишоки и обжарить все вместе. Залить водой, добавить вино и когда жидкость закипит - убавить огонь. Варить на слабом огне в течение одного часа. За полчаса до готовности посолить. Если соуса окажется мало можно добавить воды. • Подавать немедленно, пока артишоки нежные и соус загустел.

バル「フアニート」風アーティチョーク

アーティチョーク　2 ½ kg • 玉ねぎ (中) 2個 • にんにく　4かけ • 小麦粉　大さじ1 • パセリ　1束 • 白ワイン　大さじ2 • レモン汁　2個分 • 塩 • オリーブオイル

•アーティチョークは、花芯部分の白い葉だけになるまで外側の硬い葉をとっていく。大鍋で、色が黒くならないようにレモン汁を入れて茹でる。•カスエラ（調理してそのまま食卓に出せるタイプの平たい土鍋）を中火にかけて、みじん切りにした玉ねぎ、にんにく、パセリを少量のオリーブオイルで炒める。木べらでかき混ぜながら小麦粉を加え、だまにならないようによく混ぜる。小麦粉に火が通ったらアーティチョークを加え更に炒める。かぶるぐらいの水を入れ、白ワインも加えて一度煮立ったら火をおとす。弱火で1時間煮る。水気がなくなった時には適宜水を加える。煮ている半ばで塩で味付けする。•アーティチョークが柔らかく煮え、ソースが煮詰まったら出来立てをすぐにいただく。

洋蓟小菜

• 5斤洋蓟 • 2个中等大小洋葱 • 4片蒜瓣 • 1勺面粉 • 1撮洋香菜 • 2勺白葡萄酒 • 2个柠檬榨汁 • 盐 • 橄榄油

• 把洋蓟外部叶子去掉, 只留下中间白色叶片, 把茎切块。把它们放在大碗中, 泡在水和柠檬汁里, 防止变黑。• 在锅中倒入少许油, 中火把切碎的洋葱炸得有光泽后加大蒜和洋香菜粒。用木勺翻动, 加入面粉后不停翻动直到形成凝块。当面粉烤黄后倒入洋蓟后继续油焖。烧开后倒入水、葡萄酒, 同时换小火。煮1小时左右, 中途加盐。如果酱汁缩水可以在次酌情加水。• 把洋蓟烧烂, 且酱汁变稠即可趁热食用。

Platillo de langostinos, rape y alcaparras

King prawns, Monkfish and Capers

4 King prawns • 16 capers • 250 gr. monkfish • 1 red pepper • 1 green pepper • 1 hard-boiled egg • ½ onion • ½ tsp. of chopped parsley • Olive oil • Sherry vinegar • Salt

• Shell and chop the hard-boiled egg. • Skin and finely chop the onion and peppers into thin strips, mix all with the capers, the hard-boiled egg, the oil, the vinegar and a pinch of salt. • Cook the king prawns whole and the monkfish in pieces in salted water. Peel and season the king prawns, leaving the tails on. • Mix all the ingredients, sprinkle over with a little chopped parsley and serve immediately.

Petit plat de grosses crevettes, baudroie et câpres

4 grosses crevettes • 16 câpres • 250 gr. de baudroie • 1 poivron rouge • 1 poivron vert • 1 oeuf dur • ½ oignon • 1 cuillérée de café de persil haché • Huile d'olive • Vinaigre de Xérez • Sel

• Écaler et couper l'œuf. • Peler et émincer l'oignon et les poivrons en petits dés, les mélanger avec les câpres, l'oeuf dur, l'huile d'olive, le vinaigre de Xérez et une pincée de sel. • Cuire les grosses crevettes entières et la baudroie coupée dans de l'eau salée. Peler et assaisonner les crevettes en laissant la fin de la queue. • Mélanger tous les ingrédients, saupoudrer de persil et servir tout de suite.

Portion mit Langusten, Teufelsfisch und Kapern

4 Langusten • 16 Kapern • 250 gr. Teufelsfisch • 1 rote Paprika • 1 grüne Paprika • 1 hart gekochte Eier • 1 TL gehackte Petersilie • ½ Zwiebel • Olivenöl • Sherryessig • Salz

• Die gekochten Eier schälen und in Stücke schneiden. • Zwiebel schälen und klein hacken und Paprika in kleine Würfel schneiden, mit Kapern, dem gekochten Ei, Öl, Sherryessig und einer Prise Salz mischen. • Die Langusten ganz und den Teufelsfisch in Stücken in Salzwasser kochen. Die Langusten schälen, das Schwanzende jedoch lassen und dann salzen. • Alle Zutaten mischen, Petersilie darüber streuen. Sofort servieren.

Тарелочка с тигровыми креветками, морским чертом и каперсами

4 тигровые креветки • 16 каперсов • 250 г морского черта • 1 красный перец • 1 зеленый перец • 1 вареное яйцо • ½ луковицы • ½ коф. ложки мелко порезанной петрушки • Оливковое масло • Уксус из вина Херес • Соль

• Очистить и порезать вареное яйцо. • Почистить и мелко порезать лук, а перцы порезать маленькими кубиками, смешать все с каперсами, кусочками яйца, маслом и уксусом, добавить щепотку соли. • В соленой воде сварить креветки целиком, а морского черта - порезанного на куски. Почистить и посолить креветки, оставить хвостик. • Смешать все ингредиенты, посыпать сверху петрушкой и тут же подавать.

エビとアンコウ、ケーパーのサラダ

車エビ　4尾 • ケーパー　16粒 • アンコウ　250 g • ピーマン (赤)　1個 • ピーマン (緑)　1個 • ゆで卵　1個 • 玉ねぎ　半個 • パセリのみじん切り　小さじ½ • オリーブオイル • シェリービネガー • 塩

•ゆで卵の殻をむいて切る。•玉ねぎの皮をむいて薄く切り、ピーマンは細かいさいの目に切って、ケーパーと卵、オリーブオイルとビネガー、塩少々と混ぜる。　•エビと、適当に切ったアンコウを塩を加えた湯で茹でる。尾を残してエビの殻をとり、塩を振る。•すべての材料を混ぜ合わせてパセリのみじん切りを上から散らし、出来立てをいただく。

对虾鮟鱇拌刺山柑

4只对虾 • 16颗刺山柑 • 250克鮟鱇 • 1个甜辣椒 • 1个青椒 • 1个煮鸡蛋 • 半个洋葱 • 半小调羹洋香菜末 • 橄榄油 • 雪利酒醋 • 盐

• 把煮鸡蛋剥壳后切碎。• 把洋葱剥皮，切成小块，青椒切成小块。把它们和刺山柑、煮鸡蛋、橄榄油、醋和一撮盐拌在一起。• 把对虾和切成块的鮟鱇用盐水煮熟，虾去壳，留尾部。• 把所有的材料拌匀，撒上洋香菜末即可食用。

Platillo de mejillones a la vinagreta

Mussels with Vinaigrette

1 kg. mussels • 1 green pepper • 1 red pepper • 1 onion • 2 pickled gherkins • 1 courgette • 1 ripe tomato • 1 clove of garlic • 1 wineglass white wine • 1 tsp. vinegar • ½ lemon • Virgin olive oil

• Wash the mussels in very cold water, removing the cilia from the shells. • Fry the mussels in a frying pan with a little oil on a high heat and add the white wine. When it reduces add a small glass of water, add salt and leave to boil for 2 minutes. Remove from flame and put the mussels and the stock to one side. • Finely chop the onion and cut the gherkins, peppers, courgette and tomato into small slices. Mix with the peel julienne of one lemon that has already been boiled for one minute. Splash with a little olive oil and vinegar, season and put in the fridge to cool. Serve cold in small dishes.

Moules à la vinaigrette

1 kg. de moules • 1 poivron vert • 1 poivron rouge • 1 oignon • 2 cornichons au vinaigre • 1 courgette • 1 tomate mûre • 1 gousse d'ail • 1 verre de vin blanc • 1 cuillerée à café de vinaigre • ½ citron • Huile d'olive vierge

• Nettoyer les moules dans de l'eau très froide en enlevant les filaments sur les coquilles. • Faire revenir les moules à feu vif dans une poêle avec un peu d'huile et ajouter le vin blanc. Faire réduire, puis ajouter un petit verre d'eau, saler si nécessaire et laisser bouillir pendant 2 minutes, ôter du feu et réserver les moules. Réserver. • Hacher l'oignon très finement et couper les cornichons, les poivrons, la courgette et la tomate en petits dés. Faire bouillir un zeste de citron pendant une minute, le couper en julienne, puis mélanger avec le tout. Arroser d'un filet d'huile d'olive et le vinaigre, assaisonner et laisser refroidir au réfrigérateur. Servir froid dans des petites assiettes.

Miesmuscheln in Vinaigrette

1 kg. Miesmuscheln • 1 grüne Paprika • 1 rote Paprika • 1 Zwiebel • 2 Essiggurken • 1 Zucchini • 1 reife Tomate • 1 Knoblauchzehe • 1 Glas Weißwein • 1 TL Essig • ½ Zitrone • Natives Olivenöl

• Die Miesmuscheln in sehr kaltem Wasser waschen und die Bärte von den Schalen entfernen. • Die Miesmuscheln in einer Pfanne mit etwas Öl bei großer Hitze dünsten und den Weißwein dazugeben. Wenn er eingekocht ist, ein kleines Glas Wasser hinzufügen, mit Salz abschmecken und zwei Minuten lang kochen lassen, vom Feuer nehmen und die Miesmuscheln beiseite stellen. • Die Zwiebel sehr fein hacken und die Gurken, die Paprika, die Zucchini und die Tomate in kleine Stücke schneiden. Mit der zuvor in Feine Streifen geschnittenen und eine Minute lang gekochten Schale einer Zitrone mischen. Mit etwas Olivenöl und Essig übergießen, würzen und zum Erkalten in den Kühlschrank stellen. Kalt auf kleinen Tellern servieren.

Тарелочка мидий в уксусе

1 кг мидий • 1 зеленый перец • 1 красный перец • 1 луковица • 2 маринованных огурца • 1 кабачок • 1 спелый помидор • 1 зубок чеснока • 1 бокал белого вина • 1 коф. ложка винного уксуса • ½ лимон • Оливковое масло

• Промыть мидии в холодной воде и удалить волосы с раковин. • В сковороде с небольшим количеством масла обжарить мидии на сильном огне и добавить белое вино. Когда жидкость уменьшится в объеме, добавить маленький стаканчик воды, добавить соль, если необходимо и кипятить 2 минуты, снять с огня и отставить в сторону. • Мелко порезать лук и огурцы, перец, кабачок и помидор порезать на маленькие кусочки. Кожицу одного лимона кипятить в течение одной минуты, а затем мелко ее порезать и смешать с овощами. Полить небольшим количеством масла и уксусом, посолить и поставить в холодильник. Подавать мидии с овощами в маленьких тарелочках.

ムール貝のビナグレット

ムール貝　1 kg • ピーマン（緑）　1個 • ピーマン（赤）　1個 • 玉ねぎ　1個 • ミニきゅうりの酢漬け　2本 • ズッキーニ　1本 • 完熟トマト　1個 • にんにく　1かけ • 白ワイン　1杯 • 酢　小さじ1 • レモン　半個 • バージンオリーブオイル

•ムール貝を冷水のもとで、貝殻についた海草を取りながらきれいに洗う。 •フライパンに油を少しひいて、強火でムール貝を炒め、白ワインを加える。ワインが少し煮詰まったら小さめのコップに1杯の水を加えて塩で味を調え、2分間煮立たせる。火からおろしてムール貝をとっておく。•玉ねぎを細かいみじん切りにして、ミニきゅうりのピクルス、ピーマン、トマトを細かく切る。レモンの皮を千切りにして1分間熱湯で茹でたものを加える。すべて混ぜてオリーブオイル、酢をかけて味を調え冷蔵庫に入れる。•冷たくして小皿に分けて供する。

醋汁淡菜

1公斤淡菜 • 1个青椒 • 1个甜辣椒 • 1个洋葱 • 2个醋泡嫩黄瓜 • 1个青瓜 • 1个熟番茄 • 1瓣大蒜 • 1杯白葡萄酒 • 1小调羹醋 • 半个柠檬 • 橄榄油

• 用凉水把淡菜洗干净，去须，去壳。• 在锅里加一点油，炒淡菜，倒入白葡萄酒。收汁后，加入盐和一小杯水，烧开后继续焖2分钟。起锅后把淡菜和汤汁同放备用。• 洋葱切碎，把嫩黄瓜、辣椒、青瓜和番茄都切成小块。把柠檬煮一分钟，把柠檬皮切碎，一起拌在蔬菜里。淋上一点橄榄油和醋。加盐后放入冰箱冷藏。• 按份盛小盘中冷食。

Platillo de mejillones encebollados

Mussels with Onions

1 kg. mussels • 5 spring onions • 1 tbsp. chopped chives • 1 wineglass white wine • Water • Salt • Ground black pepper

• Wash the mussels in very cold water, removing the cilia from the shell. • Fry in a frying pan with a little oil on a high heat and add the white wine. When it reduces add a small glass of water, add salt and leave to boil for 2 minutes, remove from heat and put the mussels to one side. Also keep the left-over stock to one side. • Wash the spring onions, julienne them, season to taste and sauté on a medium heat in a frying pan with a very small amount of oil. Add the stock from the mussels. Remove from heat when the spring onions are soft and the liquid has evaporated. • Serve at room temperature. Put a layer of spring onion in a caviar spoon with a mussel on top and sprinkle with the finely-chopped chives.

Moules aux oignons

1 kg. de moules • 5 petits oignons blancs • 1 cuillerée à soupe de ciboulette hachée • 1 verre de vin blanc • Eau • Sel • Poivre noir moulu

• Nettoyer les moules dans de l'eau très froide en enlevant les filaments sur les coquilles. • Les faire revenir à feu vif dans une poêle avec un peu d'huile et ajouter le vin blanc. Faire réduire, puis ajouter un petit verre d'eau, saler si nécessaire et laisser bouillir pendant 2 minutes. Ôter du feu et réserver les moules. Réserver également le jus restant. • Nettoyer les petits oignons, les couper en julienne, assaisonner au goût et les faire sauter dans une poêle avec un peu d'huile, à feu moyen. Ajouter le jus des moules. Retirer lorsque les petits oignons sont tendres et que le jus s'est évaporé. • Servir à température ambiante. Dans une cuillère en nacre, mettre une couche de petits oignons, une moule, puis saupoudrer d'un peu de ciboulette hachée très finement.

Miesmuscheln mit Zwiebeln

1 kg. Miesmuscheln • 5 Frühlingszwiebeln • 1 EL gehackter Schnittlauch • 1 Glas Weißwein • Wasser • Salz • Gemahlener schwarzer Pfeffer

• Die Miesmuscheln in sehr kaltem Wasser waschen und die Bärte von den Schalen entfernen. • In einer Pfanne mit etwas Öl bei großer Hitze dünsten und den Weißwein dazugeben. Wenn er eingekocht ist, ein kleines Glas Wasser hinzufügen, mit Salz abschmecken und zwei Minuten lang kochen lassen, vom Feuer nehmen und die Miesmuscheln beiseite stellen. Auch die übrige Flüssigkeit aufbewahren. • Die Frühlingszwiebeln waschen, in Feine Streifen schneiden, nach Geschmack salzen und pfeffern und in einer Pfanne mit sehr wenig Öl bei mittlerer Hitze sautieren. Die Miesmuschelflüssigkeit hinzufügen. Vom Feuer nehmen, sobald die Zwiebeln weich sind und die Flüssigkeit verdampft ist. • Bei Zimmertemperatur servieren. Auf einen Perlmuttlöffel eine Schicht Schnittlauch geben, eine Miesmuschel darauf legen und mit etwas sehr fein gehacktem Schnittlauch bestreuen.

Тарелочка мидий на луковой подушке

1 кг мидий • 5 маленьких луковиц • 1 ст. ложка мелко порезанного молодого зеленого лука • 1 бокал белого вина • Вода • Соль • Молотый перец

• В очень холодной воде очистить мидии, удалить волоски с раковин. • В сковороде с небольшим количеством масла слегка обжарить мидии и вылить белое вино. Когда количество жидкости уменьшится, добавить маленький стакан воды, если нужно, то добавить соли и кипятить 2 минуты. Снять с огня и сохранить жидкость, в котором жарились мидии. • Очистить луковицы, мелко порезать, посолить и поперчить по вкусу и обжарить в небольшом количестве масла. Добавить жидкость, оставшуюся от жарки мидий. Снять с огня, когда лук станет мягким, и вся жидкость испарится. • Подавать при комнатной температуре. В перламутровую ложку выложить лук, на него одну мидию, посыпать молодым зеленым луком.

ムール貝の玉ねぎ煮

ムール貝　1 kg • 玉ねぎ　5個 • チャイブのみじん切り　大さじ1 • 白ワイン　1杯 • 水 • 塩• 黒挽きこしょう

• ムール貝を冷水のもとで、貝殻についた海草を取りながらきれいに洗う。•フライパンに油を少しひいて、強火でムール貝を炒め、白ワインを加える。ワインが少し煮詰まったら小さめのコップに1杯の水を加えて塩で味を調え、2分間煮立たせる。火からおろしてムール貝をとっておき、フライパンに残った水分も別にとっておく。•玉ねぎを洗って薄切りにする。好みで塩こしょうしながら油を少量ひいた中火のフライパンで炒める。先ほどとっておいた貝を炒めたときに出た水分を加え、玉ねぎがしんなりとして水分がなくなったら火からおろす。•貝に炒めた玉ねぎを敷き、身をその上に置き、上からチャイブのみじん切りを散らす。常温でいただく。

洋葱淡菜

1千克淡菜 • 5个嫩洋葱 • 1调羹切碎的小洋葱 • 1杯白葡萄酒 • 水 • 盐 • 黑胡椒粉

• 用凉水把淡菜洗干净, 去须, 去壳。• 在锅里加一点油, 炒淡菜, 倒入白葡萄酒。收汁后, 加入盐和一小杯水, 烧开后继续焖2分钟。起锅后把淡菜和汤汁同放备用。• 把嫩洋葱洗干净, 切成碎粒, 和盐、胡椒粉和少量油一起放入锅中用中火炒。加入淡菜的汤汁。待洋葱变软, 收汁后起锅。• 在贝壳上放上嫩洋葱, 摆上淡菜, 撒上小洋葱末。稍凉后食用。

Platillo de patatas con alioli

Potatoes with Aïoli Sauce

4 medium potatoes • 1 tbsp. chopped parsley • 1 tbsp. lemon juice • 1 tbsp. warm water • 3 cloves garlic • 2 egg yolks • Olive oil • Salt • Pepper

• Crush the garlic cloves in a mortar with a pinch of salt and pepper. When they form a paste, add the egg yolks and five spoonfuls of olive oil drop by drop, keeping the mixture moving until it takes consistency. Stir and, once well mixed, add the lemon juice and water to form the aïoli sauce. • Wash the potatoes. Cook in their skins in a casserole dish with salt and plenty of cold water. Once cooked, leave to cool, remove skin and quarter. Season. • Put the potatoes in a dish, pour the aïoli sauce over them and sprinkle with the chopped parsley.

Pommes de terre à l'aïoli

4 pommes de terre de taille moyenne • 1 cuillerée à soupe de persil haché • 1 cuillerée à soupe de jus de citron • 1 cuillerée à soupe d'eau tiède • 3 gousses d'ail • 2 jaunes d'œufs • Huile d'olive • Sel • Poivre

• Broyer les gousses d'ail dans un mortier, en ajoutant une pincée de sel et de poivre, jusqu'à obtenir une pâte. Ajouter les jaunes d'œufs et verser goutte à goutte cinq cuillerées d'huile d'olive tout en remuant pour prendre de la consistance. Remuer et une fois le tout bien mélangé, ajouter le jus de citron et l'eau pour obtenir l'aïoli. • Nettoyer les pommes de terre. Faire cuire les pommes de terre, avec la peau, dans une casserole remplie d'eau froide et salée. Une fois cuites, les laisser refroidir. Les éplucher et les couper en petits dés. Assaisonner. • Disposer les pommes de terre dans un plat de service, ajouter l'aïoli et saupoudrer de persil haché.

Kartoffeln mit Alioli

4 mittelgroße Kartoffeln • 1 EL gehackte Petersilie • 1 EL Zitronensaft • 1 EL lauwarmes Wasser • 3 Knoblauchzehen • 2 Eigelb • Olivenöl • Salz • Pfeffez

• Die Knoblauchzehen mit einer Prise Salz und Pfeffer in einem Mörser zerstoßen. Sobald eine Paste entsteht, die Eigelbe hinzugeben und unter ständigem Rühren fünf EL Öl tropfenweise hinzugeben, damit die Mischung fest wird. Umrühren, und wenn alles gut gemischt ist, den Zitronensaft und das Wasser hinzufügen, um die Alioli-Sauce fertigzustellen. • Die Kartoffeln waschen. Die Kartoffeln mit Schale in einen Topf mit reichlich kaltem Salzwasser geben und kochen. Wenn sie gar sind, erkalten lassen, schälen und würfeln. Würzen. • Die Kartoffeln auf einen Teller geben, die Alioli-Sauce darüber verteilen und mit gehackter Petersilie bestreuen.

Тарелочка с картофелем в соусе алиоли

4 средние картофелины • 1 ст. ложка мелко порезанной петрушки • 1 ст. ложка лимонного сока • 1 ст. ложка теплой воды • 3 зубчика чеснока • 2 желтка • Оливковое масло • Соль • Молотый перец

• В ступке растолочь зубчик чеснока со щепоткой соли и молотого перца. Когда получится пастообразная смесь, добавить желтки и, постоянно помешивая, влить по каплям пять ст. ложек оливкового масла. Перемешать и добавить лимонный сок и воду, мешать до тех пор, пока не получится довольно густой соус алиоли. • Помыть картофель. В большом количестве холодной соленой воды сварить его в мундире. Когда картофель готов, остудить и снять кожуру. Порезать кубиками. Посолить и поперчить. • Выложить картофель на блюдо, выложить сверху соус алиоли и посыпать петрушкой.

じゃがいものアリオリソース

じゃがいも（中）4個 • パセリのみじん切り　大さじ1 • レモン汁　大さじ1 • ぬるま湯　大さじ1 • にんにく　3かけ • 卵黄　2個 • オリーブオイル • 塩　• こしょう

•にんにく、塩こしょう少々を鉢に入れて突き潰す。ペースト状になったら卵黄を加え、混ぜる手を休めずに、大さじ5杯分のオリーブオイルを少しずつ加えていき、しっかりとしたクリーム状になるまで混ぜる。全体がよく混ざったらレモン汁と湯を入れて混ぜ、アリオリソースを作る。　•じゃがいもを洗う。鍋にたっぷり水を入れ、塩を加えて、じゃがいもを皮ごと水から茹でる。茹で上がったら冷まして皮をむき、四角に切っていく。塩こしょうする。　•じゃがいもを皿に盛って、アリオリソースをその上からかけ、パセリのみじん切りを散らす。

蒜油土豆

4个中等大小土豆 • 1调羹洋香菜末 • 1调羹柠檬汁 • 1调羹温水 • 3瓣大蒜 • 2个蛋黄 • 橄榄油 • 盐 • 胡椒粉

• 在研钵中将蒜瓣捣碎，加入少量盐和胡椒粉。当成粘稠状时加入蛋黄。之后逐滴加入五调羹橄榄油，同时不停搅拌，使其成为糊状。当他们混合均匀后，加入柠檬汁和水调成蒜油。• 把土豆洗干净。在锅里加入足够的水，加盐，土豆连皮放入，煮熟。捞出后放凉，去皮，切成小方块。加盐。把土豆放在一个盘子里，往上淋蒜油，撒上洋香菜末。

Platillo de patatas baby con salmón gratinadas

Salmon and Baby Potatoes au Gratin

8 baby new potatoes • 2 slices smoked salmon • 200 gr. béchamel sauce • 50 gr. Gruyère cheese • 1 tsp. parsley • 1 egg yolk

• Mix the béchamel, cheese, parsley and egg yolk in a bowl to form a creamy mixture. Put aside. • Cut the salmon into thin slices. • Boil the potatoes whole in salt water. Remove and extract a little of the flesh when cold. Fill the potatoes with the salmon and cover with the sauce. • Grill in the oven for a couple of minutes.

Pommes de terre primeur gratinées au saumon

8 pommes de terre primeur • 2 tranches de saumon fumé • 200 gr. de béchamel • 50 gr. de gruyère • 1 cuillerée à café de persil • 1 jaune d'œuf

• Bien mélanger la béchamel, le fromage, le persil et le jaune d'œuf dans un bol, jusqu'à obtenir une pâte crémeuse. Réserver. • Couper le saumon en petits morceaux. • Faire cuire les pommes de terre entières dans de l'eau salée. Les retirer, et une fois froides, les évider légèrement. Farcir les pommes de terre avec le saumon et les napper de sauce. Les faire gratiner au four pendant quelques minutes.

Tellerchen mit gratinierten Babykartoffeln und Lachs

8 Babykartoffeln • 2 Scheiben Räucherlachs • 200 gr. Béchamelsauce • 50 gr. Gruyère-Käsev • 1 TL Petersilie • 1 Eigelb

• Die Béchamelsauce, den Käse, die Petersilie und das Eigelb in einer Schüssel mischen, bis eine cremige Masse entsteht. Beiseite stellen. • Den Lachs in kleine Stücke schneiden. • Die ganzen Kartoffeln in Salzwasser kochen. Herausnehmen, abkühlen lassen und leicht aushöhlen. Die Kartoffeln mit dem Lachs füllen und mit der Sauce bedecken. Zwei Minuten lang im Backofen gratinieren.

Тарелочка с запеченым картофелем бэби с лососем

8 картофелин бэби • 2 ломтика копченого лосося • 200 г соуса бешамель • 50 г сыра Груер • 1 коф. ложка петрушки • 1 желток

• Смешать в миске соус бешамель, сыр, петрушку и желток, до образования однородной массы. Отставить в сторону. • Порезать лосось на маленькие кусочки. • Сварить картофель в соленой воде. Снять с огня и остудить. Вынуть середину и заполнить кусочками лосося. Залить соусом. Запекать несколько минут в духовке.

サーモンとベビーポテトのグラタン

ベビーポテト　8個 • スモークサーモン　2枚 • ベシャメルソース　200 g • グリュイエールチーズ　50 g • パセリのみじん切り　小さじ1 • 卵黄　1個分

•ボールでベシャメルソースとチーズ、パセリ、卵黄をクリーム状になるまでよく混ぜる。•サーモンを小さく切る。•湯に塩を加えてベビーポテトを茹でる。茹で上がったら冷めるのを待って、中をくり抜く。サーモンを詰めて、先に作ったクリームをかける。オーブンで2分間、表面を焼く。

小土豆烤鲑鱼

8个小土豆 • 2片熏鲑鱼 • 200克白沙米尔酱 • 50克瑞士格鲁叶里奶酪 • 1小调羹洋香菜 • 1个蛋黄

• 在碗中把白沙米尔酱、奶酪、洋香菜和蛋黄调成浓酱, 备用。• 把鲑鱼切成小块。• 把土豆放在盐水中煮熟后捞出, 凉后把中间稍许挖空。馅入鲑鱼块, 用酱汁封口, 放在烤箱中烤几分钟。

Platillo de patatas baby rellenas de foie

Baby Potatoes Stuffed with Duck Liver

8 baby new potatoes • 300 gr. duck liver • 150 ml. single cream • 2 egg yolks • 1 tbsp. sugar • 1 tbsp. brandy • 1 tbsp. port • 1 pinch of nutmeg • Salt • Pepper

• De-vein the duck liver, season to taste and pour the sugar, alcohol and nutmeg on top. Stir well and cover the mixture with a layer of cling film and then a layer of foil. Leave to marinate in the fridge for 24 hours. Then put in a saucepan with lots of boiling water for 10 minutes. Remove the wrapping and put to one side. • Cook the potatoes in a casserole dish with lots of water and salt. Remove, halve and peel, once cooled. Scoop out the flesh with a coffee spoon. • Boil the cream in a saucepan with the potato flesh and the duck liver cut into small slices, season and add the egg yolks. Fill the potatoes with the mixture. • Grill in the oven for 3 minutes at a high heat. Serve hot.

Pommes de terre primeur farcies au foie de canard

8 pommes de terre primeur • 300 gr. de foie de canard • 150 ml. de crème fraîche liquide • 2 jaunes d'œufs • 1 cuillerée à soupe de sucre • 1 cuillerée à soupe de brandy • 1 cuillerée à soupe de Porto • 1 pincée de noix de muscade • Sel • Poivre

• Enlever les veines du foie de canard, assaisonner au goût, saupoudrer de sucre et de noix de muscade, puis ajouter les vins liquoreux. Bien remuer et envelopper la pâte à l'aide d'un papier film, puis dans un papier aluminium. Laisser macérer au réfrigérateur pendant 24 heures. Une fois ce temps écoulé, mettre le tout dans une casserole d'eau bouillante pendant 10 minutes. Enlever le papier et réserver. • Faire cuire les pommes de terre dans une casserole remplie d'eau salée. Les retirer, les laisser refroidir, puis les éplucher et les couper en deux. Les évider à l'aide d'une cuillère à café. • Porter la crème fraîche, la pulpe de pomme de terre et le foie coupé en petits morceaux à ébullition, assaisonner, puis ajouter les jaunes d'œufs. Farcir les pommes de terre avec la préparation. • Faire gratiner au four pendant 3 minutes à haute température. Servir chaud.

Babykartoffeln, gefüllt mit Foie gras

8 Babykartoffeln • 300 gr. Entenleber • 150 ml. flüssige Sahne • 2 Eigelb • 1 EL Zucker • 1 EL Weinbrand • 1 EL Portwein • 1 Prise Muskatnuss • Salz • Pfeffer

• Die Venen aus der Entenleber entfernen, nach Geschmack salzen und pfeffern, anschließend Zucker, Weinbrand, Portwein und Muskatnuss darübergeben. Gut umrühren, dann die Masse in Frischhaltefolie einwickeln und mit Alufolie umhüllen. 24 Stunden lang im Kühlschrank ziehen lassen. Anschließend zehn Minuten lang in eine Kasserolle mit reichlich kochendem Wasser geben. Die Umhüllung abnehmen und beiseite stellen. • Die Kartoffeln in einem Topf mit reichlich Salzwasser kochen. Herausnehmen, erkalten lassen, schälen und halbieren. Die Kartoffeln mit einem TL aushöhlen. • Die Sahne mit der herausgenommenen Kartoffelmasse und der in kleine Stücke geschnittenen Foie gras zum Kochen bringen, salzen, pfeffern und die Eigelbe hinzugeben. Die Kartoffeln mit der Mischung füllen. • Im Backofen bei großer Hitze drei Minuten lang gratinieren. Heiß servieren.

Тарелочка картофеля бэби, фаршированного фуа гра

8 картофелин бэби • 300 г утиной печени • 150 г жидких сливок • 2 желтка • 1 ст. ложка сахара • 1 ст. ложка брэнди • 1 ст. ложка вина Опорто • 1 щепотка молотого мускатного ореха • Соль • Молотый перец

• Очистить печень от сосудов, посолить и поперчить по вкусу, посыпать сахаром, вылить брэнди и Опорто, добавить мускатный орех. Перемешать и завернуть в кухонную пленку и затем в алюминиевую фольгу. Оставить на 24 часа в холодильнике. После чего поместить в кастрюлю с большим количеством кипящей воды и кипятить 10 мин. Вынуть, удалить фольгу и пленку и отставить в сторону. • В кастрюле с большим количеством соленой воды сварить картофель. Вынуть и остудить, очистить кожуру и разрезать пополам. Кофейной ложкой вынуть серединку. • В ковшике вскипятить сливки вместе с изъятой мякотью картофеля и печенью, порезанной на маленькие кусочки. Посолить и поперчить по вкусу и добавить желтки. Заполнить этой смесью половинки картофеля. • Запечь в духовке гриль в течение 3-х минут. Подавать горячим.

ベビーポテトのフォアグラ詰め

ベビーポテト　8個 • カモの肝臓　300 g • 生クリーム　150 ml • 卵黄　2個
• 砂糖　大さじ1 • ブランデー　大さじ1 • ポートワイン　大さじ1 • ナツメグ　1つまみ • 塩 • こしょう

•カモの肝臓のすじを取り除いて、好みで塩こしょうし、上から砂糖と酒類、ナツメグをかける。よくまぶして、まずラップで包み、その上からアルミ箔で包む。24時間冷蔵庫で寝かせる。24時間たったら、鍋に湯をたっぷり沸騰させそこに10分間入れる。包みをとる。 •鍋に湯をたっぷり沸かして塩を加え、ベビーポテトを茹でる。湯から取り出し冷めるのを待って皮をむき半分に切る。ティースプーンを使ってポテトをくりぬく。 •小鍋に生クリーム、ポテトのくりぬいた中身、小さく切ったフォアグラを入れて煮立たせる。塩こしょうして卵黄を加える。これをくりぬいたポテトに詰める。•強火のオーブンに3分入れ、表面を焼く。• 温かいうちにいただく。

鸭肝酱镶小土豆

8个小土豆 • 300克鸭肝 • 150毫升液体奶油 • 2个蛋黄 • 1调羹糖 • 1调羹白兰地 • 1调羹波尔图葡萄酒 • 1撮肉豆蔻粉粉 •盐 • 胡椒粉

• 把鸭肝洗干净, 根据口味加盐、胡椒粉、糖、酒、肉豆蔻粉粉、白兰地和葡萄酒腌。先用保鲜膜包起来再用锡纸包一层。 放入冰箱24小时, 使它变软。拿出后放入开水中煮10分钟。取出备用。• 在锅里倒入足量的水, 加盐, 煮土豆。土豆煮熟后, 待凉, 去皮, 切成两半。用小调羹把中间挖空。• 用小锅把奶油、挖出的土豆泥和小块鸭肝再烧热, 加盐和胡椒粉, 加入蛋黄。把混合物馅入挖空的土豆。• 在烤箱里用大火烤3分钟。 趁热食用。

Platillo de patatas rellenas de pisto, jamón serrano y huevos de codorniz

Potatoes Stuffed with Ratatouille, Serrano Ham and Quail's Eggs

4 potatoes • 4 quail's eggs • 1 slice Serrano ham • 1 green pepper • 1 peeled tomato • 1 onion • ½ courgette • 1 clove of garlic • Virgin olive oil • Salt

• Sauté the chopped onion, sliced garlic and the finely-chopped green pepper in a frying pan with a little olive oil. When they start to brown add the sliced tomato and the finely-chopped courgette, season and leave to cook. • Bake the potatoes in their skins in the oven until soft. Peel and make a hole in the centre with a spoon. • Fry the quail's eggs in a frying pan with lots of very hot oil. When the whites start to brown remove with a slotted spoon. • Stuff the potatoes with the vegetables, trying to leave behind the ratatouille sauce, and lay a slice of ham and an egg on top.

Pommes de terre farcies de ratatouille au jambon serrano et aux œufs de caille

4 pommes de terre • 4 œufs de caille • 1 tranche de jambon serrano • 1 poivron vert • 1 tomate pelée • 1 oignon • ½ courgette • 1 gousse d'ail • Huile d'olive vierge • Sel

• Dans une poêle avec un peu d'huile d'olive, faire sauter l'oignon et l'ail émincé, ainsi que le poivron vert finement haché. Une fois le tout doré, ajouter la tomate coupée en dés et la courgette finement hachée, assaisonner et faire revenir. • Faire cuire les pommes de terre au four, avec la peau, jusqu'à ce qu'elles soient tendres. Les éplucher et les évider à l'aide d'une cuillère, en faisant un trou au centre. • Dans une poêle avec beaucoup d'huile d'olive très chaude, faire frire les œufs de caille. Une fois les blancs bien dorés, les retirer à l'aide d'une écumoire. • Farcir les pommes de terre avec les légumes, en veillant à mettre le jus de la ratatouille. Poser une tranche de jambon et un œuf par-dessus.

Gefüllte Kartoffeln mit *Pisto*-Gemüse, Serranoschinken und Wachteleiern

4 Kartoffeln • 4 Wachteleier • 1 Scheibe Serranoschinken • 1 grüne Paprika • 1 geschälte Tomate • 1 Zwiebel • ½ Zucchini • 1 Knoblauchzehe • Natives Olivenöl • Salz

• Die gehackte Zwiebel, die in Scheiben geschnittene Knoblauchzehe und die fein gehackte grüne Paprika in einer Pfanne mit etwas Olivenöl sautieren. Wenn es Farbe annimmt, die gewürfelte Tomate und die fein gehackte Zucchini hinzugeben, würzen und gar werden lassen. • Die Kartoffeln mit Schale im Backofen backen, bis sie weich sind. Schälen und mit einem Löffel in der Mitte aushöhlen. • Die Wachteleier in einer Pfanne mit reichlich sehr heißem Öl braten. Sobald das Eiweiß fest ist, mit einem Schaumlöffel herausnehmen. • Die Kartoffeln mit dem Gemüse, möglichst ohne Bratflüssigkeit, füllen und darauf eine Scheibe Schinken und ein Ei legen.

Тарелочка с картофелем, фаршированным овощами, ветчиной Серрано и перепелиными яйцами

4 картофелины • 4 перепелиных яйца • 1 ломтик ветчины Серрано • 1 зеленый перец • 1 помидор без кожицы • 1 луковица • ½ кабачка • 1 зубчик чеснока • Оливковое масло • Соль

• В сковороде с небольшим количеством масла обжарить мелко порезанный лук, порезанный на тонкие пластины чеснок и зеленый перец, порезанный маленькими кусочками. Когда овощи поменяют цвет, добавить помидор, порезанный кубиками, и мелко порезанный кабачок. Посолить и довести до готовности. • Запечь картофель вместе с кожурой. Очистить и ложкой вынуть середину. • Зажарить перепелиные яйца в большом количестве очень горячего масла. Когда белок станет золотистым, вынуть яйца шумовкой. • Нафаршировать картофель овощами, стараясь избегать жидкости, которая образовалась при жарке. Выложить сверху ломтик ветчины и одно яйцо.

じゃがいもの、ハモンセラーノ、ピスト、うずらの卵詰め

じゃがいも　4個 • うずらの卵　4個 • ハモンセラーノ　1枚 • ピーマン（緑）　1個 • トマト（皮をむいたもの）1個 • 玉ねぎ　1個 • ズッキーニ　½ 本 • にんにく　1かけ • バージンオリーブオイル • 塩

•フライパンにオリーブオイルを少しひいて、みじん切りにした玉ねぎと薄切りにしたにんにく、みじん切りにしたピーマンを炒める。色よくなってきたらさいの目に切ったトマトと細かく切ったズッキーニを加え、塩を振って野菜によく火が通るまで炒める。•じゃがいもを皮のついたままオーブンに入れ柔らかくなるまで焼く。皮をむいてからスプーンを使って真ん中をくりぬく。•フライパンに油をたっぷり入れて熱し、うずらの卵を（揚げるような感じ）焼く。白身が固まったら網杓子ですくって取り出す。•じゃがいもに煮汁が入らないようにしながら野菜を詰め、その上に生ハムと卵を載せる。

火腿鹌鹑蛋镶土豆

4个土豆 • 4个鹌鹑蛋 • 2片伊比利亚生火腿 • 1个青椒 • 1个去皮的番茄 • 1个洋葱 半个青瓜 • 1瓣大蒜 • 橄榄油 • 盐

• 在油锅中倒入少量橄榄油，炒洋葱粒、切片的大蒜和青椒粒。当他们变色时加入番茄粒和青瓜粒，再加盐，炒熟。 • 把土豆连皮一起在烤箱里烤软。削皮，用刀在中间挖一个洞。 • 倒足量的油在锅里，炸鹌鹑蛋。当蛋黄变成金黄色时用漏勺捞出。 • 把蔬菜连汁一起馅入土豆里，在上面放一小片火腿和一个鹌鹑蛋。

Platillo de pimientos del piquillo rellenos de gambas y huevo

Piquillo Peppers Stuffed with Prawns and Egg

12 piquillo peppers • 12 prawns • 6 green asparagus • 6 lettuce leaves • 4 boiled eggs • 450 ml. mayonnaise • 1 tsp. chopped chives • Virgin olive oil • Salt

• Wash and peel the prawns. Cook and put to one side. • Wash the asparagus and cook for 30 minutes in a saucepan with salt and lots of water, laying them all with the tips pointing the same way to avoid breakage when they are removed. • Wash the lettuce and chop it finely. • Slice the prawns, chop the boiled eggs and asparagus, season and mix with the mayonnaise, lettuce and chives. • Stuff the peppers, hold together with a cocktail stick and put in the fridge so that they take shape. Serve cold.

Poivrons de Piquillo farcis aux crevettes et aux œufs

12 poivrons de Piquillo • 12 crevettes • 6 asperges vertes • 6 feuilles de laitue • 4 œufs durs • 450 ml. de mayonnaise • 1 cuillerée à café de ciboulette hachée • Huile d'olive vierge • Sel

• Nettoyer et décortiquer les crevettes. Les faire cuire et réserver. • Nettoyer les asperges et les faire cuire pendant 30 minutes dans une casserole remplie d'eau salée, en disposant tous les pointes d'asperges du même côté pour éviter qu'ils ne se cassent au moment de les retirer. • Laver et émincer finement la laitue. • Couper le poisson en petits morceaux, hacher les œufs durs et les asperges, assaisonner, ajouter la mayonnaise, la laitue et la ciboulette, puis mélanger le tout. • Farcir les poivrons, les fermer à l'aide de bâtonnets et les mettre au réfrigérateur pour qu'ils prennent de la consistance. Servir froid.

Piquillo-Paprika, gefüllt mit Garnelen und Ei

12 Piquillo-Paprika • 12 Garnelen • 6 grüne Spargelstangen • 6 Salatblätter • 4 gekochte Eier • 450 ml. Mayonnaise • 1 TL gehackter Schnittlauch • Natives Olivenöl • Salz

• Die Garnelen waschen und schälen. Kochen und beiseite stellen. • Den Spargel waschen und 30 Minuten lang in einer Kasserolle mit reichlich

Salzwasser kochen. Dabei die Spargelspitzen alle an der gleichen Seite halten, damit sie beim Herausnehmen nicht zerbrechen. • Den Salat waschen und in sehr kleine Stücke schneiden. • Die Garnelen in Stücke schneiden, die gekochten Eier und den Spargel zerkleinern, würzen und mit der Mayonnaise, dem Salat und dem Schnittlauch mischen. • Die Paprika füllen, mit einem Zahnstocher verschließen und in den Kühlschrank stellen, damit sie fest werden. Kalt servieren.

Тарелочка с перцем пикильо, фаршированным креветками и яйцом

12 перцев пикильо • 12 креветок • 6 ростков зеленой спаржи • 6 листьев зеленого салата • 4 вареных яйца • 450 мл майонеза • 1 коф. ложка мелко порезанного молодого зеленого лука • Оливковое масло • Соль

• Почистить креветки. Сварить их и отставить в сторону. • Почистить спаржу. Варить в течение 30-и минут в большом количестве соленой воды, при этом следует поместить спаржу в кастрюлю так, чтобы все верхушки оказались на одной стороне, таким образом они не обломятся при выемке. • Вымыть и мелко порезать салатные листья. • Порезать креветки, мелко порезать яйца и спаржу, посолить и смешать с майонезом, салатом и зеленым луком. • Нафаршировать перцы, закрыть их деревянной палочкой и поставить в холодильник, чтобы настоялись. Подавать холодным.

ピキージョピーマンのエビ卵詰め

ピキージョピーマン　12個 • 小エビ　12尾 • グリーンアスパラガス　6本 • レタスの葉　6枚 • ゆで卵　4個 • マヨネーズ　450 ml • チャイブのみじん切り　小さじ1 • バージンオリーブオイル • 塩

• 小エビは洗って殻をむき、茹でる。• アスパラガスを洗って、たっぷりの湯に塩を入れて30分茹でる。• レタスを洗って細切りにする。•エビを適当に切って、ゆで卵を細かく刻み、アスパラガスも刻んで塩を振り、マヨネーズ、レタス、チャイブと混ぜる。•ピーマンに詰めて、楊枝でとめて閉める。冷蔵庫に入れて寝かせる。•冷たいままでいただく。

鸡蛋虾镶红辣椒

12个红辣椒 • 12只虾 • 6根青芦笋 • 6片生菜 • 4个煮鸡蛋 • 450毫升沙拉酱 • 1小调羹小洋葱末 • 橄榄油 • 盐

• 把虾洗干净, 去壳。煮熟后备用。• 把芦笋洗干净后放入平底锅中, 笋尖朝同一方向, 便于拿出。倒入足量的水, 加盐, 煮30分钟。• 把生菜洗干净, 切成小块。• 把虾、煮鸡蛋和芦笋切碎, 加盐, 混入沙拉酱、生菜和洋葱苗。• 把混合物馅入红辣椒里, 用牙签把口封好, 放入冰箱中使其成形。 直接冷食。

Platillo de *puding* de pescado

Fish Flan

8 eggs • 1 leek • 1 carrot • 600 gr. fish • 25 gr. butter • 25 gr. readcrumbs • ¼ l. tomato sauce • ¼ l. cream • Salt • Pepper

• Boil the fish together with the peeled and chopped vegetables in salted water. Remove and leave to cool. Skin and bone the fish. Mince it. • In other bowl beat together the eggs, the tomato sauce and the cream. Season with salt and pepper. Beat until you have a smooth mixture and mix with the fish. • Grease a flan tin with the butter and cover the bottom with breadcrumbs. Pour the mixture into the tin and cover with silver paper. Bake in a bain-marie at 175ºC (325ºF, Gas Mark 3) for about 1¼ hours. • Leave to cool. Serve with tartare sauce.

Petit plat de terrine de poisson

8 oeufs • 1 poireau • 1 carotte • 600 gr. de poisson • ¼ l. de sauce tomate • ¼ l. de crème fraîche liquide • 25 gr. de beurre • 25 gr. de chapelure • Sel • Poivre

• Cuire le poisson et les et les légumes pelés et coupés dans de l'eau salée. Le retirer de l'eau et le laisser refroidir. Enlever les arêtes et la peau. L'émiétter. • Dans un récipient à part, mélanger les oeufs, la sauce tomate et la crème fraîche. Saler et poivrer. Bien fouetter jusqu'à obtenir un mélange homogène et le mélanger avec le poisson émiétté. • Huiler un moule à *puding* avec le beurre et le couvrir la base avec la chapelure. Verser le mélange dans le moule, le couvrir avec un papier aluminium. Mettre au four au bain-marie (à 175ºC) pendant 1,15 h. environ. • Laisser refroidir. Le servir acompagné d'une sauce tartare.

Portion Fischpastete

8 Eier • 600 g Fisch • 1 Porree • 1 Karotte • 25 gr. Butter • 25 gr. Semmelbrösel • ¼ l. Tomatensoβe • ¼ l. saure Sahne • Salz • Pfeffer

• Den Fisch und klein geschnittenen Gemüse kochen in Salzwasser mit dem geschälten. Aus dem Wasser nehmen und erkalten lassen. Gräten und Haut entfernen. Zerbröseln. • Eier, Tomatensoβe und Sahne in eine Schüssel geben. Salzer und Pfefferer. Und gut verschlagen bis eine homogene Mischung hergestellt ist. Den Fisch damit vermengen. • Eine ofenfeste Form mit Butter einfetten und mit Semmelbrösel bestreuen. Die Mischung in die Form geben, mit Alufolie bedecken und im auf 175º C erhitzten Ofen ca. 1 Stunde 15 Minuten im Wasserbad garen. • Erkalten lassen und mit einer Tartarensouce servieren.

Тарелочка с рыбным пудингом

8 яиц • 600 г рыбы • 1 лук-поррей • 1 морковка • 25 г сливочного масла • 25 г хлебной крошки • ¼ л томатного соуса • ¼ л жидких сливок • Соль • Молотый перец

• В большом количестве соленой воды сварить рыбу и почищенные и порезанные овощи. Снять с огня, остудить. У рыбы удалить кости и кожу, размять вилкой. • В другой емкости смешать яйца, томатный соус и сливки. Посолить и поперчить по вкусу. Все хорошо взбить до однородной массы, добавить размятую рыбу. • Смазать сливочным маслом форму для пудинга и присыпать хлебной крошкой. Вылить смесь в форму, закрыть фольгой и выпекать на водяной бане при 175°C в течение 1,5 часов. • Остудить. Подавать с соусом тартар.

魚のプディング

卵　8個 •魚　600 g •ポロねぎ　1本•にんじん　1本 •バター　25 g •パン粉　25 g •トマトソース　¼ l •生クリーム　¼ l •塩 •こしょう

•たっぷりの湯に塩を加え、魚と皮をむいて切った野菜類を茹でる。湯から取り出して冷まし、魚の骨と皮を取り除いて身をほぐす。•別の容器で卵とトマトソース、生クリームを混ぜ、塩こしょうする。均一でなめらかになるまでよく混ぜて、ほぐした魚の身を加える。•プディング型にバターを塗って、パン粉で覆う。前の手順で混ぜたものを型に流し入れ、アルミ箔で蓋をし、湯をはった容器に湯煎した状態で175度のオーブンに約1時間15分ほど入れる。　•冷めてからタルタルソースを添えていただく。

鱼布丁

8个鸡蛋 • 600克鱼 • 1根大葱 • 1根胡萝卜 • 25克黄油 • 25克面包屑 • 250毫升番茄酱 • 250毫升液体奶油 • 盐 • 胡椒粉

• 把鱼和去皮切成块的蔬菜一起放在盐水中煮熟。捞起后待凉。鱼取肉捣茸。• 在另外一个容器里倒入鸡蛋、番茄酱和奶油。加盐和胡椒粉。把它们搅均匀后加入鱼肉一起搅拌。• 把用来做布丁的模具内壁涂上黄油, 粘上面包屑。倒入准备好鱼茸, 用锡纸包好, 用烤箱以175° C 高温隔水烤一小时15分钟左右。• 待凉后随鞑靼酱 (由沙拉酱、鸡蛋、辣椒等制成) 一起食用。

Platillo de salpicón de atún

Tuna Salpicon

250 gr. tuna in oil • 50 gr. peeled walnuts • 1 piquillo pepper • 1 green pepper • 1 red pepper • 1 onion • Virgin olive oil • Coarse salt

• Drain and flake the tuna. Put to one side. • Wash the piquillo pepper and brown it on all sides on a medium heat with a little salt in a frying pan. Cut into thin slices. Put to one side. • Wash, de-seed and finely slice the red and green peppers. • In a bowl mix the tuna, finely-chopped onion and the three types of pepper. Season, add the walnuts, halved, and pour over a dash of olive oil. Put in the fridge for a few hours. Serve cold.

Salpicon de thon

250 gr. de thon à l'huile • 50 gr. de noix décortiquées • 1 poivron de Piquillo • 1 poivron vert • 1 poivron rouge • 1 oignon • Huile d'olive vierge • Gros sel

• Égoutter et émietter le thon. Réserver. • Nettoyer le poivron de Piquillo et le faire dorer à feu moyen dans une poêle, en ajoutant un peu de sel. Le couper en petits morceaux. Réserver. • Nettoyer le poivron rouge et le poivron vert, les épépiner et les couper finement. • Dans un bol, mélanger le thon, l'oignon finement émincé et les trois poivrons. Assaisonner, ajouter les noix coupées en deux et verser un filet d'huile d'olive sur le tout. Laisser reposer quelques heures au réfrigérateur. Servir froid.

Thunfischsalat

250 gr. Thunfisch in Öl • 50 gr. geschälte Walnüsse • 1 Piquillo-Paprika • 1 grüne Paprika • 1 rote Paprika • 1 Zwiebel • Natives Olivenöl • Grobes Salz

• Den Thunfisch abtropfen lassen und zerlegen. Beiseite stellen. • Die Piquillo-Paprika waschen und mit etwas Salz in einer Pfanne bei mittlerer Hitze braten. In kleine Stücke schneiden. Beiseite stellen. • Die rote und die grüne Paprika waschen, entkernen und in sehr kleine Stücke schneiden. • Den Thunfisch, die sehr fein gehackte Zwiebel und die drei Paprikaschoten in einer Schüssel mischen. Würzen, die halbierten Walnüsse dazugeben und etwas Olivenöl darübergießen. Ein paar Stunden in den Kühlschrank stellen. Kalt servieren.

Тарелочка с тунцом

250 г тунца в масле • 50 г очищенных грецких орехов • 1 перец пикильо • 1 зеленый перец • 1 красный перец • 1 луковица • Оливковое масло • Крупная соль

• С тунца слить масло и размять вилкой. Отставить в сторону. • Вымыть перец пикильо и запечь его в сковороде с небольшим количеством соли. Порезать на тонкие ломтики. Отставить в сторону. • Вымыть зеленый и красный перцы, удалить семена и порезать на тонкие ломтики. • В миске смешать тунец, мелко порезанный лук и три вида перцев. Посолить и добавить грецкие орехи, полить оливковым маслом. Оставить в холодильнике на несколько часов. Подавать холодным.

ツナのサルピコン

オイル漬けツナ　250 g •くるみ（殻をむいたもの）50 g • ピキージョピーマン　1個 • ピーマン（緑）　1個 • ピーマン（赤）　1個 • 玉ねぎ　1個 • バージンオリーブオイル • 大粒の塩

• ツナの油をきってほぐす。• ピキージョピーマンを洗って中火のフライパンで焼き、塩を少し振る。細かく切る。• 赤ピーマンと緑のピーマンを洗って種をとり細かく切る。•ボールにツナと細かいみじん切りにした玉ねぎ、3種のピーマンを入れる。塩を振って、半分に割ったくるみを加え、オリーブオイルをさっと垂らす。冷蔵庫で数時間寝かせる。• 冷たいままでいただく。

金枪鱼凉菜拼盆

250克橄榄油浸金枪鱼 • 50克核桃仁 • 1个红辣椒 • 1个青椒 • 1个甜红椒 • 1个洋葱 • 橄榄油 • 粗盐

• 金枪鱼沥油后捣碎备用。• 把红辣椒洗干净, 加少量盐, 中火煎, 并切成小块备用。• 把甜红椒和青椒洗干净, 去籽, 切成小块。
在碗中放入金枪鱼、洋葱粒和三种辣椒。加盐调味, 加入掰成两瓣的核桃仁, 浇上一点橄榄油。放入冰箱冷藏数小时。冷食。

Platillo de ventresca de atún con queso mozzarela y tomate raf

Tuna Belly with Mozzarella and Raf Tomato

2 small raf tomatoes • 4 slices tuna belly in oil • 4 slices buffalo mozzarella • 4 oregano leaves • ¼ red pepper, roast and cut into strips • Coarse salt

• Wash and chop the tomatoes into thick slices. Season. • Lay a slice of mozzarella, an oregano leaf and a tuna slice in oil on top of each tomato. Decorate with a slice of pepper on top.

Ventrèche de thon, mozzarella et tomate raf

2 petites tomates raf • 4 tranches de ventrèche de thon à l'huile • 4 tranches de mozzarella di bufala • 4 feuilles d'origan • ¼ de poivron rouge *escalivado* coupé en lamelles • Gros sel

• Laver les tomates et les couper en rondelles épaisses. Assaisonner. • Disposer sur la tomate une tranche de mozzarella, une feuille d'origan et une tranche de thon à l'huile. Décorer en plaçant un morceau de poivron par-dessus.

Tellerchen mit Thunfischbauch, Mozzarella und Raf-Tomaten

2 kleine Raf-Tomaten • 4 Scheiben Thunfischbauchfleisch im eigenen Öl • 4 Scheiben Büffelmozzarella • 4 Blätter Oregano • ¼ gebratene und in Streifen geschnittene rote Paprika • Grobes Salz

• Die Tomaten waschen und in dicke Scheiben schneiden. Würzen. • Auf die Tomatenstücke je eine Scheibe Mozzarella, ein Blatt Oregano und eine Scheibe Thunfisch in Öl legen. Mit einem Stück Paprika garnieren.

Тарелочка с брюшком тунца с сыром моцарелла и помидорами раф

2 маленьких помидора раф • 4 кусочка брюшка тунца в масле • 4 кусочка сыра моцарелла • 4 листочка орегано • ¼ тушеного красного перца, порезанного ленточками • Крупная соль

• Вымыть помидоры и порезать крупными ломтиками. Посолить.
• Выложить поверх ломтика помидора кусочек сыра, листок орегано и кусочек брюшка тунца. Украсить кусочком перца.

ベントレスカ、ラフトマト、モッツアレラチーズのピンチョ

ラフトマト（アルメリア特産の品種）の小さいもの　2個 • マグロのベントレスカ（トロの部分、オイル漬け缶等で市販）4切れ • 水牛のモッツァレラチーズ　4切れ • オレガノ　4枚 • 赤ピーマン（焼いて細切りにしたもの）¼ 個 • 大粒の塩 • トマトを洗って厚い輪切りにする。塩を振る。
•トマトの上にモッツアレラチーズ、オレガノ1枚、ベントレスカを載せる。その上に赤ピーマンを細く切ったものを飾る。

番茄奶酪金枪鱼

2个小番茄 • 4块橄榄油金枪鱼肉 • 4片意大利奶酪 • 4片牛至叶 • 1/4红辣椒切丝 • 粗盐

• 把番茄洗干净, 切成厚片, 加盐。• 在番茄上面摆上一片奶酪, 一片牛至叶和一块金枪鱼。上面装饰一些红辣椒。

Platillo de bacalao con verduras

Cod and Vegetable

4 thin slices desalted cod • 1 aubergine • 1 courgette • 1 red pepper • 1 green pepper • 1 onion • 1 piquillo pepper • 1 tsp. vinegar • Olive oil • Salt

• Chop the aubergine and courgette into thin slices and season. Fry half of these in a frying pan with a little oil and then put to one side. • Crush the piquillo pepper in a mortar with the vinegar and two spoonfuls of olive oil. • Fry the cod on a medium heat in a frying pan with a little oil. When it is warm remove from heat and put to one side. • Julienne the onion and fry it lightly in a frying pan with the red and green peppers chopped into small slices and a little olive oil. When they start to brown then add the rest of the courgette and aubergine. When the vegetables are done, add the peeled, de-seeded and finely-chopped tomato. Season and remove from heat when cooked. • To serve lay a slice of courgette and aubergine at the bottom, a few vegetables on top and a slice of cod. Pour the pepper vinaigrette over it.

Petit plete de morue aux légumes

4 filets de morue dessalée • 1 aubergine • 1 courgette • 1 poivron rouge • 1 poivron vert • 1 oignon • 1 poivron de Piquillo • 1 cuillerée à café de vinaigre • Huile d'olive • Sel

• Couper les aubergines et la courgette en fines rondelles, assaisonner, en faire revenir la moitié dans une poêle avec un peu d'huile, puis réserver. • Broyer le poivron de Piquillo dans un mortier, en ajoutant le vinaigre et deux cuillerées d'huile d'olive. • Faire cuire la morue à feu moyen dans une poêle avec un peu d'huile. Une fois pochée, ôter du feu et réserver. • Dans une poêle avec un peu d'huile d'olive, faire revenir l'oignon coupé en julienne, le poivron rouge et le poivron vert coupés en petits morceaux. Une fois dorés, ajouter le reste de la courgette et de l'aubergine. Lorsque les légumes sont cuits, ajouter la tomate pelée et épépinée, coupée en petits dés. Laisser cuire, assaisonner et ôter du feu. • Disposer une rondelle de courgette et une d'aubergine sur le fond, quelques légumes et un filet de morue par-dessus. Verser la vinaigrette aux poivrons par-dessus.

Kabeljaupastete mit Gemüse

4 dünne Scheiben entsalzter Klippfisch • 1 Aubergine • 1 Zucchini • 1 rote Paprika • 1 grüne Paprika • 1 Zwiebel • 1 Piquillo-Paprika • 1 TL Essig • Olivenöl • Salz

• Die Aubergine und die Zucchini in dünne Scheiben schneiden und würzen. Die Hälfte des Gemüses in einer Pfanne mit etwas Öl anbraten und beiseite stellen. • Die Piquillo-Paprika mit dem Essig und zwei Löffeln Olivenöl in einem Mörser zerstoßen. • Den Kabeljau in einer Pfanne mit etwas Öl bei mittlerer Hitze braten. Wenn er warm ist, vom Feuer nehmen und beiseite stellen. • Die in Feine Streifen geschnittene Zwiebel und die in kleine Stücke geschnittene rote und grüne Paprika in einer Pfanne mit etwas Olivenöl anbraten. Wenn sie Farbe annehmen, den Rest Zucchini und Aubergine hinzufügen. Sobald das Gemüse gar ist, die geschälte, entkernte und in kleine Würfel geschnittene Tomate zugeben. Würzen und vom Feuer nehmen, wenn es gar ist. • Zum Anrichten eine Zucchini- und eine Auberginenscheibe auf den Teller legen, etwas Gemüse und eine Scheibe Kabeljau darauf. Die Paprikavinaigrette darübergießen.

Слойка из трески и овощей

4 тонких ломтика несоленой трески • 1 баклажан • 1 кабачок • 1 красный перец • 1 зеленый перец • 1 луковица • 1 перец пикильо • 1 коф. ложка уксуса • Оливковое масло • Соль

• Порезать баклажан и кабачок на тонкие кружочки и посолить. Поджарить половину овощей в небольшом количестве масла и отставить в сторону. • В ступке растолочь перец пикильо с уксусом и двумя ложками оливкового масла. • Приготовить треску в сковороде с небольшим количеством масла и на среднем огне. Когда треска готова, отставить в сторону. • В сковороде с небольшим количеством оливкового масла поджарить мелко порезанный лук, красный и зеленый перцы, порезанные небольшими кусочками. Когда овощи поменяют цвет, добавить оставшуюся половину кабачка и баклажана. Когда овощи будут готовы, добавить помидор, очищенный от кожицы и без семечек, порезанный маленькими кубиками. Посолить и когда все будет готово, снять с огня. • Подавать, выложив в основу один кружочек баклажана и другой - кабачка, сверху выложить немного овощей и ломтик трески, прикрыть все ломтиком баклажана и кабачка. Полить соусом из перца пикильо.

バカラオと野菜のティンバル

バカラオ（塩蔵タラ）の塩抜きをして薄く筒型に切ったもの　4枚 • 茄子　1個 • ズッキーニ　1本 • ピーマン（赤）　1個 • ピーマン（緑）　1個 • 玉ねぎ　1個 • ピキージョピーマン　1個 • 酢　小さじ1 • オリーブオイル • 塩

• 茄子半分とズッキーニ半分を輪切りにして塩を振る。油を少しひいたフライパンで焼く。• ピキージョピーマンを酢、大さじ2のオリーブオイルとともに鉢に入れて突き潰す。• フライパンに油を少しひいて火力を抑え目にしながらバカラオに火を通す。温まったら火からおろす。•フライパンにオリーブオイルを少し入れて、薄切りにした玉ねぎ、小さめのざく切りにした赤ピーマン、緑のピーマンを炒める。色よくなってきたら残りの茄子とズッキーニを加え、野菜がよく炒まったら皮をむいて種をとりさいの目に切ったトマトを入れる。塩を振って味を調え、十分に火が通ったら火からおろす。•ズッキーニと茄子の輪切りそれぞれ1枚を底に敷き、炒めた野菜を少し、そしてバカラオをその上に置いて、茄子とズッキーニを1枚ずつ使って全体を巻く。仕上げに酢とオリーブオイルと一緒に突き潰したピキージョピーマンを上に載せる。

鳕鱼蔬菜夹

1个茄子 • 1个长青瓜 • 1个甜辣椒 • 1个青椒 • 1个洋葱 • 1个红辣椒 • 1个番茄 • 1小调羹醋 • 橄榄油 • 盐

• 把茄子和青瓜切直成薄片, 用盐拌好。倒一半在锅中, 加少量炒好后备用。• 在研钵捣碎红辣椒, 加入醋和两调羹橄榄油。• 把鳕鱼片放在锅中加少量油中火煎熟。待凉, 放一旁备用。• 把洋葱切碎, 甜辣椒和青椒切成小块, 一起放入锅中加少许橄榄炒。当它们开始变色时放入另一半茄子丁和青瓜丁。蔬菜炒熟后加入番茄肉。加点盐。全部烧好后关火备用。• 在盘子里下方摆上焖好的一片茄子和青瓜, 中间放上煮好的蔬菜和鳕鱼片, 最上面再摆上一片焖茄子和青瓜。浇上辣椒醋油。

FRITOS
Fried Dishes
Fritures
Frittüren
Зажарки
揚げ物
炸菜

Buñuelos de bacalao

Cod Fritters

400 gr. desalted cod • ½ green pepper • ½ onion • 2 cloves garlic • 1 tsp. parsley • Olive oil • *For the batter:* 125 gr. flour • 2 eggs • 1 tbsp. oil • 1dl. beer • Salt

• Prepare the batter by mixing the eggs, the oil and a pinch of salt. Beat and add the flour, stir and mix in the beer with a dash of water. Once the mixture has thinned, leave to stand for a couple of hours. • Fry the finely-chopped onion, pepper and garlic with a little oil in a frying pan and when they start to brown crumble in the cod and finely-chopped parsley. Leave to cook. • Drain the oil and mix the cod mixture with the batter that we put aside earlier. • Mould the mixture with two spoons and fry the fritters in a frying pan with lots of very hot oil. • Drain on kitchen towel. Serve hot.

Beignets de morue

400 gr. de morue dessalée • ½ poivron vert • ½ oignon • 2 gousses d'ail • 1 cuillerée à café de persil • Huile d'olive • *Pour la pâte:* 125 gr. de farine • 2 œufs • 1 cuillerée à soupe d'huile d'olive • 1 dl. de bière • Sel

• Pour préparer la pâte, mélanger les œufs et l'huile avec une pincée de sel. Battre le tout et ajouter la farine. Remuer puis ajouter la bière et un peu d'eau pour délayer le mélange jusqu'à obtenir une pâte fine. Laisser reposer deux heures environ. • Faire revenir l'oignon, le poivron et l'ail émincés dans une poêle avec un peu d'huile ; une fois dorés, ajouter la morue émiettée et le persil finement haché. Laisser mijoter. • Égoutter l'huile et mélanger la préparation avec la pâte réservée. • Former les beignets à l'aide de deux cuillères, puis les faire frire dans une poêle avec beaucoup d'huile d'olive très chaude. Les égoutter sur du papier absorbant. Servir chaud.

Kabeljaukrapfen

400 gr. entsalzener Klippfisch • ½ grüne Paprika • ½ Zwiebel • 2 Knoblauchzehen • 1 TL Petersilie • Olivenöl • *Für den Teig:* 125 gr. Mehl • 2 Eier • 1 EL Öl • 100 ml. Bier • Salz

• Für den Teig die Eier, das Öl und eine Prise Salz verrühren. Schlagen und das Mehl hinzufügen, untermischen und mit dem Bier und etwas Wasser zu einer feinen Masse verrühren. Zwei Stunden ruhen lassen. • Die Zwiebel, die Paprika und den Knoblauch feinhacken, in einer Pfanne mit etwas Öl anbraten und, sobald sie Farbe annehmen, den zerlegten Kabeljau und die fein gehackte Petersilie zugeben. Garen. • Das Öl abtropfen lassen und die Kabeljauzubereitung mit dem Teig vermischen. • Die Masse mit zwei Löffeln zu Krapfen formen und in einer Pfanne mit reichlich sehr heißem Öl frittieren. Auf Küchenpapier abtropfen lassen. Heiß servieren.

Оладьи из трески

400 г несоленой трески • ½ зеленого перца • ½ луковицы • 2 зубчика чеснока • 1 коф. ложка петрушки • Оливковое масло • Для теста 125 г муки • 2 яйца • 1 ст. ложка масла • 1 дл пива • Соль

• Приготовить тесто, сбив яйца, масло и немного соли. Добавить муку, хорошо перемешать, разбавить пивом и небольшим количеством воды. Замесить нежное тесто и оставить на два часа. • Обжарить мелко порезанные лук, перец и чеснок, когда они поменяют цвет, добавить измельченную треску и мелко порезанную петрушку. Оставить вариться. • Удалить излишки масла и смешать содержимое сковороды с заранее приготовленным тестом. • Двумя ложками сформировать оладьи и жарить в большом количестве горячего масла. Выложить на кухонную бумагу. Подавать горячим.

バカラオのブニュエロ

バカラオ（塩蔵タラ）塩抜きしたもの　400 g • ピーマン（緑）　• 半個　• 玉ねぎ　半個　• にんにく　2かけ　• パセリのみじん切り　• 小さじ1　• オリーブオイル• 衣の材料：小麦粉　125 g •　卵　2個 • 油　大さじ1　• ビール　1 dl　• 塩

•卵と油に一つまみの塩を入れてよく混ぜる。そこに小麦粉を加え、ビールとほんの少しの水でよく溶く。しっとりとした衣が出来たら2時間寝かせる。　•フライパンに油を少しひいて細かく切った玉ねぎ、ピーマン、にんにくを炒め、色よく炒まってきたらほぐしたバカラオとパセリのみじん切りを加え、しばらく炒める。　•炒めたものの油分をきって、衣をつける。　•2本のスプーンを使って形作り、フライパンで高温に熱したたっぷりの油で揚げる。キッチンペーパーで油をきる。温かいうちにいただく。

鳕鱼煎饼

400克去盐鳕鱼 • 半个青椒 • 半个洋葱 • 2瓣大蒜 • 1小调羹洋香菜末 • 橄榄油 • 和面配料 125克面粉 • 2个鸡蛋 • 1调羹油 • 100毫升啤酒 • 盐

• 用鸡蛋、油、一撮盐、啤酒和适量水和面。搅动面粉使其不结块。当它调成稠糊状后静置数小时。• 在锅中加入少许油，炒切碎的洋葱、青椒和大蒜，当他们开始变色时加入捣碎的鳕鱼和洋香菜末。煮熟为止。• 沥干油后把固体和准备好的面糊拌匀。• 用两把调羹把它成形后放入热油中炸。捞出后置于吸油纸上沥油。趁热食用。

Croquetas de jamón

Ham Croquettes

150 gr. ham • 1 finely-chopped onion • 1 l. milk • 150 gr. butter • 150 gr. flour • 2 egg yolks • 1 beaten egg • 2 tbsp. flour • 2 tbsp. breadcrumbs • Olive oil • Salt • Pepper

• Dice the ham finely. Fry the onion in a frying pan on a medium heat with the butter, adding the ham when it starts to brown. Pour in the flour and fry until lightly toasted. Little by little, add the pre-heated milk and stir to make a thin mixture. Season and leave to cook on a medium heat for a few minutes. • Remove from heat, pour into a bowl and mix with the egg yolks. Cover the mixture with clingfilm and leave to cool. • Mould the croquettes and coat with the flour, egg and breadcrumbs. • Fry in lots of very hot oil. Serve at once.

Croquettes de jambon

150 gr. de jambon • 1 oignon finement émincé • 1 l. de lait • 150 gr. de beurre • 150 gr. de farine • 2 jaunes d'œufs • 1 œuf battu • 2 cuillerées de farine • 2 cuillerées de panure • Huile d'olive • Sel • Poivre

• Couper le jambon en petits dés. Faire revenir l'oignon et le beurre dans une poêle à feu moyen. Lorsqu'il commence à dorer, ajouter le jambon. Verser la farine et faire revenir jusqu'à ce que le tout soit légèrement grillé. Incorporer peu à peu le lait préalablement chauffé et remuer jusqu'à obtenir une pâte fine. Assaisonner et laisser mijoter quelques minutes à feu moyen. • Ôter du feu, verser dans un bol et mélanger avec les jaunes d'œufs. Recouvrir la pâte avec du papier film, puis laisser refroidir. • Former les croquettes et les passer dans la farine, l'œuf battu et la panure. • Les faire frire avec beaucoup d'huile d'olive très chaude. Servir immédiatement.

Schinkenkroketten

150 gr. Schinken • 1 fein gehackte Zwiebel • 1 l. Milch • 150 gr. Butter • 150 gr. Mehl • 2 Eigelb • 1 geschlagenes Ei • 2 EL Mehl • 2 EL Paniermehl • Olivenöl • Salz • Pfeffer

• Den Schinken in kleine Würfel schneiden. Die Zwiebel in einer Pfanne mit Butter bei mittlerer Hitze glasig dünsten und den Schinken zugeben. Das Mehl hinzufügen und leicht anbräunen. Langsam die vorher erhitzte Milch dazugießen und umrühren, bis eine feine Masse entsteht. Salzen, pfeffern und bei mittlerer Hitze einige Minuten kochen lassen. • Vom Feuer nehmen, in eine Schüssel geben und mit dem Eigelb mischen. Die Masse mit Klarsichtfolie abdecken und erkalten lassen. • Die Kroketten formen und in Mehl, Ei und Paniermehl wälzen. • In reichlich sehr heißem Öl braten. Sofort servieren.

Крокеты из окорока

150 г окорока • 1 мелко порезанная луковица • 1 л молока • 150 г сливочного масла • 150 г муки • 2 желтка • 1 взбитое яйцо • 2 ложки муки • 2 хлебной крошки • Оливкового масла • Соль • Молотый перец

• Порезать окорок на маленькие кусочки. В сковороде обжарить лук в сливочным масле и на среднем огне. Когда лук слегка потемнеет, добавить кусочки окорока. Добавить муку и слегка ее обжарить. Постоянно помешивая, влить понемногу горячее молоко, варить до образования однородной массы. Посолить и поварить еще несколько минут на среднем огне. • Снять с огня, выложить в миску и смешать с яичными желтками. Прикрыть кухонной пленкой и оставить остывать. • Сформировать крокеты и обвалять их в муке, во взбитом яйце и в хлебной крошке. • Жарить в большом количестве очень горячего оливкового масла. Немедленно подавать.

生ハムコロッケ

生ハム　150 g • 玉ねぎのみじん切り　1個分 • 牛乳　1 l • バター　150 g • 小麦粉　150 g • 卵黄　2個分 • 溶き卵　1個分 • 小麦粉 大さじ2 • パン粉　大さじ2 • オリーブオイル • 塩 • こしょう

• 生ハムを細かいさいの目に切る。フライパンを中火にかけ、玉ねぎをバターで炒め、透き通ってきたら生ハムを加える。小麦粉を加えて炒める。あらかじめ軽く温めておいた牛乳を少しずつ加えていき、しっとりとなめらかに全体がまとまるまでかき混ぜる。塩こしょうして、更に数分火にかけたままにする。• 火からおろしてボールにあけ、そこに卵黄を加える。ラップで蓋をして冷めるまでおいておく。•コロッケを形作って、小麦粉、溶き卵、パン粉をつける。•たっぷりの油で、高温で揚げる。出来立てですぐにいただく。

火腿馅炸丸子

150克火腿 • 1个切碎的洋葱 • 1升牛奶 • 150克黄油 • 150克面粉 • 2个鸡蛋黄 • 1个打散的鸡蛋 • 2调羹面粉 • 2调羹面包屑 • 橄榄油 • 盐 • 胡椒

• 把火腿切成小块。把洋葱和黄油放在锅中用中火炒，当洋葱开始变色时加入火腿。撒上面粉后炒到带有一点焦黄色为止。慢慢加入预先加热好的牛奶，不断搅动直到形成糊状。加盐和胡椒，继续小火烧几分钟。• 关火，把混合物倒入一个容器里，和鸡蛋黄混合。盖上保鲜膜后让它冷却。• 搓好丸子后沾取面粉、蛋液和面包屑。放入足量的热油中炸熟。趁热食用。

Croquetas de pollo

Chicken Croquettes

1 roast chicken breast • 50 gr. diced local ham • 1 onion • 500 ml. milk • 2 tbsp. flour • 2 tbsp. breadcrumbs • 1 egg • Salt • Pepper • Olive oil

• Cut up the chicken breast and process it in a blender with the diced ham. • Lightly fry the finely-chopped onion in a frying pan. When it starts to brown add a spoonful of flour, stir until toasted and add the processed chicken and ham. Stir and pour in the milk. Cook the mixture over a low heat until it thickens. Season and remove from heat. Place the mixture on a baking tray and once it reaches room temperature shape the croquettes with two spoons. • Coat in the beaten egg and then the breadcrumbs. Fry in lots of oil until browned.

Croquettes de poulet

1 blanc de poulet rôti • 50 g de jambon en morceaux • 1 oignon • 500 cl. de lait • 2 cuillerées à soupe de farine • 2 cuillerées à soupe de panure • 1 œuf • Sel • Poivre • Huile d'olive

• Émietter le poulet et le passer au mixeur avec les dés de jambon. • Faire revenir l'oignon émincé dans une poêle. Une fois doré, ajouter une cuillerée de farine et remuer. Lorsque la farine est grillée, ajouter la mixture de poulet et de jambon. Remuer et verser le lait. Laisser mijoter à feu doux jusqu'à ce que le tout s'épaississe. Assaisonner et ôter du feu. Mettre le mélange dans un plateau et une fois à température ambiante, former les croquettes à l'aide de deux cuillères. • Les passer dans l'œuf battu et la panure, puis les faire frire avec beaucoup d'huile d'olive jusqu'à ce qu'elles soient dorées.

Hühnerkroketten

1 gebratene Hähnchenbrust • 50 gr. gewürfelter Landschinken • 1 Zwiebel • 500 ml. Milch • 2 EL Mehl • 2 EL Paniermehl • 1 Ei • Salz • Pfeffer • Olivenöl

• Das Hähnchenfleisch kleinschneiden und zusammen mit den Schinkenwürfeln in der Küchenmaschine zerkleinern. • Die fein gehackte Zwiebel in einer Pfanne glasig dünsten, einen Löffel Mehl dazugeben, umrühren, und sobald das Mehl angeröstet ist, das zerkleinerte Hähnchenfleisch und den Schinken hinzufügen. Umrühren und die Milch darübergießen. Die Mischung bei kleiner Hitze eindicken lassen. Salzen, pfeffern und vom Feuer nehmen. Die Mischung auf eine Platte geben, auf Zimmertemperatur abkühlen lassen und mit zwei Löffeln Kroketten formen. • In geschlagenem Ei und anschließend in Paniermehl wälzen. In reichlich Öl goldbraun ausbacken.

Крокеты из курицы

1 жареная куриная грудка • 50 г окорока, порезанного на кусочки • 1 луковица • 500 мл молока • 2 ст. ложки муки • 2 ст. ложки хлебной крошки • 1 яйцо • Соль • Молотый перец • Оливковое масло

Приготовление• Смолоть куриную грудку в мясорубке вместе с кусочками окорока. • В сковороде поджарить мелко порезанный лук. Когда лук слегка зазолотится, добавить муку, перемешать и, когда мука немного поджарится, добавить фарш из курицы и окорока. Перемешать и вылить молоко. Варить смесь на медленном огне до того момента, как она загустеет. Посолить и поперчить, снять с огня. Выложить смесь в глубокую миску и, когда она остынет, сформировать крокеты. • Обмакнуть во взбитое яйцо и в хлебную крошку. Жарить в большом количестве оливкового масла.

チキンコロッケ

鶏の胸肉 (焼いたもの)　1枚 • 生ハム (小片に切ったもの) 50 g • 玉ねぎ　1個 • 牛乳　500 ml • 小麦粉　大さじ2 • パン粉　大さじ2 • 卵　1個 • 塩 • こしょう • オリーブオイル

• 鶏の胸肉と生ハムを、ミキサーにかけて細かくする。 • フライパンでみじん切りにした玉ねぎを炒める。色づいたら小麦粉大さじ1を加え、よく混ぜる。小麦粉が炒まったら先の鶏肉と生ハムを細かくほぐしたものを加える。かき混ぜながら、牛乳を加え、しっとりと全体が落ち着くまで弱火にかけながら混ぜる。塩こしょうして火からおろし、バットにあけて、常温まで冷めたら2本のスプーンを使ってコロッケを形作る。 • 溶き卵とパン粉をつけ、こんがりと仕上がるまでたっぷりの油で揚げる。

鸡肉馅炸丸子

1块家鸡胸脯肉 • 50克切成粒的火腿 • 1个洋葱 • 500毫升牛奶 • 2调羹面粉 • 2调羹面包屑 • 1个鸡蛋 • 盐 • 胡椒 • 橄榄油

• 把鸡肉和火腿用搅拌器打碎。• 在锅中炒软切碎的洋葱。当它变得金黄时加入1调羹面粉, 不停的搅拌。当面粉变黄色时加入鸡肉和火腿。 翻动, 倒入牛奶。小火煮混合物, 直到它变稠。加盐和胡椒, 关火。把混合物倒入盘中, 当它冷却到室温时可以开始用两个调羹搓丸子。• 将丸子依次沾取蛋液和面包屑。在足量的油中炸至金黄色。

Frito de berenjena con queso Chaumes

Fried Aubergine with Chaumes Cheese

250 gr. Chaumes cheese • 2 aubergines • 2 eggs • 2 tbsp. flour • Virgin olive oil • Coarse salt

• Beat the eggs. Put to one side. • Wash the aubergines and cut lengthways into very thin slices. • Cut the Chaumes cheese into very thin slices the same size as the aubergine slices. Sandwich the aubergine between two slices of cheese. • Cover the aubergines in the egg and flour. Fry them in a large frying pan with a little olive oil over a medium heat. Remove from heat when both sides are nicely browned. Serve at once.

Aubergine frite au Chaumes

250 gr. de Chaumes • 2 aubergines • 2 œufs • 2 cuillerées à soupe de farine • Huile d'olive vierge • Gros sel

• Battre les œufs. Réserver. • Laver les aubergines et les couper dans le sens de la longueur en tranches très fines. • Couper le Chaumes en fines lamelles, de la même taille que les tranches d'aubergine. Placer une tranche d'aubergine entre deux lamelles de fromage. • Passer le tout dans l'œuf battu et fariner. Faire frire à feu moyen dans une grande poêle avec un peu d'huile d'olive. Ôter du feu une fois les deux côtés bien dorés. Servir immédiatement.

Gebratene Auberginen mit Chaumes

200 gr. Chaumes-Käse • 2 Auberginen • 2 Eier • 2 EL Mehl • Natives Olivenöl • Grobes Salz

• Die Eier schlagen. Beiseite stellen. • Die Auberginen waschen und längs in sehr dünne Scheiben schneiden. • Den Chaumes in sehr dünne Scheiben von der gleichen Größe wie die Auberginenscheiben schneiden. Je eine Auberginenscheibe zwischen zwei Käsescheiben legen. • Die Scheiben in Ei wälzen und bemehlen. In einer großen Pfanne mit etwas Olivenöl bei mittlerer Hitze braten. Herausnehmen, wenn beide Seiten schön goldgelb sind. Sofort servieren.

Жареный баклажан с сыром Чаумес

250 г сыра Чаумес • 2 баклажана • 2 яйца • 2 ст. ложки муки • Оливковое масло • Крупная соль

• Взбить яйца и отставить в сторону. • Очистить баклажаны и разрезать на продольные очень тонкие ломтики. • Нарезать сыр ломтиками такой же толщины, как и ломтики баклажана. Положить ломтик баклажана между двумя ломтями сыра. • Обмакнуть в яйцо, а затем в муку. Жарить в большой сковороде с небольшим количеством масла и на среднем огне, с обеих сторон, до золотистого цвета. • Подавать горячим.

茄子とショームチーズの挟み揚げ

ショームチーズ　250 g • 茄子　2個 • 卵　2個 • 小麦粉　大さじ2 • バージンオリーブオイル • 大粒の塩

• 卵を割りほぐす。• 茄子を洗って縦長に細く切る。• ショームチーズを茄子と同じ大きさにスライスする。2枚のチーズで茄子1切れを挟み込む。• 卵をつけて小麦粉をはたく。大きなフライパンにオリーブオイルを少なめに入れて、中火で焼く。　両面がこんがりと焼けたら取り出す。　• 作りたてですぐにいただくこと。

炸茄子奶酪夹

250克朝麦奶酪 • 2个茄子 • 2个鸡蛋 • 2调羹面粉 • 橄榄油 • 粗盐

• 打散鸡蛋放置一旁备用。• 将茄子洗干净切成薄片。• 将奶酪切成与茄子相同的薄片。在每两片奶酪中加入一片茄子。• 将茄子和奶酪拖过蛋液，拍上面粉。将其放入有少量橄榄油的大锅中用中火炸熟。当两面炸至金黄色时捞出。• 尽快食用。

Frito de Camembert con vinagreta de miel

Fried Camembert with Honey Vinaigrette

1 whole Camembert cheese • 1 egg • 2 tbsp. flour • 2 tbsp. breadcrumbs • 3 tbsp. oil • 1 tsp. vinegar • 1 tbsp. honey

• Beat the egg. Put to one side. • Slice the cheese into eight portions. Put to one side. • Prepare the vinaigrette by mixing the oil, vinegar and honey with a wooden spoon. Put to one side. • Coat the cheese in the flour, egg and breadcrumbs. • Fry on both sides in a frying pan with a small amount of very hot oil until browned. • Serve hot with the vinaigrette poured over it.

Camembert frit et sa vinaigrette au miel

1 camembert entier • 1 œuf • 2 cuillerées à soupe de farine • 2 cuillerées à soupe de panure • 3 cuillerées à soupe d'huile • 1 cuillerée à café de vinaigre • 1 cuillerée à soupe de miel

• Battre l'œuf. Réserver. • Couper le fromage en huit portions. Réserver. • Pour la vinaigrette, mélanger l'huile, le vinaigre et le miel à l'aide d'une cuillère en bois. Réserver. • Passer le fromage dans la farine, l'œuf battu et la panure. • Dans une poêle avec un peu d'huile très chaude, faire frire les morceaux de fromage des deux côtés, jusqu'à ce qu'ils soient dorés. • Servir chaud en versant la vinaigrette par-dessus.

Gebratener Camembert mit Honigvinaigrette

1 ganzer Camembert • 1 Ei • 2 EL Mehl • 2 EL Paniermehl • 3 EL Öl • 1 TL Essig • 1 EL Honig

• Das Ei schlagen. Beiseite stellen. • Den Käse in acht Portionen schneiden. Beiseite stellen. • Für die Vinaigrette Öl, Essig und Honig mit einem Holzlöffel mischen. Beiseite stellen. • Den Käse in Mehl, Ei und Paniermehl wälzen. • Die Käseportionen in einer Pfanne mit etwas sehr heißem Öl von beiden Seiten goldgelb braten. • Die Vinaigrette darübergießen und heiß servieren.

Жареный Камамбер с медовым соусом

1 сыр Камамбер • 1 яйцо • 2 ст. ложки муки • 2 ст. ложки хлебной крошки • 3 ст. ложки масла • 1 коф. ложка уксуса • 1 ст. ложка меда

• Взбить яйцо и отставить в сторону. • Разрезать сыр на восемь порций. Отставить в сторону. • Приготовить соус, смешав деревянной ложкой масло, уксус и мед. Отставить в сторону. • Обвалять сыр в муке, яйце и хлебной крошке. • Обжаривать кусочки сыра с обеих сторон до золотистого цвета в небольшом количестве очень горячего масла. • Облить медовым соусом и подавать горячим.

カマンベールフライの蜂蜜ビナグレットソースがけ

カマンベールチーズ　1個 • 卵　1個 • 小麦粉　大さじ2 • パン粉　大さじ2 • 油　大さじ3 • 酢　小さじ1 • 蜂蜜　大さじ1

• 卵を割りほぐす。•チーズを８つに切り分ける。• 油とお酢、蜂蜜を、木製のスプーンや木杓子などで混ぜてビナグレットソースを作る。•チーズに、小麦粉、卵、パン粉をつける。•フライパンに少量の油を入れ、高温でチーズの両面が色づくまで揚げる。• ビナグレットソースを上からかけて温かいうちにいただく。

炸法国奶酪配醋油蜜酱

1整个法国卡门伯特奶酪 • 1个鸡蛋 • 2调羹面粉 • 2调羹面包屑 • 3调羹油 • 1小调羹白醋 • 1调羹蜂蜜

• 打散鸡蛋放置一旁备用。• 将奶酪切成8块, 放置一旁备用。• 用一木质小调羹将油、醋和蜂蜜搅匀, 放置一旁备用。• 将奶酪沾取面粉, 鸡蛋和面包屑。• 将奶酪放入滚烫少量的油中炸至两面金黄。• 趁热沾酱食用。

Frito de jamón york con queso Emmental

Ham and Emmental cheese fritters

4 slices of York ham • 4 pieces of Emmental • ¼ l. béchamel sauce • 1 egg • 1 tbsp. flour • 1 tbsp. breadcrumbs • Olive oil • Salt

• Beat the egg in a bowl with a pinch of salt. Reserve. • Wrap a piece of chesse in a slice of York ham, forming a cube. • In a bowl, place a little layer of béchamel and on top the ham and cheese parcels, with a gap between each one. Cover with the rest of the béchamel. Reserve. • Cut out the sauce between each packet and dip into the flour, beaten egg and breadcrumbs. Fry each packet in plenty of hot oil and drain on kitchen paper. Serve immediately very hot.

Friture de jambon et de fromage

4 tranches de jambon blanc • 4 morceaux de fromage Emmental • ¼ l. de béchamel. • 1 oeuf • 1 cuillérée de café de farine • 1 cuillérée de chapelure • Huile d'olive • Sel

• Battre l'oeuf dans un saladier avec un pincée de sel. Le réserver. • Envelopper un morceau de fromage en une tranche de jambon blanc en leur donnant une forme cubique. • Dans un récipient, mettre un couche de bechamel et placer dessus les paquets de jambon et fromage en laissant une séparation entre eux. Les couvrir ave la bechamel restant. Les réserver. • Couper la pâte qu'il y a entre chaque paquet et les passer dans la farine, l'oeuf battu et la chapelure. Dans une poêle avec beacoup d'huile chaude, frire les paquets et les égouter sur du papier absorbant. Servir chaude.

Gebratener Kochschinken mit Emmentaler

4 Scheiben Kochschinken • 4 Scheiben Emmentaler • ¼ l. Béchamelsauce • 1 Ei • 1 EL Mehl • 1 EL Paniermehl • Olivenöl • Salz

• Das Ei mit einer Prise Salz in einer Schüssel schlagen. Beiseite stellen. • Je ein Stück Käse mit einer Scheibe Kochschinken umhüllen, sodass ein Würfel entsteht. • Eine dünne Schicht Béchamelsauce in eine Schüssel geben und die Schinken-Käse-Würfel mit etwas Abstand zueinander darauf legen. Mit der übrigen Béchamelsauce bedecken. Beiseite stellen. • Die Sauce zwischen den Würfeln durchschneiden und die Stücke in Mehl, geschlagenem Ei und Paniermehl wälzen. Jedes Stück in einer Pfanne mit reichlich heißem Olivenöl braten und auf Küchenpapier abtropfen lassen. Heiß servieren.

Жареная ветчина с сыром эменталь

4 ломтика ветчины • 4 ломтика сыра эменталь • ¼ л соуса бешамель • 1 яйцо • 1 ст. ложка муки • 1 ст. ложка хлебной крошки • Оливковое масло • Соль

• В миске взбить яйцо со щепоткой соли. Отставить в сторону. • Завернуть кусочек сыра в ломтик ветчины, стараясь придать ему кубическую форму. • В большую миску вылить тонкий слой соуса бешамель и выложить сверху кусочки сыра, завернутые в ветчину, оставляя достаточное расстояние между кусочками. Залить остатками соуса. Отставить в сторону. • Разрезать загустевший соус, который находится между кусочками сыра, завернутого в ветчину. Обвалять каждый кусочек в муке, взбитом яйце, а затем в хлебной крошке. • В сковороде разогреть достаточное количество оливкового масла, обжаривать каждый кусочек и выкладывать на кухонную бумагу, чтобы стек излишек масла. Подавать горячим.

エメンタールチーズとハムのフライ

スライスハム　4枚 • エメンタールチーズのスライス　4枚• ベシャメルソース　¼l • 卵　1個 • 小麦粉　大さじ1 • パン粉　大さじ1• オリーブオイル• 塩

• ボールに卵を割り入れ、塩少々を加えてほぐす• チーズをハムで巻いてさいころ状の形にする。•ボールに、ベシャメルソースを薄く流し入れ、その上にハムで巻いたチーズを、くっつかないように間隔をあけながら置いていく。その上から残りのベシャメルソースをかけてしばらくおく。•それぞれのハム巻きチーズがベシャメルソースでつながっているので、それを切り離して、小麦粉、卵、パン粉の順につける。フライパンにたっぷりのオリーブオイルを熱し、揚げて、キッチンペーパーで油をきる。• 熱々でいただく。

炸西式火腿和瑞士奶酪

4片西式火腿 • 4片瑞士奶酪 • ¼升白沙弥酱•1个鸡蛋 • 一调羹面粉 • 一调羹面包屑• 橄榄油 • 盐

•再放入少量盐的碗中打散鸡蛋, 放置一旁备用。•每一片火腿包一块奶酪, 使其有立体感。• 在另外一个碗中加入薄薄的一层白沙弥酱, 将裹好的火腿和奶酪放入其中。在每块火腿间保留一定的空隙。将剩余的白沙弥酱加入。放置一旁备用。• 将每块火腿和奶酪旁多余的白沙弥酱除去, 沾取面粉, 鸡蛋和面包屑。在放入足量橄榄油的油锅中把每块火腿和奶酪炸好, 捞出后置于吸油纸上沥油。• 趁热享用。• 注: 白沙弥酱 (bechamel) 是由面粉、奶油、黄油和盐制成的白色酱

Frito de langostinos con bacón y alioli

Battered King Prawns with Bacon and Aïoli Sauce

4 king prawns • 4 thin rashers bacon • 1 tbsp. aïoli sauce • Salt • Virgin olive oil

• Peel and season the king prawns. Roll up in a rasher of boneless and rindless bacon and hold together with a cocktail stick. • Brown the king prawns on both sides in very hot oil. Serve hot with the aïoli sauce.

Crevettes frites au bacon et à l'aïoli

4 grosses crevettes • 4 tranches fines de bacon • 1 cuillerée à soupe d'aïoli • Sel • Huile d'olive vierge

• Décortiquer et assaisonner les crevettes. Enrouler une tranche de bacon, sans couenne, autour des crevettes et les piquer sur un bâtonnet. • Faire dorer les crevettes des deux côtés dans de l'huile très chaude. • Servir chaud avec l'aïoli.

Langustinenfrittüre mit Bacon und Alioli

4 Langustinen • 4 dünne Scheiben Bacon • 1 EL Alioli • Salz • Natives Olivenöl

• Die Langustinen schälen und würzen. Die Langustinen mit je einer Scheibe Bacon ohne Knorpelstücke und Schwarte umwickeln und auf einen Zahnstocher stecken. • Die Langustinen in sehr heißem Öl auf beiden Seiten braten. Heiß mit Alioli servieren.

Зажарка из тигровых креветок с беконом и алиоли

4 тигровые креветки • 4 тонких ломтика бекона • 1 ст. ложка алиоли • Соль • Оливковое масло

• Очистить креветки и посолить. Завернуть каждую креветку в ломтик бекона и нанизать на деревянную палочку. • Обжарить креветки с обеих сторон в очень горячем масле. • Подавать горячими в сопровождении соуса алиоли.

エビのベーコン巻き　アリオリソース添え

車エビ　4尾 • ベーコン (薄めのもの) 4枚 • アリオリソース　大さじ1 • 塩 • バージンオリーブオイル

• エビの殻をむいて塩を振る。ベーコンで巻いて楊枝で刺してとめる。• 高温の油で両面を焼く。• アリオリソースを添えて温かいうちにいただく。

培根炸虾

4只对虾 • 4片培根肉 • 1调羹蒜油 • 盐 • 橄榄油

• 把对虾去壳后加盐。用一片去皮去骨头的培根卷好虾仁后用牙签串好。• 在油中把虾串炸成金黄。• 趁热沾取蒜油食用。

Croquetas de marisco

Seafood Croquettes

1 l. milk • 150 gr. butter • 150 gr. flour • 1 onion • 200 gr. peeled prawns • 1 tbsp. chopped parsley • 2 tbsp. flour • 1 tbsp. breadcrumbs • 1 egg • Salt • Olive oil

• Lightly fry the finely-chopped onion with the butter in a large frying pan. When it starts to brown add 1 spoonful of flour. Once the flour has toasted slowly pour on the milk. Stir with a wooden spoon. When the mixture has boiled, season, remove from heat and add the finely-chopped peeled prawns and the parsley. • When the mixture is at room temperature mould the croquettes and cover them with the rest of the flour, beaten egg and breadcrumbs. • Fry the croquettes in a frying pan with lots of very hot oil, drain on kitchen towel and serve at once.

Croquettes de fruits de mer

1 l. de lait • 150 gr. de beurre • 150 gr. de farine • 1 oignon • 200 gr. de crevettes décortiquées • 1 cuillerée à soupe de persil haché • 2 cuillerées à soupe de farine • 1 cuillerée à soupe de panure • 1 œuf • Sel • Huile d'olive

• Faire revenir l'oignon émincé et le beurre dans une grande poêle. Une fois doré, ajouter une cuillerée de farine. Lorsque la farine commence à griller, verser le lait délicatement. Remuer à l'aide d'une cuillère en bois. Lorsque la pâte est cuite, assaisonner, ôter du feu, puis ajouter les crevettes décortiquées finement coupées et le persil. • Une fois la pâte à température ambiante, former les croquettes et les passer dans le reste de farine, l'œuf battu et la panure. • Faire frire les croquettes dans une poêle avec beaucoup d'huile d'olive très chaude. Les égoutter sur du papier absorbant et servir immédiatement.

Meeresfrüchtekroketten

1 l. Milch • 150 gr. Butter • 150 gr. Mehl • 1 Zwiebel • 200 gr. geschälte Garnelen • 1 EL gehackte Petersilie • 2 EL Mehl • 1 EL Paniermehl • 1 Ei • Salz • Olivenöl

• Die fein gehackte Zwiebel in einer großen Pfanne mit Butter glasig dünsten, dann einen Löffel Mehl zugeben. Wenn das Mehl anbräunt, langsam die Milch darübergießen. Mit einem Holzlöffel umrühren. Wenn die Masse fertig ist, würzen, vom Feuer nehmen und die geschälten, kleingeschnittenen Garnelen und die Petersilie untermischen. • Wenn die Masse auf Zimmertemperatur abgekühlt ist, Kroketten formen und im restlichen Mehl, dem geschlagenen Ei und dem Paniermehl wälzen. • Die Kroketten in einer Pfanne mit sehr heißem Öl braten, auf Küchenpapier abtropfen lassen und sofort servieren.

Крокеты из окорока

1 л молока • 150 г сливочного масла • 150 г муки • 1 луковица • 200 г очищенных креветок • 1 ст. ложка мелко порезанной петрушки • 2 ст. ложка муки • 1 ст. ложка хлебной крошки • 1 яйцо • Соль • Оливковое масло

• В большой сковороде поджарить мелко порезанный лук на сливочном масле. Когда лук слегка позолотится, добавить 1 ложку муки. Слегка обжарить муку и понемногу добавить молоко. Помешивать деревянной ложкой до образования густой массы. Посолить и снять с огня, добавить мелко порезанные креветки и петрушку. • Когда масса остынет до комнатной температуры, сформировать крокеты и обвалять их в муке, взбитом яйце и хлебной крошке. • В сковороде с большим количеством очень горячего масла, поджарить крокеты, выложить на кухонную бумагу, чтобы стек лишний жир и немедленно подавать.

シーフードコロッケ

牛乳　1 l　• バター　150 g • 小麦粉　150 g • 玉ねぎ　1個 • むきエビ　200 g • パセリのみじん切り　大さじ1 • 小麦粉　大さじ2 • パン粉　大さじ1 • 卵　1個 • 塩 • オリーブオイル

• 大フライパンで、みじん切りにした玉ねぎをバターで炒める。透き通ってきたら大さじ1の小麦粉を加える。小麦粉が炒まったら牛乳をゆっくり加えていく。木べらで混ぜる。全体に火が通ったら、塩こしょうで味をつけて火からおろし、細かく切ったむきエビとパセリを加える。 • 常温ぐらいまで冷めたら、コロッケを形作り、残りの小麦粉と、溶き卵、パン粉をつける。 • フライパンに油をたっぷり入れて高温に熱し、コロッケを揚げて、キッチンペーパーで油分をきる。出来立てですぐにいただく。

海鲜馅炸丸子

1升牛奶 • 150克黄油 • 150克面粉 • 1个洋葱 • 200克剥好的虾 • 1调羹洋香菜末 • 2调羹面粉 • 1调羹面包屑 • 1个鸡蛋 • 盐 • 橄榄油

• 把切碎的洋葱和黄油一起放入一个大锅中炒。当它开始变色时加入1调羹面粉。同时慢慢倒入牛奶, 并用木铲翻动。 煮熟后加点盐, 关火, 倒入切碎的虾和洋香菜末。• 混合物冷却到室温时可以开始搓丸子, 之后一次沾取面粉、蛋液和面包屑。• 把丸子放入足量的热油中炸熟后捞出, 放在吸油纸上沥油后即可食用。

Fritura de pescado a la andaluza

Andalusian fried

200 gr. of squid • 200 gr. of anchovies • 200 gr. of prawns • 200 gr. de little squid • 200 gr. de *chanquetes* • 200 gr. de little squid • Flour • Olive oil • Salt

• Clean the squid and slice into ½ cm rings. Season. • Clean the little squid without removing the skin. Season. • Peal and season the prawns, leaving the tails on. • Clean the anchovies by removing the head. Open them up to remove the backbone. Season. • Clean the little squid and chanquetes. Season. • Dip the fish into flour and fry in plenty of olive oil at 280° C. Drain on kitchen paper. • Serve hot with a lemon wedge.

Friture de poisson à l'andalouse

200 gr. de calmars • 200 gr. de anchovies • 200 gr. de crevettes • 200 gr. de *chopitos* • 200 gr. de *chanquetes* • 200 gr. de encornets • Farine • Sel • Huile d'olive

• Nettoyer les calmars et les couper en rondelles de ½ cm. Les assaisonner. • Nettoyer les encornets en gardant la peau. Les assaisonner. • Peler et assaisonner les crevettes en laissant la fin de la queue. • Laver les anchois en leur enlevan la tête. Les ouvrir pour les séparer de l'arête centrale. Les assaisonner. • Laver les chopitos et les chanquetes. Les assaisonner. • Par la suite, les passer dans la farine et les frire dans beaucou d'huile d'olive à 280° C. Les égoutter sur un papier absorbant. • Les servir chauds accompagnés d'un marceaux de citron.

Gebratener Meeresfrüchten

200 gr. Tintenfisch • 200 gr. Anchovis • 200 gr. Gambas • 200 gr. de chopitos (calamarcitos) • 200 gr. de *chanquetes* • 200 gr. kleine Tintenfische • Mehl • Salz • Olivenöl

• Den Tintenfisch säubern und in ½ cm dicke Scheiben schneiden. Salzen. • Unter Erhaltung der Aut, die kleine Tintenfischen säubern. Salzen. • Die Gambas schälen, das Schwanzende jedoch lassen und dann salzen. • Die Anchovas säubern und die Köpfe abtrennen. Aufschneiden, um sie von der Mittelgräte zu lösen. Salzen. • Die chopitos und chanquetes säubern. Salzen. • Anschlieβend in Mehl wenden und in reichlich Olivenöl braten auf 280ºC. Auf Küchenpapier abtropfen lassen. • Einem Stück Zitrone heiβ servieren.

Дары моря в андалузском стиле

200 г крупных кальмаров • 200 г свежих анчоусов • 200 г креветок • 200 г маленьких кальмаров • 200 г бычков • 200 г кальмаров бэби • Мука • Оливковое масло • Соль

• Очистить крупные кальмары и порезать их кружочками в ½ см. Посолить. • Промыть кальмары бэби, не снимать кожицу. Посолить. • Помыть и почистить креветки, оставляя хвостик. • Почистить анчоусы, удалить голову, удалить хребет. Посолить. • Помыть маленьких кальмаров, бычков и кальмаров бэби. Посолить. • Обвалять все в муке и жарить в большом количестве разогретого до 280° С масла. Выложить на кухонную бумагу, чтобы удалить лишнее масло. • Подавать горячим в сопровождении ломтика лимона.

アンダルシア風魚介類のフライ

ヤリイカ　200 g • カタクチイワシ　200 g • 小エビ　200 g • チョピート(ホタルイカに似た小イカ) 200 g • チャンケテ (シラス) 200 g • チピロン (小イカ　ヤリイカの幼魚) 200 g • 小麦粉 • オリーブオイル • 塩

• ヤリイカをきれいにして0,5センチ幅の輪切りにし、塩を振る。• チピロンは皮をむかずに洗って塩を振る。• エビは尾を残して殻をむき塩を振る。　• カタクチイワシは頭をとり、手開きして骨をとって塩を振る。• チョピート、チャンケテ、チピロンをきれいにして塩を振る。• 材料に小麦粉をつけて、280度に熱したたっぷりのオリーブオイルで揚げる。キッチンペーパーに油を吸わせて油分をきる。　• レモンを添えて熱いうちにいただく。

安达卢西亚式炸鱼

200克鱿鱼 • 200克鳀鱼 •200克虾 • 200克鱿鱼仔 • 200克小海鱼 • 200克小鱿鱼•面粉 • 橄榄油 • 盐

• 将鱿鱼洗干净, 切成0.5厘米宽环状, 加少许盐调味。• 将小鱿鱼洗净, 保留皮, 加少许盐调味。•将虾去壳, 保留尾部, 加少许盐调味。•将鳀鱼洗干净, 去头。将其展开, 去掉中央主刺。加少许盐调味。• 将鱿鱼仔、小海鱼和小鱿鱼洗净, 加少许盐调味。• 接下来将它们沾上面粉, 入280摄氏度的橄榄油中炸。炸好后放置于吸油性较好的纸上沥油。• 加一块柠檬趁热享用。

Gambas con gabardina

Battered Prawns

8 prawns • Orly batter • Olive oil • Salt

• Remove the prawns' heads, legs and two thirds of the shell while raw, leaving the end of the tail. Season. Cover them with the orly batter and fry in a frying pan with lots of hot oil. • Remove the prawns and leave to drain on kitchen towel. Serve hot soon after frying.

Beignets de crevettes

8 crevettes • Pâte à frire • Huile d'olive • Sel

• Enlever les têtes et les pattes des crevettes encore crues, ainsi que deux tiers de la carapace, en laissant la partie finale de la queue. Assaisonner. Les recouvrir de pâte à frire et faire frire dans une poêle avec beaucoup d'huile d'olive très chaude. • Retirer les crevettes et les laisser s'égoutter sur du papier absorbant. Servir immédiatement.

Garnelen im Teigmantel

8 Garnelen • Ausbackteig • Olivenöl • Salz

• Köpfe, Beine und zwei Drittel der Schale der rohen Garnelen entfernen, sodass nur das Schwanzende ungeschält bleibt. Würzen. In Ausbackteig wenden und in einer Pfanne mit reichlich heißem Öl braten. • Die Garnelen herausnehmen und auf Küchenpapier abtropfen lassen. Sofort heiß servieren.

Креветки в «пальто»

8 креветок • Паста орли • Оливковое масло • Соль

• Удалить у креветок голову и лапки и две трети панциря, оставив неочищенным только хвостик. Посолить. Обвалять в пасте орли и пожарить креветки в большом количестве горячего масла. • Вынуть креветки и выложить на кухонную бумагу. Подавать горячими.

エビのフリッター

小エビ　8尾 • オーリーパスタ (小麦粉に油、卵、酒類、酵母等を加えて作る揚げ物の衣)　• オリーブオイル • 塩

•エビ尾を残して、頭と足、殻の約3分の2を取る。塩を振ってオーリーパスタで衣付けしてたっぷりの油を熱した入れたフライパンで揚げる。• キッチンペーパーで油をきって揚げ立てをいただく。

脆皮虾

8只虾 • 巴斯克面 • 橄榄油 • 盐

• 把生虾 去头, 去壳, 留尾巴。加盐。裹上巴斯克面后放入足量的热油中炸熟。• 把虾捞出后放在吸油纸上沥油。趁热食用。

Croquetas de txangurro

Spider Crab Croquettes

½ kg. spider crab • 1 l. milk • 1 onion • 50 gr. butter • 125 gr. flour • 1 beaten egg • 2 tbsp. flour • 2 tbsp. breadcrumbs • Nutmeg • Salt • Olive oil

• Heat the butter and 50 ml. olive oil in a large saucepan over a low heat and before it browns fry the very finely-chopped onion. When the onion has browned slightly pour in 125g flour and mix slowly until you have a firm dough. Add the heated milk while stirring. Leave to boil over a low heat for

¾ of an hour, making sure that nothing sticks to the bottom of the pan. Add the well-flaked spider crab, season lightly and add a pinch of nutmeg. Leave to cool. • Mould the croquettes and roll them in a little flour, beaten egg and breadcrumbs. Fry on a high heat with lots of very hot oil. Serve at once.

Croquettes d'araignée de mer

½ kg. d'araignée de mer • 1 l. de lait • 1 oignon • 50 gr. de beurre • 125 gr. de farine • 1 œuf battu • 2 cuillerées à soupe de farine • 2 cuillerées à soupe de panure • Noix de muscade • Sel • Huile d'olive

• Faire chauffer 50 ml. d'huile d'olive et le beurre dans une grande casserole à feu doux. Lorsque le beurre commence à dorer, faire revenir l'oignon finement émincé. Une fois l'oignon doré, verser 125 g de farine et mélanger lentement jusqu'à obtenir une pâte épaisse. Ajouter le lait chaud sans cesser de remuer. Laisser bouillir à feu doux pendant ¾ d'heure, en veillant à ce que la pâte n'accroche pas au fond de la casserole. Ajouter l'araignée de mer finement émiettée, assaisonner légèrement et mettre une pincée de noix de muscade. Laisser refroidir. • Former les croquettes et les passer dans la farine, l'œuf battu et la panure. Les faire frire à feu vif avec beaucoup d'huile d'olive très chaude. Servir immédiatement.

Seespinnenkroketten

½ kg. Seespinne • 1 l. Milch • 1 Zwiebel • 50 gr. Butter • 125 gr. Mehl • 1 geschlagenes Ei • 2 EL Mehl • 2 EL Paniermehl • Muskatnuss • Salz • Olivenöl

• 50 ml. Olivenöl und die Butter in einem großen Topf auf kleiner Flamme erhitzen und die sehr fein gehackte Zwiebel darin anbraten. Wenn die Zwiebel schön angebräunt ist, 125 gr. Mehl zugeben und langsam untermischen, bis eine feste Masse entsteht. Unter ständigem Rühren die heiße Milch zugießen. Bei kleiner Hitze ¾ Stunde lang kochen lassen und darauf achten, dass nichts am Boden ansetzt. Die gut zerkleinerte Seespinne hinzufügen, leicht würzen und eine Prise Muskatnuss dazugeben. Abkühlen lassen. • Die Kroketten formen und in etwas Mehl, geschlagenem Ei und Paniermehl wälzen. In reichlich sehr heißem Öl bei großer Hitze braten. Sofort servieren.

Крокеты из морского краба

½ кг морского краба • 1 л молока • 1 луковица • 50 г сливочного масла • 125 г муки • 1 взбитое яйцо • 2 ст. ложки муки • 2 ст. ложки хлебной крошки • Мускатный орех • Соль • Оливковое масло

• В большом ковше разогреть на среднем огне 50 мл оливкового масла и сливочное масло, добавить мелко порезанный лук. Когда лук зазолотится, добавить 125 г муки и медленно перемешивать до образования густой массы. Не переставая помешивать, добавить горячее молоко. Оставить медленно кипеть в течение 3/4 часов, следя, чтобы масса не пригорала снизу. Добавить маленькие кусочки мяса морского краба, слегка посолить и добавить чуть-чуть молотого мускатного ореха. Остудить. • Сформировать крокеты и обвалять их в муке, взбитом яйце и хлебной крошке. Жарить в большом количестве очень горячего масла. Немедленно подавать.

カニコロッケ

カニの身（タラバガニの水煮）½ kg • 牛乳　1l • 玉ねぎ　1個 • バター 50 g • 小麦粉　125 g • 溶き卵　1個分 • 小麦粉　大さじ2 • パン粉　大さじ2 • ナツメグ • 塩 • オリーブオイル

• 大きめの鍋を弱火にかけて、オリーブオイル50 ml とバターを熱する。焦げないうちにみじん切りにした玉ねぎを加えて炒める。玉ねぎが色づいたら小麦粉125 g を加え、しっかりとした生地になるまでかき混ぜる。かき混ぜる手を休めずに温めた牛乳をゆっくり加えていく。45分間、鍋の底に固まってしまわないように気をつけながら弱火にかける。よくほぐしたカニの身を加え、軽く塩を振ってナツメグを一つまみ入れる。冷めるまでおいておく。• コロッケを形作って軽く小麦粉をはたき、溶き卵、パン粉をつける。高温のたっぷりの油を使って強火で揚げる。出来立てをいただく。

壳肉馅炸丸子

1斤贝肉 • 1升牛奶 • 1个洋葱 • 50克黄油 • 125克面粉 • 1个打散的鸡蛋 • 2调羹面粉 • 2调羹面包屑 肉豆蔻粉• 盐 • 橄榄油

• 在大锅中倒入50毫升橄榄油和黄油, 在他们变成金黄色前加入洋葱屑。当洋葱呈金黄色时撒入125克面粉, 搅拌, 直到形成糊状。倒入热牛奶, 不停搅拌。在小火上煮3刻钟, 避免沾锅。倒入切碎的贝肉, 加少许盐和一撮肉豆蔻粉。等待其冷却。• 搓好丸子后依次沾取面粉、蛋液和面包屑。放入足量的油中用大火炸熟。立即食用。

Queso manchego frito

Fried Manchego Cheese

200 gr. Manchego cheese • 85 gr. Breadcrumbs • 1 egg • 1 tsp. water • 3 tbsp. flour • Olive oil • Salt • Pepper

• Beat the egg together with the water until it is well mixed. Put to one side. • Cut the cheese into thick triangular slices. Put to one side. • Put the flour on a plate, season lightly and cover the cheese triangles with the flour, dip in the beaten egg and coat with breadcrumbs. Put in the fridge for a couple of hours. • Fry the cheese slices on both sides in a large frying pan with plenty of very hot oil until they start to melt and turn golden brown. To prevent the oil cooling, fry the cheese slices four or five at a time. Drain on kitchen towel. • Put each cheese triangle on a cocktail stick and serve hot.

Fromage Manchego frit

200 gr. de fromage Manchego • 85 gr. de panure • 1 œuf • 1 cuillerée à café d'eau • 3 cuillerées à soupe de farine • Huile d'olive • Sel • Poivre

• Battre l'œuf avec l'eau jusqu'à obtenir un mélange homogène. Réserver. • Couper le fromage en gros morceaux triangulaires. Réserver. • Mettre la farine dans un plat, assaisonner légèrement, fariner les morceaux de fromage, les plonger dans l'œuf battu, puis les enrober de panure. Laisser au réfrigérateur pendant deux heures environ. • Dans une grande poêle avec beaucoup d'huile d'olive très chaude, faire frire les morceaux de fromage des deux côtés, jusqu'à ce qu'ils commencent à fondre et soient bien dorés. Pour éviter que l'huile ne refroidisse, faire frire quatre ou cinq morceaux de fromage à la fois. Les égoutter sur un papier absorbant. • Piquer un bâtonnet sur un triangle de fromage et servir chaud.

Gebratener Manchego

200 gr. Manchego-Käse • 85 gr. Paniermehl • 1 Ei • 1 TL Wasser • 3 EL Mehl • Olivenöl • Salz • Pfeffer

• Das Ei zusammen mit dem Wasser schlagen, bis beides gut gemischt ist. Beiseite stellen. • Den Käse in dicke Dreiecke schneiden. Beiseite stellen. • Das Mehl in einen Teller geben, leicht salzen und pfeffern, die Käsedreiecke im Mehl wälzen, in das geschlagene Ei eintauchen und mit dem Paniermehl panieren. Zwei Stunden lang in den Kühlschrank stellen. • Die Käsestücke in einer großen Pfanne mit reichlich sehr heißem Öl auf beiden Seiten braten, bis der Käse anfängt zu zerlaufen und schön goldgelb wird. Mengen von jeweils vier oder fünf Käsestücken nacheinander braten, um zu vermeiden, dass das Öl erkaltet. Auf Küchenpapier abtropfen lassen. • Je ein Käsedreieck auf einen Zahnstocher stecken und heiß servieren.

Жареный ламанчский сыр

200 г ламанчского сыра • 85 г хлебной крошки • 1 яйцо • 1 коф. ложка воды • 3 ст. ложки муки • Оливковое масло • Соль • Молотый перец

• Хорошо взбить яйцо с водой. Отставить в сторону. • Нарезать сыр толстыми треугольниками. Отставить в сторону. • Высыпать муку в тарелку, добавить немного соли и перца, обвалять кусочки сыра, затем поместить сыр во взбитое яйцо и затем обвалять в хлебной крошке. Оставить в холодильнике на пару часов. • В большой сковороде разогреть оливковое масло до самого горячего состояния, обжаривать куски сыра с обеих сторон до тех пор, пока он не начнет слегка плавиться и приобретет золотистый цвет. Для того, чтобы масло не остывало, следует обжаривать сыр порциями, по четыре-пять кусочков за раз. Выложить обжаренный сыр на кухонную бумагу. • Воткнуть в каждый треугольник сыра деревянную палочку и подавать горячим.

マンチェゴチーズフライ

マンチェゴチーズ　200 g • パン粉　85 g • 卵1個 • 水　小さじ1 • 小麦粉　大さじ3 • オリーブオイル • 塩 • こしょう

• 卵を割り水とよく混ぜながらほぐす。 • チーズを厚めの三角形に切っておく。• 軽く塩こしょうした小麦粉を皿に入れ、三角形に切ったチーズをまぶす。次に溶き卵につけパン粉をまぶす。冷蔵庫で2時間ねかせる。 •大きいフライパンにオリーブオイルをたっぷり入れて、高温でチーズの両面を、こんがりと色づいてチーズが溶け始めるまで揚げる。油の温度が下がらないように、チーズは一度に4個か5個ぐらいずつ揚げるようにする。キッチンペーパーに油分を吸わせる。• 楊枝にチーズをさして温かいうちにいただく。

炸曼查勾奶酪

200克曼查勾奶酪 • 85克面包屑 • 1个鸡蛋 • 1小调羹水• 3调羹面粉• 橄榄油 • 盐 • 胡椒粉

• 把鸡蛋和水一起打散, 混匀, 备用。• 将奶酪切成三角形块状, 备用。• 将面粉放置盘中, 加入盐和胡椒粉拌匀后将面粉裹在奶酪上, 然后将其先沾蛋汁, 然后沾取面包屑。在冰箱中放置几小时。• 在锅中放入足量的油加热至滚烫, 将奶酪块放入, 炸至两面金黄, 奶酪变软。为了防止油冷却, 在炸的过程中每次放入四至五块奶酪。• 炸好后放置于吸油性较好的纸上沥油。• 在每块奶酪上插好牙签就可以享用了。

Buñuelos de alcachofa

Artichoke Fritters

12 small artichokes • 1 tsp. of chopped parsley • Juice of 2 lemons • Salt • Olive oil *For the batter:* 125 gr. flour • 2 eggs • 1 tbsp. oil • 1 dl. beer • Salt

• Prepare the batter by mixing the eggs, the oil and a pinch of salt. Beat and add the flour, stir and mix in the beer with a dash of water. Once the mixture has thinned, leave to stand for a couple of hours. • Remove the outer leaves of the artichokes and cut the centre leaves down to approximately 5cm high. Cut the artichoke vertically into two and cover with water in a saucepan, adding the lemon juice. Cook at medium heat for 20 minutes. • Coat the artichoke with the batter and fry the fritters in a frying pan with lots of very hot oil. Drain on kitchen towel. • Serve the fritters hot, sprinkled with parsley.

Beignets d'artichauts

12 petits artichauts • 1 cuillerée à café de persil haché • Jus de 2 citrons • Sel • Huile d'olive *Pour la pâte:* 125 gr. de farine • 2 œufs • 1 cuillerée à soupe d'huile d'olive • 1 dl. de bière • Sel

• Pour préparer la pâte, mélanger les œufs et l'huile avec une pincée de sel. Battre le tout et ajouter la farine. Remuer puis ajouter la bière et un peu d'eau pour délayer le mélange jusqu'à obtenir une pâte fine. Laisser reposer deux heures environ. • Détacher les grandes feuilles extérieures des artichauts pour ne garder que les parties comestibles centrales, et les couper à environ 5 cm de hauteur. Couper les artichauts en deux dans le sens de la longueur et les plonger dans une casserole remplie d'eau avec le jus de citron. Faire cuire à feu moyen pendant 20 minutes. • Enrober les artichauts de pâte, puis faire frire les beignets dans une poêle avec beaucoup d'huile d'olive très chaude. Les égoutter sur du papier absorbant. Servir chaud en saupoudrant de persil haché.

Artischockenkrapfen

12 kleine Artischocken • 1 TL gehackte Petersilie • Saft von 2 Zitronen • Salz • Olivenöl *Für den Teig:* 125 gr. Mehl • 2 Eier • 1 EL Öl • 100 ml. Bier • Salz

• Die Eier, das Öl und eine Prise Salz zu einem Teig verrühren. Schlagen und das Mehl hinzufügen, untermischen und mit dem Bier und etwas Wasser zu einer feinen Masse verrühren. Zwei Stunden ruhen lassen. • Die äußeren Blätter der Artischocken abschneiden und die inneren etwa 5 cm lang lassen. Die Artischocken längs halbieren, in einen Topf geben und mit Wasser und Zitronensaft bedecken. 20 Minuten lang bei mittlerer Hitze kochen lassen. • Die Artischocken im Teig wälzen und in einer Pfanne mit reichlich sehr heißem Öl frittieren. Auf Küchenpapier abtropfen lassen. • Die Krapfen mit Petersilie bestreuen und heiß servieren.

Оладьи из артишоков

12 маленьких артишоков • 1 коф. ложка мелко порубленной петрушки • Сок 2-х лимонов • Соль • Оливковое масло Для теста: 125 г муки • 2 яйца • 1 ст. ложка масла • 1 дл пива • Соль

• Приготовить тесто, смешав яйца, масло и щепотку соли. Взбить и добавить муку, перемешать и разбавить пивом и небольшим количеством воды. Замесить нежное тесто и оставить на два часа. • С артишоков обрезать внешние листья, а центральные оставить длиной около 5 см. Разрезать каждый артишок вдоль пополам и выложить в ковшик. Залить водой и лимонным соком. Варить в течение 20-и минут. • Обмакнуть каждую половинку артишока в тесто и жарить оладьи в очень горячем масле. Выложить на кухонную бумагу.

Подавать оладьи горячими, посыпав сверху петрушкой.

アーティチョークのブニュエロ

アーティチョーク(小さいもの) 12個 • パセリのみじん切り　小さじ1 • レモン汁　2個分 • 塩 • オリーブオイル　衣の材料:小麦粉　125 g • 卵　2個 • 油　大さじ1 • ビール　1 dl • 塩

• 卵と油に一つまみの塩を入れてよく混ぜる。 • そこに小麦粉を加え、ビールとほんの少しの水でよく溶く。しっとりとした衣が出来たら2時間寝かせる。 • アーティチョークの外側の硬い葉を取り除いて、中心から5センチぐらいの高さになるぐらいを残す。縦に半分に切って鍋に入れ、かぶるぐらいの水を入れ、レモン汁を加えて中火で20分茹でる。

アーティチョークに衣をつけて、フライパンで高温に熱した油で揚げる。• 上からパセリを散らして温かいうちにいただく。

洋蓟煎饼

12个小洋蓟 • 1小调羹洋香菜末 • 2个柠檬汁 • 盐 • 橄榄油　和面配料 125克面粉 • 2个鸡蛋 • 1调羹油 • 100毫升啤酒 • 盐

• 用鸡蛋、油、一撮盐、啤酒和适量水和面。搅动面粉使其不结块。当它调成稠糊状后静置数小时。• 把洋蓟外层叶子去掉，留下中间的，高约5厘米。把它从中间纵向切开后放入锅中加水和柠檬汁，不加盖煮20分钟。• 洋蓟沾取面糊后放入足量的热油中炸。之后放在吸油纸上沥油。• 撒上洋香菜后趁热食用。

Croquetas de huevo

Egg Croquettes

8 boiled eggs • 2 beaten egg yolks • 1 beaten egg • 60 gr. butter • 120 gr. flour • 2 tbsp. flour • 300 ml. milk • 60 gr. breadcrumbs • Nutmeg • Olive oil • Salt

• Melt the butter in a saucepan and add 120 gr. of flour, stirring all the while. Add the milk gradually and stir until the sauce thickens. Add the finely-chopped eggs and the egg yolks, lightly season and add a pinch of nutmeg. Leave the mixture to cool. • Mould the croquettes with two spoons, coat with the rest of the flour, the egg and the breadcrumbs. Fry in lots of very hot oil.

Croquettes aux œufs

8 œufs durs • 2 jaunes d'œufs battus • 1 œuf battu • 60 g de beurre • 120 g de farine • 2 cuillerées de farine • 300 cl. de lait • 60 g de panure • Noix de muscade • Huile d'olive • Sel

• Faire fondre le beurre dans un casserole et ajouter 120 gr. de farine, sans cesser de remuer. Incorporer le lait peu à peu et remuer jusqu'à ce que la sauce s'épaississe. Ajouter les œufs durs finement hachés et les jaunes. Assaisonner légèrement et finir avec une pincée de noix de muscade. Laisser refroidir le tout. • Former les croquettes à l'aide de deux cuillères, les passer dans le reste de la farine, l'œuf battu et la panure. Les faire frire avec beaucoup d'huile d'olive très chaude.

Eierkroketten

8 gekochte Eier • 2 geschlagene Eigelb • 1 geschlagenes Ei • 60 gr. Butter • 120 gr. Mehl • 2 EL Mehl • 300 ml. Milch • 60 gr. Paniermehl • Muskatnuss • Olivenöl • Saltz

• Die Butter in einem Topf schmelzen lassen und unter ständigem Rühren das 120 gr. Mehl zugeben. Langsam die Milch zugießen und umrühren, bis die Sauce eindickt. Die sehr fein gehackten Eier und die Eigelbe hinzufügen, leicht würzen und eine Prise Muskatnuss zugeben. Die Mischung erkalten lassen. • Mit zwei Löffeln Kroketten formen und in dem restlichen Mehl, dem Ei und dem Paniermehl wälzen. In reichlich sehr heißem Öl braten.

Крокеты из яйца

8 вареных яиц •2 взбитых яичных желтка • 1 взбитое яйцо • 60 г сливочного масла • 120 г муки • 2 ложки муки • 300 мл молока • 60 г хлебной крошки • Мускатный орех • Оливковое масло • Соль

• В ковшике растопить сливочное масло и, постоянно помешивая, добавить муку. Понемногу вливать молоко, не переставая помешивать до образования густого соуса. Добавить мелко порезанные вареные яйца, желтки, посолить и добавить чуть-чуть мускатного ореха. Остудить смесь. • Двумя ложками сформировать крокеты, обвалять их в остатке муки, взбитом яйце и хлебной крошке. Жарить в большом количестве очень горячего оливкого масла.

卵コロッケ

ゆで卵　8個 • 卵黄 (溶いたもの) 2個分 • 溶き卵　1個分 • バター　60 g • 小麦粉　120 g • 小麦粉　大さじ2 • 牛乳　300 ml • パン粉　60 g • ナツメグ • オリーブオイル • 塩

• 鍋にバターを溶かし、かき混ぜながら小麦粉を加える。牛乳を少しずつ加えていきしっかりとした生地になるまでよくかき混ぜながら火にかける。みじん切りにした卵と卵黄を加え、軽く塩を振ってナツメグを一つまみ入れる。冷めるまでおいておく。 • 2本のスプーンを使ってコロッケを形作り、小麦粉 (大さじ2杯分のほう)、溶き卵、パン粉をつけ、高温の油で揚げる。

鸡蛋馅炸丸子

8个煮鸡蛋 • 2个打散的蛋黄 • 1个打散的鸡蛋 • 60克黄油 • 120克面粉 • 2调羹面粉 • 300毫升牛奶 • 60克面包屑 • 肉豆蔻粉 • 橄榄油 • 盐

• 烹饪方法• 在锅中加热黄油,使其溶化, 加入面粉, 并不断搅动。慢慢倒入牛奶, 搅动到形成较稠酱状。倒入切碎的煮鸡蛋和鸡蛋黄, 加少许盐和少许肉豆蔻粉。让混合物冷却。• 用两把调羹搓好丸子, 沾取剩下的面粉, 蛋液和面包屑。放在足量的热油中炸熟。

Croquetas de queso

Cheese Croquettes

3 potatoes • 1 tub cream cheese • 2 eggs • 2 tbsp. breadcrumbs • Salt • Olive oil

• Boil the potatoes in lots of salt water. Once softened, peel and mash using a food mill. • Mix with the cream cheese and an egg yolk in a saucepan and stir for 2 minutes on a medium heat. Remove from heat and season. • Put the mixture on a baking tray and leave to stand in the fridge for 30 minutes. Then mould the croquettes and roll them in the beaten egg and breadcrumbs. • Fry in a large frying pan with lots of hot oil, drain on kitchen towel and serve hot.

Cheese Croquettes

3 potatoes • 1 tub cream cheese • 2 eggs • 2 tbsp. breadcrumbs • Salt • Olive oil

• Boil the potatoes in lots of salt water. Once softened, peel and mash using a food mill. • Mix with the cream cheese and an egg yolk in a saucepan and stir for 2 minutes on a medium heat. Remove from heat and season. • Put the mixture on a baking tray and leave to stand in the fridge for 30 minutes. Then mould the croquettes and roll them in the beaten egg and breadcrumbs. • Fry in a large frying pan with lots of hot oil, drain on kitchen towel and serve hot.

Käsekroketten

3 Kartoffeln • 1 Packung Rahmkäse • 2 Eier • 2 EL Paniermehl • Salz • Olivenöl

• Die Kartoffeln in reichlich Salzwasser kochen. Wenn sie weich sind, schälen und mit einem Passiergerät pürieren. • Die Masse in einem Topf mit dem Rahmkäse und einem Eigelb mischen und zwei Minuten lang bei mittlerer Hitze umrühren. Die Mischung vom Feuer nehmen und würzen. • Die Masse auf eine Platte geben und 30 Minuten lang im Kühlschrank ruhen lassen. Dann die Kroketten formen und mit dem geschlagenen Ei und dem Paniermehl panieren. • Die Kroketten in einer großen Pfanne mit reichlich heißem Öl braten, auf Küchenpapier abtropfen lassen und heiß servieren.

Крокеты из сыра

3 картофелины • 1 упаковка сливочного сыра • 2 яйца • 2 ст. ложки хлебной крошки • Соль • Оливковое масло

• Сварить картофель в достаточном количестве соленой воды. Когда картофель готов, размять его. • В ковшике смешать сливочный сыр, один желток и перемешивать в течение 2-х минут на среднем огне. Снять с огня и посолить. • Выложить массу в большую миску и оставить в холодильнике на 30 минут. Затем сформировать крокеты, обвалять их во взбитом яйце и хлебной крошке. • В большой сковороде разогреть масло до самого горячего состояния и обжарить крокеты, выложить на кухонную бумагу, чтобы удалить излишки жира. Подавать горячими.

チーズコロッケ

じゃがいも　3個 • クリームチーズ　1パック • 卵　2個 • パン粉　大さじ2 • 塩 • オリーブオイル

• じゃがいもをたっぷりの塩水で茹でる。柔らかくなったら皮をむいて、濾し器を使って潰す。 • 鍋に潰したじゃがいもとクリームチーズ、卵黄1個分を入れ、中火にかけてかき混ぜる。火からおろして塩で味を調える。 • バットに移し冷蔵庫で30分寝かせてから、コロッケを形作って溶き卵とパン粉をつける。 • 大フライパンに油をたっぷりと入れて高温に熱し、コロッケを揚げて、キッチンペーパーで油分をきって温かいうちにいただく。

奶酪馅炸丸子

3个土豆 • 1小罐液体奶酪 • 2个鸡蛋 • 2调羹面包屑 • 盐 • 油

• 把土豆放在盐水中煮熟。当他们变软后削皮, 用搅拌器捣碎。• 把它倒入锅中, 与液体奶酪和一个蛋黄混合, 在中火上搅拌2分钟。关火后加盐。• 把混合物放在盘子里后放入冰箱冷藏30分钟。之后搓成丸子, 沾取蛋液和面包屑。• 在大锅中倒入足量的油, 把丸子炸熟, 放于吸油纸上沥油, 趁热食用。

Tortilla de boquerones

Anchovy Omelette

6 eggs • 200 gr. of anchovies • 1 clove of garlic • Olive oil • Salt

• Clean the anchovies, removing the backbones and heads. Season. • Beat the eggs in a bowl with a pinch of salt. • Over a low heat, fry the chopped garlic with a little oil and when they start to brown, add the anchovies. Leave for a 15 seconds and add beaten eggs. Cook slowly, turn over half-way through and cook unyil done, though still spongy. Serve hot or cold.

Omelette d'anchois frais

6 oeufs • 200 gr. d'anchois frais • 1 gousse d'ail • Huile d'olive • Sel

• Laver les anchois en leur enlevant l'arête et la tête. Les assaisonner. • Dans un saladier, battre les oeufs avec une pincée de sel. • Mettre une poêle sur le feu avec un peu de l'huile d'olive, et quand il commence à être doré ajouter les anchois frais. Les laisser 15 secondes et ajouter les oeufs battus. Laisser cuire lentement, retourner et la retirer du feu lorsqu'elle est encore baveuse. Servir chaud ou froid.

Omelett mit Anchovis

6 Eier • 200 gr. Anchovis • 1 Knoblauchzehe • Olivenöl • Salz

• Die Anchovis säubern, indem man die Hauptgräte und den Kopf entfernt. Salzen. • In einer Schüssel, die Eier mit einer Prise Salz schlagen. • In eine Pfanne mit heiβem Öl den gehackten Knoblauch geben. Wenn alles etwas bräunt, die Anchovis hinzu fügen, einige 15 Sekunden garen lassen und das geschlagene Ei hinzu fügen. Langsam garen lassen. Umdrehen und wenn alles noch saftig ist, vom Feuer nehmen. Kalt oder heiβ servieren.

Тортилья с анчоусом

6 яиц • 250 г анчоусов • 1 зубчик чеснока • Оливковое масло • Соль
• Почистить анчоусы, удалить кости и голову. Посолить. • В миске взбить яйца со щепоткой соли. • В сковороде с небольшим количеством оливкового масла пожарить мелко порезанный чеснок и, когда он станет золотистым, добавить анчоусы. Пожарить 15 секунд и добавить взбитые яйца. Готовить на медленном огне, перевернуть и снять с огня, пока тортилья еще сочная. Подавать холодной или горячей.

カタクチイワシのトルティージャ

卵　6個 • カタクチイワシ　250 g • にんにく　1かけ • オリーブオイル • 塩
• カタクチイワシの頭と骨をとってきれいにする。塩を振る。• ボールに卵を割りいれ塩少々とよくかき混ぜる。•フライパンにオリーブオイルを少しひいて、にんにくのみじん切りを炒める。色づいたらカタクチイワシを加え15秒待ってから溶いた卵を入れる。弱火で焼き、裏面も焼いたら中がトロッとジューシーなうちに火からおろす。• 温かいうちにいただいても冷めても美味しい。

鳀鱼煎蛋饼

6个鸡蛋 • 250克鳀鱼 • 1瓣大蒜 • 橄榄油 • 盐
• 把鳀鱼洗干净, 去掉头和刺。加盐。• 把鸡蛋放在锅里打散, 加一少许盐。• 到少量油在锅里, 放入大蒜末, 炒到变黄时倒入鳀鱼。15秒钟后倒入鸡蛋。用小火慢煎, 两面翻动, 当见出汁时起锅。 热食或凉食。

Tortilla de jamón, habitas y ajos tiernos

Ham, Broad Bean and Garlic Shoot Omelette

4 eggs • 50 gr. garlic shoots • 50 gr. baby broad beans • 50 gr. Iberian ham • Virgin olive oil • Salt • Pepper

• Beat the eggs and put to one side. • Cut the ham into small, thin slices and put to one side. • Peel and finely chop the garlic. Lightly fry in a frying pan with a little olive oil on a medium heat. Once browned, add the pre-cooked baby broad beans and Iberian ham. Mix with the eggs, season, cook on a low heat, turn and leave the omelette to cook slowly. Serve hot.

Omelette au jambon, aux petites fèves et à l'ail tendre

4 œufs • 50 gr. d'ail tendre • 50 gr. de petites fèves • 50 gr. de jambon ibérique • Huile d'olive vierge • Sel • Poivre

• Battre les œufs et réserver. • Couper le jambon en petits morceaux et réserver. • Éplucher l'ail et le hacher très finement. Le faire revenir dans une poêle avec un peu d'huile d'olive, à feu moyen. Une fois doré, ajouter les fèves préalablement cuites et le jambon ibérique. Mélanger avec les œufs. Assaisonner, laisser cuire à feu doux, retourner le tout et laisser cuire l'omelette lentement. Servir chaud.

Omelett mit Schinken, Bohnen und Knoblauchsprossen

4 Eier • 50 gr. Knoblauchsprossen • 50 gr. Bohnen • 50 gr. iberischer Schinken • Natives Olivenöl • Salz • Pfeffer

• Die Eier schlagen und beiseite stellen. • Den Schinken in kleine, dünne Stücke schneiden und beiseite stellen. • Die Knoblauchsprossen schälen und sehr fein hacken. Sie dann in einer Pfanne mit etwas Olivenöl bei mittlerer Hitze anbraten. Sobald sie angebräunt sind, die vorher gekochten Bohnen und den iberischen Schinken zugeben. Mit den Eiern mischen, salzen und pfeffern, auf kleiner Flamme braten lassen, wenden und das Omelett langsam fertiggaren. Heiß servieren.

Тортилья с ветчиной Иберико, молодой фасолью и молодым чесноком

4 яйца • 50 г молодых побегов чеснока • 50 г молодой фасоли • 50 г ветчины Иберико • Оливковое масло • Соль • Молотый перец
• Сбить яйца и отставить в сторону. • Порезать ветчину Иберико на маленькие, тонкие кусочки и отставить в сторону. • Почистить чеснок и мелко порезать. В сковороде с небольшим количеством масла пожарить чеснок на среднем огне. Когда чеснок станет золотистым, добавить предварительно сваренную фасоль и окорок. Смешать содержимое сковороды с яйцами, посолить и поперчить. Готовить на медленном огне, перевернуть и медленно довести до готовности. Подавать горячим.

生ハムとミニそら豆、にんにくの芽のトルティージャ

卵　4個 • にんにくの芽　50 g • ミニそら豆　50 g • ハモンイベリコ　50 g • バージンオリーブオイル • 塩 • こしょう
• 卵を割りほぐす。• ハモンを小片に切り分ける。• にんにくの芽を極薄切りにする。フライパンにオリーブオイルを少しひいて中火にかけ、にんにくの芽を炒める。色よくなってきたら、あらかじめ茹でておいたミニそら豆と、ハモンイベリコを加える。よく溶いた卵と合わせて塩こしょうし、弱火で焼く。ひっくり返して裏面も焼く。弱火でじっくり焼くこと。• 温かいうちにいただく。

火腿蚕豆嫩蒜煎蛋饼

4个鸡蛋 • 50克嫩蒜 • 50克蚕豆 • 50克伊比利亚生火腿 • 橄榄油 • 盐 • 胡椒
• 把鸡蛋打散备用。• 把火腿切成丁备用。• 把嫩蒜剥皮, 切碎。在锅中放少许橄榄油, 用中火炒大蒜。当变黄时倒入火腿一和熟蚕豆。把它们和鸡蛋混合, 加盐和胡椒, 用小火慢煎, 两面翻动, 使它慢慢熟透。 趁热食用。

Tortilla de Sacromonte

Sacromonte Omelette

2 lamb's brains • 6 lamb's testicles • 100 gr. Iberian ham • 2 potatoes • 2 sweet red peppers • 50 gr peas • 50 gr. chorizo • 8 egg • Salt • Olive oil

• Wash the brains and testicles thoroughly in cold water. Boil in separate saucepans in salt water for 5 minutes. Drain and dice finely. • Fry the finely-sliced potatoes in a frying pan with lots of olive oil over a medium heat. When they are soft, remove and drain. • Beat the eggs in a bowl and mix in the potatoes, brains, testicles, finely-sliced ham, finely-diced chorizo, finely-sliced sweet red peppers, and cooked peas. Season. • Pour the mixture into a large frying pan with a little olive oil and cook over a low heat for three minutes, turn and leave to finish cooking slowly. Serve hot.

Omelette de Sacromonte

2 cervelles d'agneau • 6 testicules d'agneau • 100 gr. de jambon ibérique • 2 pommes de terre • 2 poivrons carrés • 50 gr. de petits pois • 50 gr. de chorizo • 8 œufs • Sel • Huile d'olive

• Bien laver les cervelles et les testicules dans de l'eau froide. Les faire bouillir pendant 5 minutes dans deux casseroles différentes avec de l'eau salée. Égoutter et couper en petits dés. • Dans une poêle avec beaucoup d'huile d'olive très chaude, faire frire les pommes de terre coupées en fines rondelles à feu moyen. Une fois tendres, ôter du feu et égoutter. • Dans un petit saladier, battre les œufs et mélanger avec les pommes de terre, les cervelles, les testicules, le jambon finement coupé et le chorizo coupé en petits dés, le poivron carré coupé en petits morceaux et les petits pois cuits. Assaisonner. • Mettre la préparation dans une grande poêle avec un peu d'huile d'olive et laisser mijoter à feu doux pendant trois minutes, retourner et laisser finir de cuire lentement. Servir chaud.

Omelett „Sacromonte"

2 Lammhirne • 6 Lammhoden • 100 gr. iberischer Schinken • 2 Kartoffeln • 2 Tomatenpaprika • 50 gr. Erbsen • 50 gr. Chorizo • 8 Eier • Salz • Olivenöl

• Das Lammhirn und die Lammhoden gut in kaltem Wasser waschen. Getrennt fünf Minuten lang in Töpfen mit Salzwasser kochen. Abtropfen lassen und in kleine Würfel schneiden. • Die in dünne Scheiben geschnittenen Kartoffeln in einer Pfanne mit reichlich Olivenöl bei mittlerer Hitze braten. Wenn sie weich sind, herausnehmen und abtropfen lassen. • Die Eier in einer Schüssel schlagen und mit den Kartoffeln, dem Hirn, den Hoden, dem kleingeschnittenen Schinken, der gewürfelten Chorizo, der in kleine Stücke geschnittenen Paprika und den gekochten Erbsen mischen. Würzen. • Die Mischung in eine große Pfanne mit etwas Olivenöl geben und bei schwacher Hitze drei Minuten lang braten, wenden und langsam garen lassen. Heiß servieren.

Тортилья из Сакромонте

2 бараньих мозга • 6 бараньих яичек • 100 г ветчины Иберико • 2 картофелины • 2 сладких красных перца • 50 г зеленого горошка • 50 г чоризо (колбаса с паприкой) • 8 яиц • Соль • Оливковое масло

• Хорошо промыть в холодной воде мозги и яички. Кипятить в отдельных ковшиках в течение 5-и минут в соленой воде. Слить воду и мелко порезать. • В большом количестве масла и на среднем огне жарить картофель, порезанный на тонкие ломтики. Когда картофель станет мягким, снять с огня и удалить излишки масла. • Взбить яйца и смешать с мозгами и яичками, добавить ветчину Иберико и чоризо, порезанные мелко. Добавить перец, порезанный кубиками и вареный зеленый горошек. Посолить. • Вылить смесь в большую сковороду с небольшим количеством масла и готовить на медленном огне, перевернуть и медленно довести до готовности. Подавать горячим.

トルティージャ・サクロモンテ

子羊の脳　2個 • 子羊の睾丸　6個 • ハモンイベリコ　100 g • じゃがいも　2個 • モローネスピーマン　2個 • グリーンピース　50 g • チョリソ　50 g • 卵　8個 • 塩 • オリーブオイル

•子羊の脳と睾丸を冷水できれいに洗う。鍋に沸騰させた湯に塩を加えて、別々に5分間加熱する。水気をきって小さいさいの目に切る。 •中火にかけたフライパンにオリーブオイルをたっぷりと入れ、薄切りにしたじゃがいもを揚げ煮する。柔らかくなったら油をきる。•ボールで卵を溶き、じゃがいも、脳、睾丸、生ハムとチョリソを細かく切ったもの、やはり細かく切ったピーマン、茹でたグリーンピースを加えて混ぜる。塩を振る。 •オリーブオイルを少しひいた大フライパンに流しいれ、弱火で3分焼き、ひっくり返してじっくりと弱火で焼く。• 温かいうちにいただく。

格林那达煎蛋饼

2个羊脑 • 6条羊睾 • 100克伊比利亚生火腿 • 2个土豆 • 2个大甜椒 • 50克豌豆 • 50克腊肠 • 8个鸡蛋 • 盐 • 橄榄油

• 用冷水把羊脑和羊睾洗干净。把它们分别在盐水中煮5分钟。捞出后切成小块。• 把土豆切成薄片, 到足量的油在锅中中火炸。当它们变软后可以捞出沥油。• 在一个锅中把鸡蛋打散, 把土豆、羊脑、羊睾、熟豌豆、切成小块的火腿和腊肠全部倒进去。加盐。• 把混合物倒入盛有少许橄榄油的锅中, 小火煮三分钟, 不停翻面, 让他们慢慢煮熟。 趁热食用

Tortilla de patatas con chorizo

Potato and Chorizo Omelette

6 eggs • ½ kg. of potatoes • 100 gr. of chorizo • 1 l. of oil • Salt

• Peel and slice the potatoes. Fry in plenty of oil over a medium heat. Do not allow to brown. Drain well and season. • In a bowl, beat the eggs with a pinch of salt. Mix in with the potatoes. • Sauté the minced chorizo in a little oil, and before it becomes crispy, pour in the egg and potato mixture. Cook slowly, turn over half-way through, and cook until done. Serve hot.

Omelette de pommes de terre au chorizo

6 œufs • ½ k. de pommes de terre • 100 gr. de chorizo • 1 l. d'huile • Sel

• Peler et couper les pommes de terre. Les frire dans beaucoup d'huile à feu moyen. Eviter qu'elles ne dorent. Bien égoutter l'huile et saler. • Dans un saladier, battre les oeufs avec une pincée de sel. Mélanger avec les pommes de terre. • Dans une poêle sur le feu avec un peu d'huile, faire sauter le chorizo émiétté et avant qu'il ne soit trop cuit, verser le mélange des oeufs et des pommes de terre. Cuire le tout à feu doux, la retourner et laisser terminer de cuire lentement. Servir chaud.

Omelett mit Kartoffel und Paprikawurst

6 Eier • ½ kg. Kartoffeln • 100 g. Paprikawurst • 1 l. Öl • Salz

• Kartoffeln schälen und schneiden. Bei mittlerer Hitze in reichlich Öl braten, aber nicht bräunen. Öl gut abtropfen lassen und die Kartoffeln salzen. • In einer Schüssel die Eier mit einer Prise Salz schlagen. Mit den Kartoffeln vermischen. • In einer Pfanne mit etwas Öl die zerbröselte Paprikawurst wenden und bevor sie zu braun wird, die Ei-Kartoffelmischung zugeben. Alles bei kleiner Hitze kochen, wenden und langsam fertig werden lassen. Heiβ servieren.

Тортилья из картофеля с чоризо

6 яиц • ½ кг картофеля • 100 г риоханской чоризо (колбасы с паприкой) • 1 л масла • Соль

• Почистить и порезать картофель. Пожарить его в большом количестве масла. Не давать зажариваться до коричневого цвета. Удалить лишнее масло и посолить. • В миске взбить яйца со щепоткой соли. Смешать с картофелем. • В небольшом количестве масла поджарить измельченную чоризо и, пока она не сильно зажарилась, добавить к ней яично-картофельную смеси. Готовить тортилью на медленном огне, перевернуть, медленно довести до окончательной готовности. • Подавать горячей.

チョリソ入りじゃがいものトルティージャ

卵　6個 • じゃがいも　½ kg • リオハ産チョリソ　100 g • 油　1 l • 塩

•じゃがいもの皮をむいて切る。中火にかけたたっぷりの油で揚げる。その際焼き色がつかないように気をつける。油分をしっかりきって塩を振る。• ボールに卵を割り入れ、塩を少々加えてよく溶く。じゃがいもと混ぜる。•フライパンに油を少しひいて、細かくほぐしたチョリソを炒める。火が通り過ぎないうちに先の卵とじゃがいもを流し入れる。弱火でじっくり焼く。ひっくり返して裏面もゆっくり焼く。• 温かいうちにいただく。

土豆腊肠煎蛋饼

6个鸡蛋 • 1斤土豆 • 100克西班牙里奥哈腊肠 • 1升油 • 盐

• 把土豆削皮切成小块, 放在足量的油里用中火炸。避免把它炸焦。涝出把油沥干, 加盐。• 把鸡蛋放在锅里打散, 加一撮盐, 和土豆一起搅拌均匀。• 把腊肠切碎, 在少许油中炒, 至熟后倒入土豆和鸡蛋。用小火慢煎, 两面翻动, 使它慢慢熟透。• 成热食用。

Tortilla de ajos tiernos

Garlic Shoots Omelette

6 eggs • 250 gr. of garlic shoots • Olive oil • Salt

• Clean and chop the garlic shoots. Sauté in a little olive oil. Season. • Beat the eggs with a pinch of salt. • Mix the garlic shoots with the beaten eggs. • Pour the eggs into a frying pan with a little oil. Fry over a low heat, turn over half-way through and cook slowly until done. Serve hot or cold.

Omelette d'oignons blancs

6 œufs • 250 gr. d'oignons blancs • Huile d'olive • Sel

• Laver et couper les oignons blancs. Les faire sauter avec un peu d'huile d'olive. Les assaisonner. • Battre les oeufs avec une pincée de sel. • Mélanger les oignons blancs aux oeufs battus. • Verser les oeufs dans une poêle avec un peu d'huile. Les cuisiner à feu doux, retourner et laisser terminer de cuire lentement. Servir froide ou chaude.

Omelett mit frischem Knoblauch

6 Eier • 250 g. frischer Knoblauch • Olivenöl • Salz

• Den zarten Knoblauch säubern und klein schneiden. Mit etwas Olivenöl anbraten. Salzen. • Die Eier mit einer Prise Salz schlagen. • Die Eier schlagen und mit dem frischer Knoblauch vermischen. • Die Eier in eine Pfanne mit etwas Öl geben. Bei kleiner Hitze garen, umdrehen und von der anderen Seite zu Ende garen. Kalt oder heiβ servieren.

Тортилья из молодого чеснока

6 яиц • 250 г молодого чеснока • Оливковое масло • Соль

• Почистить и порезать чеснок. Обжарить его в небольшом количестве масла. Посолить. • Взбить яйца, добавив щепотку соли. • Смешать чеснок с яйцами. • Вылить яйца в сковороду с небольшим количеством масла. Готовить на медленном огне, перевернуть и медленно довести до готовности. Подавать горячей или холодной.

にんにくの芽のトルティージャ

卵　6個 • にんにくの芽　250 g • オリーブオイル • 塩

• にんにくの芽を洗って適当に切る。オリーブオイルで炒め、塩を振る。　卵に塩一つまみを加えてよく混ぜる。• にんにくの芽を溶いた卵とあわせる。• フライパンに油を少しひいて、卵液を入れる。弱火で両面を返しながらじっくり焼く。• 温かくても冷めても美味しい。

嫩蒜煎蛋饼

6个鸡蛋 • 250克嫩蒜 • 橄榄油 • 盐

• 把大蒜洗干净, 切碎。用少许盐炒稍炒。 把鸡蛋打散, 加少许盐。• 把大蒜和鸡蛋混合。• 在锅中加少许油, 倒入鸡蛋。用小火慢煎, 两面翻动, 使它慢慢熟透。• 热食或凉食。

Tortillita de camarones

Shrimp Pancakes

¼ kg. Cadiz salt marsh shrimps* • ¼ kg. onion • ½ kg. flour to coat the shrimps • 1 tbsp. chopped parsley • 1 l. water • Olive oil • Salt

• Peel and chop the onion finely. • Mix the flour and water in a large saucepan, season lightly and stir until you have a creamy mixture. Add the onion, chopped parsley and shrimps. Mix well and leave to stand for two hours. • Then heat a little olive oil in a large frying pan. Take a little of the mixture with a spoon and fry to make small flat pancakes, roughly five centimetres wide. Turn, aiming to keep them thin. When they have turned brown and crunchy, remove and drain on kitchen towel. Serve hot.
*If Cadiz salt marsh shrimps are unavailable, small peeled prawns may be used instead.

Galette aux petites crevettes

¼ kg. de petites crevettes des salins de Cadix* • ¼ kg. d'oignon • ½ kg. de farine pour enrober le poisson • 1 cuillerée à soupe de persil haché • 1 l. d'eau • Huile d'olive • Sel

• Éplucher et émincer finement l'oignon. • Dans une grande casserole, diluer la farine dans de l'eau, assaisonner légèrement et remuer jusqu'à obtenir une pâte crémeuse. Ajouter l'oignon, le persil haché et les crevettes. Bien mélanger et laisser reposer la pâte pendant deux heures. • Une fois ce temps écoulé, faire chauffer un peu d'huile d'olive dans une poêle. Prendre un peu de pâte avec une cuillère et la faire frire afin de former des petites galettes plates d'environ cinq centimètres. Les retourner en faisant en sorte qu'elles restent fines. Une fois bien dorées et croustillantes, les ôter du feu et les égoutter sur un papier absorbant. Servir bien chaud.
* Les crevettes des salins de la Baie de Cadix peuvent être remplacées par d'autres petites crevettes décortiquées.

Garnelenplätzchen

¼ kg. Garnelen aus den Salinen von Cádiz* • ¼ kg. Zwiebeln • ½ kg. Mehl zum Panieren von Fisch • 1 EL gehackte Petersilie • 1 l. Wasser • Olivenöl • Salz

• Die Zwiebel schälen und sehr fein hacken. • Das Mehl in einem großen Topf mit dem Wasser mischen, leicht würzen und umrühren, bis eine cremige Masse entsteht. Die Zwiebel, die gehackte Petersilie und die Sandgarnelen hinzugeben. Gut mischen und die Masse zwei Stunden lang ruhen lassen. • Anschließend etwas Olivenöl in einer großen Pfanne erhitzen. Die Masse löffelweise in die Pfanne geben, plattdrücken und ausbacken, sodass flache Plätzchen mit einem Durchmesser von etwa fünf Zentimetern entstehen. Beim Wenden darauf achten, dass sie dünn bleiben. Wenn sie schön goldgelb und knusprig sind, herausnehmen und auf Küchenpapier abtropfen lassen. Sehr heiß servieren.
* Anmerkung: Statt Garnelen aus den Salinen von Cádiz können auch andere kleine, geschälte Garnelen verwendet werden.

Маленькие тортильи из мелких креветок

¼ кг креветок из кадизских солончаков* • ¼ кг лука • ½ кг муки для панировки рыбы • 1 ст. ложка рубленной петрушки • 1 л воды • Оливковое масло • Соль

• Почистить лук и очень мелко порезать. • В большом ковше развести муку водой и посолить. Помешивая, довести до кремообразного состояния. Добавить лук, петрушку и креветки. Все хорошо перемешать и оставить настояться в течение 2-х часов. • По прошествии этого времени разогреть в сковороде немного масла. Ложкой выкладывать смесь в сковороду и выпекать маленькие плоские блинчики по 5 см в диаметре. Перевернуть. Когда тортильи станут золотистыми, выкладывать их на кухонную бумагу, чтобы стек лишний жир. Подавать горячими.
* Замечание: При отсутствии креветок из кадизских солончаков допустимо употреблять другие мелкие, очищенные креветки.

小エビのトルティージャ

サリーナス産カマロン（スジエビ、川エビの種）¼ kg ＊ • 玉ねぎ ¼ kg • 小麦粉 ½ kg • パセリのみじん切り 大さじ1 • 水 1 l • オリーブオイル • 塩

• 玉ねぎの皮をむいて細かいみじん切りにする。•大きな鍋に小麦粉と水を入れ、軽く塩を振って、クリーム状になるまで混ぜる。玉ねぎとパセリのみじん切り、エビを加えて更によく混ぜ、2時間寝かせる。•大きいフライパンにオリーブオイルを少しひいて熱し、先に作った生地をスプーンですくい、丸く平らで直径5センチぐらいになるように焼く。裏面も焼き、こんがりカリッと仕上がったら、キッチンペーパーで油分をきる。熱々でいただく。

咸虾煎饼

250克小咸虾 • 250克洋葱 • 半公斤糊虾用的面粉 • 1调羹洋香菜末 • 1升水 • 橄榄油 • 盐

• 把洋葱削皮, 切成粒。• 在大锅中放水和面粉, 加少许盐, 搅成稀糊状。加入洋葱、洋香菜和虾。拌匀置两个小时。• 在热锅中放入少量橄榄油, 用调羹舀一点面糊放入锅中煎成直径五厘米大的薄饼, 越薄越好, 再煎另一面。当煎至焦黄变脆时取出, 放在吸油纸上沥油。 趁热食用。
* 备注: 如果找不到这种虾可以用一般的去壳小虾代替。

SOPAS Y GAZPACHOS
Soups and Gazpachos
Soupes et Gazpachos
Suppen und Gazpachos
Супы И Гаспачо
スープとガスパッチョ
汤

Ajoblanco

Ajoblanco

20 peeled seedless grapes • 20 small melon balls • 200 gr. almonds • 2 slices bread • 3 cloves garlic • ½ dl. olive oil • ½ kg. ice • Salt • Pepper

• Blanch the almonds in a large saucepan with lots of boiling water in order to remove the skins. • Leave the skinned almonds, garlic, breadcrusts, olive oil and ice to marinate in a clay casserole dish for 24 hours. • The following day blend everything, strain through a colander and season. If it is still very thick you can add a little water. • Serve cold in a cup garnished with five grapes and five melon balls.

Ajoblanco

20 raisins pelés sans pépins • 20 petites boules de melon • 200 gr. d'amandes • 2 tranches de pain • 3 gousses d'ail • ½ dl. d'huile d'olive • ½ kg. de glaçons • Sel • Poivre

• Blanchir les amandes dans une grande casserole remplie d'eau bouillante pour les éplucher. • Laisser macérer les amandes mondées, l'ail, les tranches de pain émiettées, l'huile d'olive et les glaçons dans une casserole en terre cuite pendant 24 heures. • Le lendemain, mixer et passer le tout au chinois, puis assaisonner. Ajouter un peu d'eau si la consistance est trop épaisse. • Servir froid dans une tasse décorée de cinq raisins et de cinq petites boules de melon.

Ajoblanco

20 geschälte Trauben ohne Kerne • 20 Honigmelonenkügelchen • 200 gr. Mandeln • 2 Scheiben Brot • 3 Knoblauchzehen • 50 ml. Olivenöl • ½ kg. Eis • Salz • Pfeffer

• Die Mandeln in einem großen Topf mit reichlich kochendem Wasser abbrühen und häuten. • Die geschälten Mandeln 24 Stunden lang in einem Tontopf mit Knoblauch, dem zerbröselten Brot, Olivenöl und Eis ziehen lassen. • Am nächsten Tag alles im Mixer zerkleinern, durch ein Sieb passieren, salzen und pfeffern. Wenn die Mischung zu dick ist, etwas Wasser hinzufügen. • In vier Tassen mit je fünf Trauben und fünf Honigmelonenkügelchen anrichten und kalt servieren.

Ахобланко

20 изюмин без кожицы и косточек • 20 шариков дыни • 200 г миндаля • 2 ломтика хлеба • 3 зубчика чеснока • ½ дл оливкового масла • ½ кг льда • Соль • Молотый перец

• В большом ковшике с достаточным количеством кипящей воды ошпарить миндаль, для того чтобы легче было снять с него кожицу. • В глиняную кастрюльку выложить очищенный миндаль, чеснок, измельченные ломтики хлеба, оливковое масло и лед, оставить мариноваться на 24 часа. • На следующий день измельчить все в процессоре до состояния пюре, процедить через дуршлаг, посолить и поперчить. Если пюре получится слишком густым, необходимо добавить немного воды. • Подавать холодным, добавив в тарелку пять изюмин и пять шариков дыни.

アーモンドとにんにくの冷製スープ

ぶどう（皮をむき種をとったもの）20粒 • メロン（ボール状にくり抜いたもの）20個 •アーモンド　200 g • パン　2切れ • にんにく　3かけ • オリーブオイル　½ dl • 氷　½ kg • 塩 • こしょう

•大鍋に湯をたっぷりと沸かし、沸騰したらアーモンドを入れて皮をむく。カスエラ（土鍋）にアーモンドを入れて、にんにく、パンを細かくちぎったもの、オリーブオイル、氷も入れて24時間寝かせる。•翌日すべてをミキサーなどで粉砕し、濾し器で濾して塩こしょうする。濃くなりすぎた場合には水を少し加える。•器に入れぶどう５粒とメロン５個を飾って冷やしていただく。

安达卢西亚杏仁汤

20颗葡萄去皮去籽 • 20粒香瓜球 • 200克杏仁 • 2片面包 • 3瓣大蒜 • 50毫升橄榄油 • 半公斤冰 • 盐 • 胡椒

• 在大锅里倒入足够的开水烫杏仁，便于去皮。• 把去皮的杏仁、大蒜、面包屑、橄榄油和冰块放在碗里浸泡24个小时。• 第二天把所有材料一起捣碎，过滤后加盐和胡椒。如果太稠了可以加少许水。
把它分盛到小碗里，摆上五粒葡萄和五粒香瓜球后冷食。

Gazpacho de habas secas

Dry Broad Bean Gazpacho

¼ kg. white bread • ¼ kg. dry broad beans • 3 eggs • ¼ l. olive oil • 1 spoonful Montilla vinegar • 1 tbsp. raisins • Water • Salt

• Soak the beans for 24 hours. Then peel and mix with the breadcrumbs and eggs. Season. • Process the mixture in a blender, pouring in the oil little by little until the mixture is smooth. • Next, add the water until you achieve the required thickness, add a pinch of salt and a dash of vinegar. • Serve cold in a bowl with some raisins on top.

Gaspacho aux fèves sèches

¼ kg. de pain blanc • ¼ kg. de fèves sèches • 3 œufs • ¼ l. d'huile d'olive • 1 cuillerée de vinaigre de Montilla • 1 cuillerée à soupe de raisins secs • Eau • Sel

• Faire tremper les fèves pendant 24 heures. Une fois ce temps écoulé, les émonder et les mélanger avec la mie de pain et les œufs. Assaisonner. • Passer la préparation au mixeur en versant l'huile peu à peu afin d'obtenir un velouté. Ajouter ensuite de l'eau afin d'obtenir la consistance désirée, saupoudrer d'une pincée de sel et arroser d'un filet de vinaigre. • Servir froid dans un bol avec quelques raisins secs par-dessus.

Gazpacho mit getrockneten Bohnen

¼ kg. Weißbrot • ¼ kg. getrocknete Bohnen • 3 Eier • ¼ l. Olivenöl • 1 Löffel Montilla-Weinessig • 1 EL Rosinen • Wasser • Salz

• Die Bohnen 24 Stunden lang quellen lassen. Anschließend schälen und mit dem zerbröselten Brot und den Eiern vermischen. Würzen. • Die Mischung in einen Mixer füllen und während des Mixens langsam das Öl zugießen, bis eine glatte Masse entsteht. Dann Wasser zugeben, bis die gewünschte Festigkeit erreicht ist, eine Prise Salz und einen Schuss Essig hinzufügen. • Mit einigen Rosinen garniert kalt in einer Schale servieren.

Гаспачо из сухой фасоли

¼ кг белого хлеба • ¼ кг сухой фасоли • 3 яйца • ¼ л оливкового масла • 1 ст. ложка винного уксуса Монтилья • 1 ст. ложка изюма • Вода • Соль

• Вымачивать фасоль в течение 24-х часов. По прошествии этого времени очистить фасоль и смешать с раскрошенным хлебом и яйцами. Посолить. • Выложить эту смесь в процессор и измельчать, добавляя понемногу оливковое масло, до формирования нежного густого крема. Добавлять воду до достижения желаемой консистенции. Немного посолить и добавить уксус. • Подавать холодным, украсив несколькими изюминами.

そら豆のガスパッチョ

白パン　¼ kg • そら豆（乾燥したもの）¼ kg • 卵　3個 • オリーブオイル ¼ l • モンティーリャビネガー　大さじ1 • 干しぶどう　大さじ1 • 水 • 塩

•そら豆を24時間水につけて戻す。その後、皮をむいてパンを細かくちぎったものと卵と混ぜて塩を振る。 •これをミキサーにかける。その際少しずつオリーブオイルを加えていき、しっとりと均一になるようにする。続いて水を加え好みの触感のスープにする。塩、ビネガーをさっと垂らして味を調える。 •干しぶどうを上に飾って冷たくしていただく。

蚕豆干冷汤

250克白面包 • 250克蚕豆干 • 3个鸡蛋 • 250毫升橄榄油 • 1调羹葡萄酒醋 • 1调羹葡萄干 • 水 • 盐

• 把蚕豆干浸泡24个小时后去壳，把它和面包屑、鸡蛋混合，加盐。• 把混合物放在搅拌器里，逐渐加入油搅拌成糊状。然后加水到所喜欢的稠度，再加少许盐和一点醋。• 盛入小碗，加入几粒葡萄干后冷食。

Gazpacho de langostinos de Sanlúcar

Sanlúcar King Prawn Gazpacho

2 bread dumplings • ½ kg. king prawns • 1½ kg. ripe tomato • ¼ kg. green pepper • ¼ kg. onion • ¼ kg. cucumber • Juice of 2 lemons • ¼ l. olive oil • 1/8 l. sherry vinegar • Water • Salt

• Boil the prawns in a pot with unsalted water. Remove before the water starts to boil.
Keep the water. Put the prawns in a saucepan with salt water and ice for 5 minutes.
Set aside. • Wash, de-seed and slice the vegetables very finely. Put in a large bowl and mix with the lemon juice, oil, vinegar, breadcrumbs and a pinch of salt. Cover with the water that we have saved. • Leave to marinate in the fridge for 8 hours. Blend, adding water until you achieve the required consistency. • Serve cold in bowls with the peeled king prawns sliced down the middle.

Gaspacho aux crevettes de Sanlúcar

2 boules de pain • ½ kg. de grosses crevettes • 1,5 kg. de tomates mûres • ¼ kg. de poivrons verts • ¼ kg. d'oignons • ¼ kg. de concombres • Jus de 2 citrons • ¼ l. d'huile d'olive • 1/8 l. de vinaigre de xérès • Eau • Sel

• Faire cuire les crevettes dans une casserole avec de l'eau non salée. Les retirer avant que l'eau ne commence à bouillir. Réserver l'eau. Mettre les crevettes dans une casserole avec de l'eau glacée et salée pendant 5 minutes. Réserver. • Laver les légumes, les épépiner et les couper très finement. Réunir le jus de citron, l'huile, le vinaigre, le pain émietté et une pincée de sel dans un petit saladier et mélanger le tout. Recouvrir le tout avec l'eau réservée. • Laisser macérer au réfrigérateur pendant 8 heures. Passer la préparation au mixeur en ajoutant de l'eau afin d'obtenir la consistance désirée. • Servir froid dans un bol avec les crevettes décortiquées et ouvertes en deux.

Langustinen-Gazpacho nach Art von Sanlúcar

2 Brötchen • ½ kg. Langustinen • 1 ½ kg. reife Tomaten • ¼ kg. grüne Paprika • ¼ kg. Zwiebeln • ¼ kg. Gurken • Saft von 2 Zitronen • 250 ml. Olivenöl • 125 ml. Sherry-Essig • Wasser • Salz

• Die Langustinen in einem Topf mit Wasser ohne Salz erhitzen. Herausnehmen, bevor das Wasser kocht. Das Wasser aufbewahren. Die Langustinen fünf Minuten lang in einen Topf mit Salzwasser und Eis geben. Beiseite stellen. • Das Gemüse waschen, entkernen und sehr klein schneiden. In eine große Schüssel geben und mit Zitronensaft, Öl, Essig, zerbröseltem Brot und einer Prise Salz vermischen. Mit dem aufbewahrten Wasser bedecken. • Acht Stunden lang im Kühlschrank ziehen lassen. Im Mixer zerkleinern und dabei Wasser zugeben, bis die gewünschte Konsistenz erreicht ist.. • Zusammen mit den geschälten, halbierten Langustinen in Schalen kalt servieren.

Гаспачо из тигровых креветок из Санлукара

2 хлебца • ½ кг тигровых креветок • 1,5 кг спелых помидор • ¼ кг зеленого перца • ¼ кг лука • ¼ кг огурцов • Сок двух лимонов • ¼ л оливкового масла • ⅛ л винного уксуса Херес • Вода • Соль

• Выложить креветки в кастрюлю с несоленой водой. Вынуть до того, как вода закипит. Воду сохранить. Выложить креветки в ковшик с соленой водой и льдом, оставить их там на 5 мин. Отставить в сторону. • Помыть овощи, удалить семечки и очень мелко порезать. В большой миске смешать лимонный сок, оливковое масло, уксус и раскрошенный хлеб, немного посолить. Залить водой от варки креветок. • Оставить смесь в холодильнике на 8 часов. Измельчить в миксере, добавляя воду до достижения желаемой консистенции. • Подавать холодным в тарелках, украсив очищенными и открытыми на две половинки креветками.

車エビのガスパッチョ

ボジョパン（スポンジ風のもの）2個 • 車エビ ½ kg • 完熟トマト 1 ½ kg • ピーマン（緑）¼ kg • 玉ねぎ ¼ kg • きゅうり ¼ kg • レモン汁 2個分 • オリーブオイル ¼ l • シェリー酒ビネガー 1/8 l • 水 • 塩

•鍋にエビを入れ、塩は加えずに水から茹でる。沸騰する前に火からおろして取り出し、使った湯もとっておく。エビを氷を入れた塩水に5分間つける。野菜類を洗って種はとって、細かく切る。大きなボールにレモン汁、オリーブオイル、ビネガー、細かくちぎったパン、塩少々を入れ混ぜる。エビに湯通ししたときに使った水を加える。 •冷蔵庫で8時間寝かせる。好みの加減になるように水を加えながらミキサーにかける。• 殻をむいて開いたエビを添えて冷たく冷やしていただく。

安达卢西亚虾仁汤

2个小面包 • 半公斤对虾 • 1公斤半熟番茄 • 250克青椒 • 250克洋葱 • 250克黄瓜 • 2个柠檬榨汁 • 250毫升橄榄油 • 125毫升雪利酒醋 • 水 • 盐

• 把对虾倒入锅中, 加水煮。水开即关火, 留水备用。把虾倒入另一锅盐水中, 加冰块浸泡5分钟, 备用。• 把蔬菜洗干净, 去籽后切成小块。装入一个大碗中后, 加入柠檬汁、油、醋、面包屑和一撮盐。浇上事先备用的水。• 放入冰箱泡8小时。取出后放入搅拌器中搅拌加入适量水使其稠度适中。对虾去壳, 对半切开, 放入汤中冷食。

Salmorejo

Salmorejo

½ kg. fresh breadcrumbs • ¾ kg. ripe tomatoes • 2 boiled eggs • 2 cloves garlic • 75 gr. diced Jabugo Serrano ham • ½ dl. Montillo wine vinegar • 2 dl. virgin olive oil • Salt

• Soak the breadcrumbs in a clay casserole dish for half an hour. Drain the water and put to one side. • Peel and de-seed the tomatoes, peel the garlic, season and crush well. Mash them together with the bread, olive oil and vinegar to get a fine and even paste. Add a small amount of very cold water to achieve the required texture and add vinegar and salt. Put in the fridge. • Peel and finely chop the boiled eggs. • Serve cold in a small clay casserole dish. Add some slices of ham and hard-boiled egg before serving, splashing a little virgin olive oil over the top.

Salmorejo

½ kg. de mie de pain de campagne de la veille • ¾ kg. de tomates mûres • 2 œufs durs • 2 gousses d'ail • 75 gr. de jambon serrano de Jabugo en dés • ½ dl. de vinaigre de Montilla • 2 dl. d'huile d'olive vierge • Sel

• Laisser tremper la mie de pain dans une casserole en terre cuite pendant une demi-heure. Égoutter l'eau et réserver. • Peler les tomates et les égrainer, éplucher l'ail, assaisonner et bien broyer le tout. Passer au mixeur avec le pain, l'huile d'olive et le vinaigre jusqu'à obtenir un mélange fin et homogène. Ajouter un peu d'eau très froide jusqu'à obtenir la consistance désirée et ajouter du vinaigre et du sel si nécessaire. Mettre au réfrigérateur. • Écaler les œufs durs et les hacher très finement. • Servir froid dans un ramequin en terre cuite. Avant de servir, ajouter quelques morceaux de jambon et saupoudrer d'œuf dur haché par-dessus, en versant un filet d'huile d'olive sur le tout.

Salmorejo

½ kg. zerbröseltes Landbrot vom Vortag • ¾ kg. reife Tomaten • 2 gekochte Eier • 2 Knoblauchzehen • 75 gr. gewürfelter Serranoschinken Jabugo • 50 ml. Montilla-Weinessig • 200 ml. natives Olivenöl • Salz

• Das Brot eine halbe Stunde lang in einem Tontopf einweichen. Das Wasser abtropfen lassen und das Brot beiseite stellen. • Die Tomaten schälen und entkernen, den Knoblauch schälen, würzen und gut zerstoßen. Zusammen mit dem Brot, dem Olivenöl und dem Essig zerkleinern, bis eine feine, homogene Masse entsteht. Etwas sehr kaltes Wasser zugeben, bis die gewünschte Konsistenz erreicht ist, und mit Essig und Salz abschmecken. In den Kühlschrank stellen. • Die gekochten Eier schälen und sehr fein hacken. • Kalt in Tonschalen servieren. Vor dem Servieren die Schinkenwürfel, das gehackte hartgekochte Ei und einen Schuss natives Olivenöl darübergeben.

Сальморехо

½ кг раскрошенного вчерашнего крестьянского хлеба • ¾ кг спелых помидор • 2 вареных яйца • 2 зубчика чеснока • 75 г ветчины Серрано из Хабуго, порезанной кубиками • ½ дл винного уксуса Монтилья • 2 дл оливкового масла • Соль

• В глиняной кастрюле замочить хлеб в течение получаса. Отжать и отставить в сторону. • Снять кожицу и удалить семечки из помидор. Очистить чеснок, посолить и хорошо его растолочь. Измельчить все в миксере, добавив оливковое масло и уксус до образования нежной и однородной массы. Вливать понемногу очень холодную воду, доводя гаспачо до желаемой консистенции. Если необходимо, добавить соль и уксус. Оставить в холодильнике. • Очистить от скорлупы яйца и порезать их очень мелко. • Подавать холодным в глиняных мисочках. До того как подавать, добавить в мисочку немного ветчины Серрано и кусочки яйца. Слегка полить оливковым маслом.

サルモレッホ

田舎パンの内側の柔らかい部分（1日前のものを用意）½ kg • 完熟トマト ¾ kg • ゆで卵 2個 • にんにく 2かけ • ハブーゴ産ハモンセラーノ（角切りにしたもの）75 g • モンティーリャワインビネガー ½ dl • バージンオリーブオイル 2 dl • 塩

• パンを水に30分間浸し、水気をきっておいておく。•皮をむいて種をとったトマトと皮をむいたにんにくに塩をふってよくすり潰す。これにパン、オリーブオイル、ビネガーを加え均一によく混ざったスープになるまですり潰す。冷水を使って硬さを調整しながら、ビネガーと塩で味を調える。冷蔵庫に入れる。• ゆで卵の殻をむいてみじん切りにする。•カスエリータ（一人分用の小さな平たい土鍋）に入れて冷たくしていただく。食べる直前に生ハムと卵を飾ってバージンオリーブオイルをさっと垂らす。

茄汁面包汤

半公斤隔夜的面包屑 • 750克熟番茄 • 2个煮鸡蛋 • 2瓣大蒜 • 75克伊比利亚生火腿切块 • 50毫升葡萄酒醋 • 200毫升橄榄油 • 盐

• 把面包屑放入沙锅中, 加水泡半个小时。把水沥干后备用。• 把番茄去皮, 去籽, 把大蒜去皮。加盐后把它们捣碎。加入面包、橄榄油和醋后继续捣, 直到形成糊。加入一点凉水, 使其稠度适中, 根据需要加醋和盐。放入并冰箱中。• 把煮鸡蛋去壳后切碎。• 把汤倒入小碗中, 加入火腿、鸡蛋、橄榄油和醋后冷食。

Sopa de Galeras de Casa Bigote

Casa Bigote Mantis Shrimp Soup

1 kg. mantis shrimps • 1 onion • 3 ripe tomatoes • 3 green peppers • 1 baguette • A few sprigs mint • ½ glass virgin olive oil • 1 glass aged Manzanilla sherry • 1l. water • Salt

• Put a saucepan on with water and cook the mantis shrimps. • Brown the finely-chopped onion and green peppers in a frying pan with a little oil. Add the tomatoes cut into slices and fry lightly. Remove and blend in a blender. • Mix in the water from the cooked shrimp. Season and add the mint, crumbled bread and Manzanilla. Leave to boil over a low heat for a few minutes. • Add the shrimps, peeled and cut into fine slices. Serve very hot in a small clay casserole dish.

Soupe de squilles façon Casa Bigote

1 kg. de squilles • 1 oignon • 3 tomates mûres • 3 poivrons verts1 demi baguette de pain • Quelques branches de menthe • ½ verre d'huile d'olive vierge • 1 verre de camomille filtrée • 1 l. d'eau • Sel

• Faire cuire les squilles dans une casserole avec de l'eau. Réserver l'eau • Faire dorer l'oignon émincé et les poivrons verts finement coupés dans une poêle avec un peu d'huile. Ajouter les tomates coupées en morceaux et faire revenir le tout. Ôter du feu et passer la préparation au mixeur. Mélanger avec l'eau utilisée pour les squilles. Assaisonner, puis ajouter la menthe, le pain émietté et la camomille. Laisser bouillir à feu doux pendant quelques minutes. Ajouter les squilles décortiquées et coupées en petits morceaux. • Servir très chaud dans un ramequin en terre cuite.

Krebssuppe „Casa Bigote"

1 kg. Heuschreckenkrebse • 1 Zwiebel • 3 reife Tomaten • 3 grüne Paprika • 1 Stange Brot • einige Minzzweige • ½ Glas natives Olivenöl • 1 Glas gereifter Manzanilla-Wein • 1 l. Wasser • Salz

• Eine Kasserolle mit Wasser aufs Feuer stellen und die Heuschreckenkrebse kochen. • Die fein gehackte Zwiebel und die kleingeschnittenen grünen Paprika in einer Pfanne mit etwas Öl anbraten. Die in Stücke geschnittenen Tomaten zugeben und braten. Vom Feuer nehmen und im Mixer zerkleinern. Mit dem Wasser, in dem die Krebse gekocht wurden, vermischen. Würzen und die Minze, das zerbröselte Brot und den Manzanilla-Wein zugeben. Ein paar Minuten lang bei schwacher Hitze kochen lassen. Die geschälten und in kleine Stücke geschnittenen Krebse hinzufügen. • Sehr heiß in Tonschalen servieren.

Суп из креветок галера от Каса Биготе

1 кг креветок галера • 1 луковица • 3 спелых помидора • 3 зеленых перца • 1 маленький батон хлеба • Несколько веточек мяты • ½ стакана оливкового масла • 1 бокал вина мансанилья • 1 л воды • Соль

• Сварить креветки. • В сковороде с небольшим количеством масла обжарить мелко порезанный лук и перец до золотистого цвета. Выложить помидоры, порезанные кусочками, и жарить. Снять с огня и превратить в пюре с помощью миксера. Смешать с водой от варки креветок. Посолить, добавить мяту, раскрошенный хлеб и вино. Кипятить на медленном огне в течение нескольких минут. Добавить очищенные креветки, порезанные кусочками.
Подавать очень горячим в маленькой глиняной кастрюльке.

カサ・ビゴテ（ひげの家）風シャコのスープ

シャコ　1 kg •玉ねぎ　1個 •完熟トマト　3個 •ピーマン（緑）　3個 •フランスパン　1本 •香草イエルバブエナ（ハッカの種）1束 •バージンオリーブオイル　半カップ •マンサニージャ（シェリー酒の種）1杯 •水　1 l •塩

• 水を入れた鍋を火にかけシャコを茹でる。• フライパンに油を少しひいてみじん切りにした玉ねぎとピーマンを炒める。小さく切ったトマトを加えて炒め、火からおろしてミキサーにかける。シャコを茹でるのに使った湯を加える。塩を振って香草、細かくちぎったパン、マンサニージャを加える。弱火に数分かけて、適当に切ったシャコを加える。　カスエリータ（調理してそのまま食卓に出せるタイプの平たい土鍋の一人分用のもの）に入れて熱々でいただく。

虾蛄汤

1公斤虾蛄 • 1个洋葱 • 3个熟番茄 • 3个青椒 • 1根长条面包 • 几张薄荷叶 • 半杯橄榄油 • 1杯浓菊花茶 • 1升水 • 盐

•把虾蛄放在锅中加水煮熟。•锅中加少量油，把切成丁的洋葱和青椒炒黄。加入番茄丁一起稍炒。然后把它们放入搅拌器搅拌。加入煮虾蛄的水、盐、薄荷、面包屑和母菊花茶。让其在小火上烧开煮几分钟。倒入去壳切碎的虾蛄。• 分装在小碗中趁热食用。

Consomé al oloroso

Oloroso Sherry Consommé

5 kg. meat bones for stock • ½ kg. minced beef • 125 gr. ripe tomatoes • 125 gr. carrots • 2 cloves garlic • 2 leeks • ½ bunch green celery • 1 bay leaf • 4 egg whites • 2 l. water • White pepper • 1 tbsp. oloroso sherry • Salt

• Bake the bones in the oven, remove when browned and cover with water in a clay casserole dish. Leave to cook over a low heat for 8 hours. Remove the grease from the stock every once in a while, adding water to cover the bones. Then strain the stock through a chinois and set aside. • Wash and chop the de-seeded tomatoes, carrots, leeks and garlic into tiny pieces. Mix all the ingredients with the oloroso sherry, season and put in a large pot with the stock and cook on a medium heat for one and a half hours, stirring all the while. When it starts to boil add the egg whites. Remove the fat from time to time. Serve hot.

Consommé à l'Oloroso

5 kg. d'os de jarret de veau • ½ kg. de viande de veau hachée • 125 gr. de tomates mûres • 125 gr. de carottes • 2 gousses d'ail • 2 poireaux • ½ botte de céleri vert • 1 feuille de laurier • 4 blancs d'œufs • 2 l. d'eau • Poivre blanc • 1 cuillerée à soupe de xérès Oloroso • Sel

• Faire dorer les os au four, les retirer et les mettre dans une casserole en terre cuite remplie d'eau. Laisser cuire à feu doux pendant 8 heures. Dégraisser le bouillon de temps en temps et rajouter de l'eau afin de couvrir les os. Une fois ce temps écoulé, passer le bouillon au chinois et réserver. • Laver et couper très finement les tomates égrainées, les carottes, les poireaux et l'ail. Mélanger tous les ingrédients avec l'Oloroso et assaisonner. Mettre le tout dans une grande casserole avec le bouillon réservé et faire cuire à feu moyen pendant une heure et demi en remuant régulièrement. Lorsque la préparation arrive à ébullition, ajouter les blancs d'œufs. Dégraisser de temps en temps. Servir chaud.

Consommé mit Oloroso

5 kg. Kugelknochen • ½ kg. Rindergehacktes • 125 gr. reife Tomaten • 125 gr. Möhren • 2 Knoblauchzehen • 2 Porreestangen • ½ Bund grüner Sellerie • 1 Lorbeerblatt • 4 Eiklar • 2 l. Wasser • Weißer Pfeffer • 1 EL Oloroso aus Jerez • Salz

• Die Knochen im Backofen rösten, herausnehmen und in einem Tontopf mit Wasser bedecken. Bei schwacher Hitze acht Stunden lang kochen lassen. Hin und wieder das Fett abschöpfen und Wasser zugeben, damit die Knochen stets bedeckt sind. Anschließend die Brühe durch ein Passiertuch geben und beiseite stellen. • Die gewaschenen und entkernten Tomaten, die Möhren, den Porree und die Knoblauchzehen sehr klein schneiden. Alle Zutaten mit dem Oloroso vermischen, salzen, pfeffern und in einen großen Topf mit der Brühe geben. Anderthalb Stunden lang bei schwacher Hitze unter ständigem Rühren kochen lassen. Sobald es aufkocht, das Eiklar zugeben. Ab und zu das Fett abschöpfen. Heiß servieren.

Консоме «аль Олоросо»

5 кг говяжих костей • ½ кг говяжьего фарша • 125 г спелых помидор • 125 г моркови • 2 зубчика чеснока • 2 лука-порея • ½ пучка зеленого сельдерея • 1 лавровый лист • 4 белка яиц • 2 л воды • Белый молотый перец • 1 ст. ложка вина Олоросо Херес • Соль

• В духовке запечь кости до золотистого цвета, вынуть и поместить в глиняную кастрюлю, залить водой. Варить на медленном огне в течение 8-и часов. Время от времени снимать жир и добавлять воды, чтобы кости все время были покрыты ею. Процедить и отставить в сторону. • Вымыть и мелко порезать помидоры, удаляя семечки. Мелко порезать морковь, поррей и чеснок. Смешать все ингредиенты с вином, посолить и поперчить, выложить в большую кастрюлю с бульоном. Варить на среднем огне, постоянно помешивая в течение полутора часов. Когда начнет кипеть, вылить яичные белки. Время от времени удалять жир. Подавать горячим.

シェリー風味コンソメ

骨付き肉　5 kg • 牛ひき肉　½ kg • 完熟トマト　125 g • にんじん　125 g • にんにく　2かけ • ポロねぎ　2本 • セロリ　½ 束 • ローレル　1枚 • 卵白　4個分 • 水　2 l • 白こしょう • シェリー酒オロロソ　大さじ1 • 塩

•オーブンで骨つき肉を焼き、取り出して土鍋に入れ、かぶるぐらいの水を入れ、弱火で8時間煮る。時々、浮いた油を時々取り除き、常に骨が湯をかぶっているように水を足す。8時間煮たら濾して、スープをとっておく。•トマト、にんじん、ポロねぎ、にんにくを洗って細かく切る。トマトは種をとること。材料すべてをシェリー酒とあわせ、塩こしょうして、大鍋でスープと一緒に中火に1時間半かける。かき混ぜるのを怠らないこと。ふつふつと煮立ってきたら卵白を入れる。ときどきアクと油を取り除く。温かいうちにいただく。

酒香肉汤

5公斤肉骨 • 半公斤牛肉末 • 125克熟番茄 • 125克胡萝卜 • 2瓣大蒜 • 2颗大葱 • 半把清芹菜 • 1片月桂树叶 • 4个蛋清 • 2升水 • 白胡椒 • 1调羹雪利葡萄酒 • 盐

• 用烤炉把骨头烤得焦黄后把它放入砂锅中, 加水用小火煮8个小时。定期去掉表面的油脂, 加水没过骨头。煮好后把汤沥出后备用。• 把去籽的番茄、胡萝卜、大葱和大蒜切碎。加盐和胡椒, 和葡萄酒拌匀。和汤汁一起倒入一个大锅中用中火煮一个半小时, 要不断搅动。当汤烧开后加入蛋清。不时地去掉汤中的脂肪。趁热食用。

Gazpacho andaluz

Andalusian Gazpacho

1 kg. ripe tomatoes • 1 green pepper • 1 cucumber • 4 cloves garlic • 1 slice bread • 6 tbsp. virgin olive oil • 2 tbsp. sherry vinegar • Cold water • Coarse salt

• Soak the crumbled bread in the water in a clay casserole dish. Remove when soft and drain by hand. • Wash and peel the tomatoes and chop finely. Put aside. • Crush the garlic, a pinch of coarse salt, the sliced pepper and cucumber and the tomato in a dish. Add the bread, still crushing, and pour in a little cold water. Add the olive oil and vinegar until you achieve the required consistency. • Serve cold, garnished with finely-sliced onion, tomato, pepper, cucumber and croutons.

Gaspacho andalou

1 kg. de tomates mûres • 1 poivron vert • 1 concombre • 4 gousses d'ail • 1 tranche de pain • 6 cuillerées à soupe d'huile d'olive vierge • 2 cuillerées à soupe de vinaigre de xérès • Eau froide • Gros sel

• Faire tremper la mie de pain dans une casserole en terre cuite. La retirer une fois qu'elle est bien imprégnée et l'égoutter à la main. • Laver et peler les tomates, puis les couper en petits morceaux. Réserver. • Dans la casserole, broyer l'ail, les tomates, le poivron et le concombre finement coupés, en ajoutant une pincée de gros sel. Mettre le pain, continuer de broyer et verser un peu d'eau froide. Ajouter l'huile d'olive et le vinaigre jusqu'à obtenir la consistance désirée. • Servir froid, avec en garniture l'oignon, la tomate, le poivron et le concombre coupés en petits dés, ainsi que des petits morceaux de pain frit.

Andalusischer Gazpacho

1 kg. reife Tomaten • 1 grüne Paprika • 1 Gurke • 4 Knoblauchzehen • 1 Scheibe Brot • 6 EL natives Olivenöl • 2 EL Sherry-Essig • Kaltes Wasser • Grobes Salz

• Das Brot in einem Tontopf einweichen. Wenn es weich ist, herausnehmen und mit den Händen ausdrücken. • Die Tomaten waschen, schälen und in kleine Stücke schneiden. Beiseite stellen. • Den Knoblauch, eine Prise grobes Salz, die kleingeschnittene Paprika, Gurke und Tomaten zerstoßen. Das Brot zugeben, weiter zerstampfen und etwas kaltes Wasser zugießen. Olivenöl und Essig zugießen, bis die gewünschte Textur entsteht. • Mit einer Garnierung aus Zwiebeln, Tomaten, Paprika, gewürfelter Gurke und gerösteten Brotstücken kalt servieren.

Андалузский гаспачо

1 кг спелых помидор • 1 зеленый перец • 1 огурец • 4 зубчик чеснока • 1 ломтик хлеба • 6 ст. ложек оливкового масла • 2 ст. ложки винного уксуса Херес • Холодная вода • Крупная соль

• В глиняную кастрюлю выложить измельченный хлеб, замоченный в воде. Когда хлеб станет мягким, отжать его руками. • Помыть помидоры и очистить от кожицы, мелко порезать. Отставить в сторону. • Растолочь чеснок и выложить на дно кастрюли, добавить щепотку крупной соли, порезанные перец и огурец. Выложить помидоры, добавить хлеб. Толочь все вместе, добавляя немного холодной воды. Вылить оливковое масло и уксус, толочь до получения необходимой консистенции. • Подавать холодным, украсить мелко порезанным луком, помидорами, огурцом и гренками.

アンダルシア風ガスパチョ

完熟トマト　1 kg • ピーマン（緑）1個 • きゅうり　1本 • にんにく　4かけ • パン　1切れ • バージンオリーブオイル　大さじ6 • シェリー酒ビネガー　大さじ2 • 冷水 • 大粒の塩

•パンを細かくちぎって水にひたす。柔らかくなったら取り出して手で水気をきる。•トマトは洗って皮をむき、小さく切る。•にんにく、一つまみの塩、細かく切ったきゅうりとピーマン、トマトをすべてすり潰す。先ほどのパンを加えすり続けながら冷水を少し加える。オリーブオイル、ビネガーも入れて好みのとろみになるまですり続ける。•冷たく冷やしていただく。細かいさいの目に切った玉ねぎ、トマト、ピーマン、きゅうりやクルトンなどをトッピングする。

安达卢西亚冷汤

1公斤熟番茄 • 1个青椒 • 1根黄瓜 • 4瓣大蒜 • 1片面包 • 6调羹初榨橄榄油 • 2调羹雪利酒醋 • 凉水• 粗盐

• 把面包屑放在一个砂锅里, 加水浸泡。当它变软后用手捞出。• 把番茄洗干净后切成小块备用。• 把大蒜、一撮盐、胡椒、切成粒的黄瓜和番茄放大碗混合好捣碎, 加入面包, 继续捣。再倒入一点凉水。加入橄榄油和醋直到形成浆。• 加入洋葱、番茄、胡椒、黄瓜粒作装饰, 和炸面包块一起冷食。

CLUB
LA ALACENA DE
Carlos Herrera
COMPARTA CON NOSOTROS...
LO MEJOR DE LO BUENO

© Alberto Rodrigo / *Diario de Burgos*

Carlos Herrera podría haber ejercido la medicina, pero se cruzó en su camino la radio y se la inyectó en vena. Ha tocado otros palillos, como la televisión, la prensa o los libros, pero está claro que donde mejor torea es, además de la cocina, en un estudio de radio. En la actualidad presenta y dirige en Onda Cero Radio *Herrera en la Onda*.
Es autor, entre otros, de los libros *Catálogo de pequeños placeres*, *Instantes de pasión* y *La cocina de Carlos Herrera,* libro que obtuvo el primer premio en la Gourmand World Cookbook Awards 2001 en la categoría de *Mejor Libro de Cocina Española y Latina* en castellano. Es el fundador de «La Alacena de Carlos Herrera», generadora de una de las mejores selecciones de productos gourmet del mercado español.

Carlos Herrera could have practiced medicine, but the radio crossed his path and he was hooked. He has dabbled in other mediums, such as television, the press or books, but there is no doubt that his greatest talent, aside from in the kitchen, is in the radio studio. Currently he presents and directs *Herrera en la Onda* on the Onda Cero Radio channel.
Among other books, he is the author of the *Catálogo de pequeños placeres*, *Instantes de pasión* and *La cocina de Carlos Herrera, a book which won the Best Spanish and Latin Cookery Book in Spanish prize in the* Gourmand World Cookbook Awards 2001. He is founder of «La Alacena de Carlos Herrera», the source of one of the best selections of gourmet products on the Spanish market.

Carlos Herrera aurait pu exercer la médecine, mais son parcours le dirigea vers la radio, qu'il a désormais dans le sang. Il a également touché à d'autres spécialités comme la télévision, la presse ou les livres. Outre la cuisine, il est clair qu'il est un véritable maître de la radio. Actuellement, il présente et dirige *Herrera en la Onda sur* Onda Cero Radio.
Il est notamment l'auteur d'ouvrages comme *Catálogo de pequeños placeres*, Instantes de pasión et *La cocina de Carlos Herrera,* ayant obtenu le premier prix de la Gourmand World Cookbook Awards 2001 dans la catégorie du *Meilleur livre de cuisine espagnole et hispano-américaine* en espagnol. Il est également le fondateur de «La Alacena de Carlos Herrera», qui produit l'une des du marché espagnol.

Carlos Herrera hätte sich sein Brot auch als Arzt verdienen können, jedoch stieß er eines Tages auf das Radio und kam davon nicht mehr los. Er war auch auf anderen Gebieten tätig, im Fernsehen, der Presse und der Literatur, aber in einem Rundfunkstudio ist er – einmal abgesehen von der Küche – eindeutig am meisten in seinem Element. Gegenwärtig präsentiert und leitet er im Radiosender Onda Cero das Programm *Herrera en la Onda*.
Er ist unter anderem Autor der Bücher *Catálogo de pequeños placeres*, *Instantes de pasión* und *La cocina de Carlos Herrera*, das mit dem ersten Preis der Gourmand World Cookbook Awards 2001 in der spanischsprachigen Kategorie „Das beste Buch über spanische und lateinamerikanische Kochkunst" ausgezeichnet wurde. Er ist Gründer von «La Alacena de Carlos Herrera», einem Betrieb, dessen Angebot an Gourmetprodukten zu den besten auf dem spanischen Markt zählt.

Карлос Эррера мог бы стать врачом, но на его пути встало радио и проникло в его вены. Он примерился и к другим «рычагам», таким как телевидение, пресса или книги, однако, абсолютно ясно, что место где наиболее ярко проявляются его таланты - это, помимо кухни, радиостудия. В настоящее время Карлос является ведущим и руководителем радиопередачи Эррера ен ла Онда (*Herrera en la Onda*) на волне Онда Серо (Onda Cero).
Он является автором таких книг как Каталог маленьких удовольствий (*Catálogo de pequeños placeres*), Моменты страсти (*Instantes de pasión*) и Кухня Карлоса Эррера (*La cocina de Carlos Herrera*). Последняя книга обрела первую премию Gourmand World Cookbook Awards 2001 в категории Лучшая книга по Испанской и Латиноамериканской кухни на испанском языке. Карлос Эррера является основателем фирмы La Alacena de Carlos Herrera, предлагающей наилучший выбор продуктов гурмет на испанском рынке.

カルロス・エレラは、医者になろうとしていたところでラジオと運命的に出会いました。テレビや新聞雑誌、本といったその他のメディアでも活躍しますが、何と言ってもその才能が最も発揮される場は、台所以外にはラジオスタジオでしょう。現在はオンダ・セロ・ラジオの*Herrera en la Onda*を担当。
本も多く出しており、著作の中には*Catálogo de pequeños placeres*、 *Instantes de pasión*等があります。中でも*La cocina de Carlos Herrera* は、Gourmand World Cookbook Awards 2001の「(スペイン・ラテンアメリカ諸国内) スペイン語で書かれた料理書部門」最高賞を受賞。スペイン市場から厳選されたグルメ食品を揃えるLa Alacena de Carlos Herreraの創立者でもあります。

卡洛斯·埃雷拉本可以成为医生, 可是他改行投身于广播事业, 并为其注入活力。他也尝试过其他领域, 如电视、图书出版等, 可事实证明, 除烹饪外他最有建树的要数广播界。现今他便在西班牙国家电台 (Onda Cero) 主持专栏卡洛斯·埃雷拉在线。
作者的出版物中要数《点滴享受目录》、《激情瞬间》和《卡洛斯·埃雷拉烹饪》, 这本书的西班牙语版在2001年 "美食世界厨艺书大奖" 中获得西班牙和拉美厨艺最佳出版物奖。他是《卡洛斯·埃雷拉的食橱》: 西班牙最有名的美食挑选权威之一的创立者。